# VORLESUN[illegible]
# ÜBER
# FOURIERSCHE INTEGRALE

VON

DR. S. BOCHNER
DOZENT AN DER UNIVERSITÄT MÜNCHEN



CHELSEA PUBLISHING COMPANY
231 West 29th Street, New York 1, N. Y.
1948

PRINTED IN THE UNITED STATES OF AMERICA

# Vorwort.

Bei der Abfassung des Buches hat es mir vorgeschwebt, auf nicht zu breitem Raum möglichst verschiedenartige Eigenschaften der Fourierschen Integrale aufzuweisen, unter Hervorhebung solcher, welche sie für Anwendungen tauglich machen. Da der Stoff sehr umfangreich ist und es bisher ein Buch über den Gegenstand nicht gibt, mußte ich die Auswahl des Stoffes nach einem eigenen Gesichtspunkt treffen. Ich habe es mir angelegen sein lassen, die theoretischen Grundlagen für das eigentliche Operieren mit Fourierschen Integralen und ihre kalkülmäßige Verwendung herauszuarbeiten. Daher kommt es, daß neben den verallgemeinerten Fourierschen Integralen und ihren Anwendungen, welche erst in jüngster Zeit untersucht worden sind, auch ältere Dinge ganz anderer Art aufgenommen wurden, wie z. B. die „Auswertung gewisser mehrfacher Integrale“ (§ 17), welche in modernen Büchern über Analysis nicht behandelt wird, und daher den meisten jüngeren Mathematikern nicht bekannt sein dürfte; und deswegen wurden die Poissonschen Formeln in einer und mehreren Veränderlichen und die für die Wahrscheinlichkeitstheorie grundlegenden Betrachtungen über Fourier-Stieltjessche Integrale recht eingehend diskutiert, obwohl z. B. die feineren Kriterien über Konvergenz eines Fourierschen Integrals in einem einzelnen Punkt nicht mehr berücksichtigt werden konnten. Was die Anwendungen der Fourierschen Integrale anbetrifft, so wurden sie zum Teil explizite behandelt, und für die anderen wurden die Hilfsmittel nach Maßgabe des Zusammenhanges bereitgestellt.

Der Inhalt des Buches ist in manchen Teilen neu. Aber ich möchte nicht alles, wofür im Literaturverzeichnis keine Quelle angegeben ist, für mich beanspruchen; bei vielen einfachen und grundlegenden Sätzen, insbesondere im neunten Kapitel (und z. B. in § 7) dürfte es schwer sein, eine Quelle anzugeben, obwohl man diese Dinge kaum als ganz neu hinstellen kann.

Herrn Dr. J. Meixner bin ich für wertvolle Unterstützung beim Lesen des Manuskripts und der Korrekturen sehr dankbar; und der Akademischen Verlagsgesellschaft m. b. H. bin ich für die Bemühungen um die Drucklegung zu Dank verpflichtet.

München, August 1932.

Der Verfasser.

# Inhaltsverzeichnis.

ERSTES KAPITEL.

**Grundlegende Eigenschaften trigonometrischer Integrale.**



ZWEITES KAPITEL.

**Darstellungs- und Summenformeln.**



DRITTES KAPITEL.

**Das Fouriersche Integraltheorem.**



VIERTES KAPITEL.

**Stieltjessche Integrale.**

## FÜNFTES KAPITEL.

### Das Operieren mit den Funktionen der Klasse $\mathfrak{F}_0$.



## SECHSTES KAPITEL.

### Verallgemeinerte trigonometrische Integrale.



## SIEBENTES KAPITEL.

### Analytische und harmonische Funktionen.



## ACHTES KAPITEL.

### Quadratische Integrierbarkeit.



## NEUNTES KAPITEL.

### Funktionen von mehreren Veränderlichen.

ERSTES KAPITEL.

# Grundlegende Eigenschaften trigonometrischer Integrale.

## § 1. Trigonometrische Integrale über endliche Intervalle.

1. Als trigonometrische Integrale bezeichnen wir Ausdrücke der Gestalt

$$\Phi(\alpha) = \int_a^b f(x) \cos \alpha x \, dx \tag{1}$$

bzw.

$$\Psi(\alpha) = \int_a^b f(x) \sin \alpha x \, dx. \tag{2}$$

Für viele Betrachtungen ist es bequemer, statt des trigonometrischen Faktors *cos* $\alpha x$ bzw. *sin* $\alpha x$ den exponentiellen Faktor $e^{i\alpha x}$ anzusetzen. Das trigonometrische Integral lautet dann

$$J(\alpha) = \int_a^b f(x) e^{i\alpha x} dx^{*}).$$

Zur typographischen Vereinfachung werden wir ausnahmslos die Funktion $e^{i\xi}$ mit $e(\xi)$ bezeichnen. Wir werden daher schreiben

$$J(\alpha) = \int_a^b f(x)\, e(\alpha x)\, dx. \tag{3}$$

Es ist üblich, trigonometrische Integrale auch als *Fouriersche Integrale*[1]) zu bezeichnen, weil J. J. Fourier als erster den Anstoß zum Studium solcher Integrale gegeben hat[2]).

Wenn das Gegenteil nicht aus dem Zusammenhang hervorgeht, ist eine „Zahl" eine komplexe Zahl und eine „Funktion" eine komplexwertige Funktion einer reellen Veränderlichen; eine Funktion $f(x)$ ist also ein Ausdruck $f_1(x) + i f_2(x)$, in welchem $f_1(x)$ und $f_2(x)$ reellwertige

---

*) Wir werden die Zeichen $\Gamma$, $H$, $J$ usw. öfters auch in konventionellem Sinne zur Bezeichnung der Gammafunktion, Hankelschen Funktion, Besselschen Funktion usw. verwenden. Jedoch wird diese spezielle Verwendung jeweils aus dem Zusammenhang hervorgehen.

Funktionen nach der üblichen Definition sind. Über das Rechnen mit solchen Funktionen vgl. man Anhang 12. Wir setzen ein für allemal fest, daß jede unter einem Integralzeichen vorkommende Funktion in erster Linie auf jedem endlichen Intervall integrierbar sein wird. Hierbei legen wir den Integralbegriff von Lebesgue zugrunde; wir nennen also „integrierbar", was man sonst als „nach Lebesgue integrierbar" oder als „summierbar" zu bezeichnen pflegt.

2. Wenn in den Integralen (1) bis (3) die Integrationsgrenzen $a$ und $b$ die gleichen sind, so ist

$$J(\alpha) = \Phi(\alpha) + i\Psi(\alpha)$$

und $$2\Phi(\alpha) = J(\alpha) + J(-\alpha) \qquad 2i\Psi(\alpha) = J(\alpha) - J(-\alpha).$$

Weiterhin sind $\Phi(\alpha)$ und $\Psi(\alpha)$ sehr ähnlich gebaut. Auf Grund dessen werden wir öfters eine Aussage nur für eines der drei Integrale beweisen, aber das Ergebnis auch für die anderen in Anspruch nehmen, sofern die Übertragung eine sehr naheliegende ist. Es ist

$$\Phi(-\alpha) = \Phi(\alpha), \qquad \Psi(-\alpha) = -\Psi(\alpha)$$

und $$J(-\alpha) = \overline{J_1(\alpha)}\,^{*)},$$

wobei $J_1(\alpha)$ mit der Funktion $f_1(x) = \overline{f(x)}$ gebildet ist,

$$J_1(\alpha) = \int_a^b \overline{f(x)}\, e(\alpha x)\, dx.$$

Daher genügt es beim Studium der Funktionen $\Phi(\alpha)$, $\Psi(\alpha)$ und $J(\alpha)$, sich auf eine der Halbgraden $\alpha \geqq 0$ oder $\alpha \leqq 0$ zu beschränken; in der Regel werden wir die rechte Halbgrade bevorzugen.

3. In den bestimmten Integralen, mit denen wir es zu tun haben werden, wird im allgemeinen mindestens eine der beiden Integrationsgrenzen unendlich sein. Zur Vereinfachung der Schreibweise wollen wir die obere Integrationsgrenze weglassen, wenn sie den Wert $+\infty$ hat, und die untere, wenn sie den Wert $-\infty$ hat. Demnach ist z. B. das Integral

$$\int_0 f(x) \cos \alpha x\, dx$$

über das Intervall $[0, \infty]$**) und das Integral

(4) $$\int f(x)\, e(\alpha x)\, dx$$

über das Intervall $[-\infty, \infty]$ zu erstrecken.

---

*) Der Querstrich bedeutet „konjugiert-komplex."

**) Unter $(\lambda, \mu)$ bzw. $[\lambda, \mu]$ verstehen wir das Intervall $\lambda \leqq x \leqq \mu$ bzw. $\lambda < x < \mu$. Wir werden auch gemischte Klammern benutzen und demnach $\lambda \leqq x < \mu$ mit $(\lambda, \mu]$ bezeichnen.

4. Es ist eine grundlegende Eigenschaft trigonometrischer Integrale, mit der wir auch gleich beginnen wollen, daß sie „im allgemeinen" für große Werte von $\alpha$ beliebig klein werden. Im vorliegenden Paragraphen beschränken wir uns auf den Fall, daß beide Integrationsgrenzen endlich sind, und wir erörtern nur das Integral (3).

Wenn die Funktion $f(x)$ keinen Einschränkungen unterliegt, so ist das Integral (3) ein Spezialfall von (4). Das Integral (3) geht in das Integral (4) über, wenn die Funktion $f(x)$ außerhalb von $(a, b)$ durch Nullwerte ergänzt wird, d. h. wenn $f(x)$ durch die Festsetzung: „$f(x) = 0$ für $x \neq (a, b)$" zu einer in $[-\infty, \infty]$ definierten Funktion erweitert wird. Anders aber, wenn $f(x)$ Einschränkungen unterworfen ist. Falls z. B vorausgesetzt wird, daß $f(x)$ differenzierbar sein soll, so ist (3) nur dann ein Spezialfall von (4), wenn $f(x)$ für $x = a$ und $x = b$ verschwindet; denn nur dann ist die durch Nullwerte erweiterte Funktion in $[-\infty, \infty]$ differenzierbar (vgl. Anhang 8). Und wenn $f(x)$ nach ihrer Erweiterung in $[-\infty, \infty]$ stetig differenzierbar sein soll, so muß sie nicht nur in $(a, b)$ stetig differenzierbar sein, sondern auch für $x = a$ und für $x = b$ mitsamt ihrer Ableitung verschwinden.

Unsere Behauptung lautet*):

$$J(\alpha) \to 0 \text{ für } \alpha \to \pm\infty. \tag{5}$$

Wenn $f(x)$ in $(a, b)$ differenzierbar ist, und wenn man mit $M$ eine Schranke von $f(x)$ und

$$\int_a^b |f'(x)|\, dx$$

bezeichnet, so folgt aus

$$J(\alpha) = \frac{1}{i\alpha}[f(b)\, e(\alpha b) - f(a)\, e(\alpha a)] - \frac{1}{i\alpha}\int_a^b f'(x)\, e(\alpha x)\, dx$$

die Abschätzung

$$|J(\alpha)| \leqq \frac{3M}{|\alpha|}, \tag{6}$$

und hieraus folgt (5). Schreibt man

$$J(\alpha) = \int_a^c + \int_c^b = J_1(\alpha) + J_2(\alpha),$$

und gilt die Relation (5) für $J_1(\alpha)$ und $J_2(\alpha)$, so gilt sie offenbar auch für $J(\alpha)$. Ähnlich im Falle mehrerer Intervalle. Demnach gilt (5) für eine stückweise differenzierbare Funktion, insbesondere für eine stückweise konstante Funktion („Treppenfunktion").

---

*) Für Limesverhalten schreiben wir, ohne Bedeutungsunterschied, entweder $\lim f(\xi) = h$ oder $f(\xi) \to h$.

Die Relation (5) gilt aber auch für beliebige (integrierbare) Funktionen, wie man nunmehr durch einen Grenzübergang finden kann. Für zwei Funktionen $f(x)$ und $f_1(x)$ sei

$$\int_a^b |f(x) - f_1(x)|\,dx \leqq \varepsilon. \tag{7}$$

Dann hat man für die entsprechenden Integrale $J(\alpha)$ und $J_1(\alpha)$

$$|J(\alpha) - J_1(\alpha)| = \left| \int_a^b [f(x) - f_1(x)] e(\alpha x)\,dx \right| \leqq \int_a^b |f(x) - f_1(x)|\,dx \leqq \varepsilon.$$

Überdies sei für $f_1(x)$ die Relation (5) erfüllt. Dann gibt es ein $\alpha(\varepsilon)$, so daß für $|\alpha| > \alpha(\varepsilon)$

$$|J_1(\alpha)| \leqq \varepsilon.$$

Daher ist für $|\alpha| \geqq \alpha(\varepsilon)$

$$|J(\alpha)| \leqq |J_1(\alpha)| + |J(\alpha) - J_1(\alpha)| \leqq 2\varepsilon.$$

Nun kann man aber zu jeder (integrierbaren) Funktion $f(x)$ und zu jedem $\varepsilon$ eine Treppenfunktion $f_1(x)$ angeben, welche der Relation (7) genügt (Anhang 10). Daraus folgt:

*Für jede Funktion $f(x)$ ist*)*

$$\int_a^b f(x) e(\alpha x)\,dx \to 0 \text{ für } \alpha \to \pm\infty.$$

*Eine analoge Beziehung besteht auch für die Funktionen $\Phi(\alpha)$ und $\Psi(\alpha)$ 3).*

5. Wir bemerken, daß $J(\alpha)$ eine stetige Funktion ist. Denn es ist

$$|J(\alpha + \varrho) - J(\alpha)| \leqq \int_a^b |f(x)| \cdot |e(\varrho x) - 1|\,dx \leqq M(\varrho) \int_a^b |f(x)|\,dx,$$

wobei $M(\varrho)$ das Maximum von $|e(\varrho x) - 1|$ im Intervall $(a, b)$ bedeutet. Für $\varrho \to 0$ ist aber $M(\varrho) \to 0$. — Auch $\Phi(\alpha)$ und $\Psi(\alpha)$ sind stetig, vgl. 2**).

---

*) Da die Funktion $f(x)$ unter einem Integralzeichen vorkommt, so wird sie nach obiger Abmachung stillschweigend als integrierbar vorausgesetzt.

**) Gemeint ist der Absatz 2 des vorliegenden Paragraphen. — Jeder Paragraph ist in einige Absätze eingeteilt und bei Verweisen auf andere Stellen des Buches bezeichnet eine einfache Zahl den zitierten Absatz, und eine rund eingeklammerte Zahl eine Formel; also: (5) bezeichnet die Formel (5). Wenn der Absatz oder die Formel aus einem anderen Paragraphen zitiert wird, so wird die Nummer des Paragraphen vorausgeschickt. So bezeichnet § 51, 3 den Absatz 3 aus § 51 und § 51, (9) die Formel (9) aus § 51.

## § 2. Trigonometrische Integrale über unendliche Intervalle.

1. Wir nennen die Funktion $g(x)$ in $[a, \infty]$ integrierbar, falls das
Integral

$$\int\limits_a^A g(x)\,dx$$

für $A \to \infty$ einem endlichen Grenzwert zustrebt. Den Grenzwert bezeichnen wir mit

(1) $$\int\limits_a g(x)\,dx.$$

Wir werden uns auch dahin ausdrücken, daß das Integral (1) „existiert",
oder auch, daß es „konvergiert".

Wenn eine Funktion $g(x)$ in einem Teilintervall $[A, \infty]$ bzw. $[-\infty, B]$
ihres Definitionsintervalls eine gewisse Eigenschaft besitzt, so werden
wir auch sagen, daß sie diese Eigenschaft für $x \to \infty$ bzw. $x \to -\infty$
besitzt.

Da für jedes $A > a$ das Integral (1) zugleich mit

(2) $$\int\limits_A g(x)\,dx$$

konvergiert oder nicht konvergiert, so ist die Funktion $g(x)$ in $[a, \infty]$
integrierbar, wenn sie für $x \to \infty$ integrierbar ist.

Es ist eine grundlegende Eigenschaft des Lebesgueschen Integrals,
daß auf einem endlichen Intervall jede integrierbare Funktion auch
absolut integrierbar ist; demnach ist jede der von uns betrachteten
Funktionen von vornherein auf jedem endlichen Intervall absolut integrierbar. Etwas anderes ist es, wenn das Integrationsintervall unendlich ist. Wenn $g(x)$ für $x \to \infty$ integrierbar ist, so braucht nach un-
serer Definition nicht auch $|g(x)|$ daselbst integrierbar zu sein. Das
Umgekehrte ist aber richtig. Ist $f(x)$ in $[a, \infty]$ absolut integrierbar,
so ist wegen $|f(x) \sin \alpha x| \leqq |f(x)|$ das Integral

(3) $$\Psi(\alpha) = \int\limits_a f(x) \sin \alpha x\, dx$$

für alle Werte von $\alpha$ konvergent. Wiederum ist $\Psi(\alpha) \to 0$ für $\alpha \to \pm\infty$.
Man hat nämlich

$$|\Psi(\alpha)| \leqq \left| \int\limits_a^A f(x) \sin \alpha x\, dx \right| + \int\limits_A |f(x)|\,dx.$$

Durch passende Wahl von $A$ kann man das zweite Integral rechts, das
von $\alpha$ unabhängig ist, kleiner als $\varepsilon$ machen, und bei festem $A$ wird das
erste Integral kleiner als $\varepsilon$ für $|\alpha| \geqq \alpha(\varepsilon)$. Also ist für $|\alpha| \geqq \alpha(\varepsilon)$

$$|\Psi(\alpha)| \leqq 2\varepsilon.$$

Entsprechendes gilt für $\Phi(\alpha)$ und $J(\alpha)$.

Man setze z. B. $f(x) = e^{-kx}$, $k > 0$, und $a = 0$. Am einfachsten berechnet sich $J(\alpha)$. Aus

$$\int_0^A e^{-(k-i\alpha)x}\,dx = \frac{1}{k-i\alpha}\left(1 - e^{-kA} e(\alpha A)\right)$$

erhält man durch den Grenzübergang $A \to \infty$ und durch Aufspalten in Reelles und Imaginäres:

$$(4) \qquad \int_0^\infty e^{-kx}\cos\alpha x\,dx = \frac{k}{k^2+\alpha^2} \qquad \int_0^\infty e^{-kx}\sin\alpha x\,dx = \frac{\alpha}{k^2+\alpha^2}.$$

Für $\alpha \to \pm\infty$ gehen tatsächlich beide Ausdrücke gegen Null[4]).

Ein anderes wichtiges Infinitärverhalten von $f(x)$ ist Monotonie auch ohne absolute Integrierbarkeit. Die (reellwertige) Funktion $f(x)$ sei für $x \to \infty$ monoton gegen Null konvergent, d. h. sie sei in einem gewissen Intervall $[A, \infty]$ monoton und für $x \to \infty$ gegen Null konvergent. Da wir Integrale über endliche Intervalle bereits beherrschen, so können wir annehmen, daß der Punkt $x = A$ mit dem Anfangspunkt $x = a$ zusammenfällt. Eine in $[a, \infty]$ monotone Funktion, die für $x \to \infty$ gegen Null konvergiert, ist im ganzen Verlauf entweder positiv und abnehmend oder negativ und wachsend. Da eine wachsende Funktion durch Vorzeichenwechsel in eine abnehmende übergeht, werden wir uns nur mit den abnehmenden befassen.

2. Wir benutzen den folgenden Satz der Analysis, den sog. zweiten Mittelwertsatz der Integralrechnung. Ist im Intervall $(a, b)$ die Funktion $\varphi(x)$ stetig und die Funktion $p(x)$ positiv und monoton abnehmend, so gibt es in $(a, b)$ einen Zwischenwert $c$, für welchen

$$\int_a^b p(x)\varphi(x)\,dx = p(a)\int_a^c \varphi(x)\,dx.$$

Wir setzen insbesondere $\varphi(x) = \sin\alpha x$, $\alpha > 0$. Aus

$$\left|\int_a^c \sin\alpha x\,dx\right| \leqq \frac{2}{\alpha}$$

folgt

$$(5) \qquad \left|\int_a^b p(x)\sin\alpha x\,dx\right| \leqq \frac{2p(a)}{\alpha}.$$

Nunmehr sei die Funktion $p(x)$ in $(a, \infty]$ monoton gegen Null abnehmend. Aus

$$(6) \qquad \left|\int_A^{A'} p(x)\sin\alpha x\,dx\right| \leqq \frac{2}{\alpha}p(A) \qquad \alpha > 0$$

in Verbindung mit $p(A) \to 0$ für $A \to \infty$ ergibt sich, daß das Integral

$$\Psi(\alpha) = \int_a p(x) \sin \alpha x dx$$

für $\alpha > 0$ konvergent ist. Jetzt können wir $A'$ in (6) unendlich werden lassen, und erhalten

$$\left| \int_A p(x) \sin \alpha x \, dx \right| \leqq \frac{2}{\alpha} p(A).$$

Hieraus folgt: $\Psi(\alpha) \to 0$ für $\alpha \to \infty$. Zusammenfassend formulieren wir den folgenden Satz.

**Satz 1.** *Wenn die in* $[a, \infty]$ *betrachtete Funktion* $f(x)$ *für* $x \to \infty$ *entweder*

1. *absolut integrierbar ist, oder*
2. *monoton gegen Null konvergiert,*

*so sind die Integrale* $\Phi(\alpha)$, $\Psi(\alpha)$, $J(\alpha)$ *für* 1. *alle* $\alpha$ *bzw.* 2. *alle* $\alpha \neq 0$ *vorhanden, und für* $\alpha \to \pm \infty$ *gegen Null konvergent* [5]).

Der unter 2. gemachte Vorbehalt: $\alpha \neq 0$ trifft nur $\Phi(\alpha)$ und $J(\alpha)$. Für eine monoton gegen Null abnehmende Funktion braucht das Integral

$$\int_a f(x) \, dx,$$

welches den Wert $\Phi(0)$ oder $J(0)$ darstellen würde, nicht zu konvergieren (z. B. $f(x) = 1 : x$).

Es sei nunmehr $f(x)$ in der Gestalt

$$f(x) = g(x) \sin px$$

darstellbar, wo $p$ eine Konstante ist und $g(x)$ monoton gegen Null geht. An der Relation

$$2\Psi(\alpha) = \int_a g(x) \cos(\alpha - p) x \, dx - \int_a g(x) \cos(\alpha + p) x \, dx$$

erkennt man, daß mit eventueller Ausnahme der Werte $\alpha = p$ und $\alpha = -p$ das Integral $\Psi(\alpha)$ wiederum vorhanden ist und für $\alpha \to \pm \infty$ gegen Null konvergiert. Dasselbe ergibt sich für

$$f(x) = g(x) \cos px$$

und allgemeiner für

$$f(x) = g(x) \sin(px + q),$$

wo $p$ und $q$ Konstanten sind.

**Satz 1a.** *Die Voraussetzung* 2. *kann dahin verallgemeinert werden, daß man in* $[A, \infty]$ *setzen kann*

$$f(x) = g(x) \sin(px + q),$$

*wo* $p$ *und* $q$ *Konstanten sind, und* $g(x)$ *für* $x \to \infty$ *monoton gegen Null geht. Nur brauchen dann die Integrale für die Werte* $\alpha = \pm p$ *nicht zu konvergieren* [5]).

**Satz 1b.** *Eine weitere Verallgemeinerung des ganzen Satzes besteht darin, daß man in $\Phi(\alpha)$ und $\Psi(\alpha)$ den Faktor* $\cos \alpha x$ *bzw.* $\sin \alpha x$ *durch* $\cos \alpha(x-t)$ *bzw.* $\sin \alpha(x-t)$ *ersetzen kann, wo $t$ eine weitere Konstante ist*[5]). Diese Verallgemeinerung rechtfertigt sich durch die Variablentransformation $y = x - t$.

3. Analoge Aussagen gelten für eine linke Halbgrade $[-\infty, b]$, und auch für den Fall, daß $f(x)$ im Gesamtintervall $[-\infty, \infty]$ betrachtet wird. Wir nennen das Integral

$$\int g(x)\,dx$$

konvergent, wenn die beiden Integrale

$$\int_0 g(x)\,dx \text{ und } \int^0 g(x)\,dx$$

für sich konvergieren. In diesem Sinne werden wir späterhin der Funktion $f(x)$ insbesondere das Integral

$$E(\alpha) = \frac{1}{2\pi} \int f(x)\,e(-\alpha x)\,dx$$

zuordnen, und es als die *(Fouriersche) Transformierte*[6]) von $f(x)$ bezeichnen. Das Integral $E(\alpha)$ ist etwas anders als das Integral $J(\alpha)$ normiert, nämlich

$$J(\alpha) = 2\pi E(-\alpha).$$

Nach obigem ist $E(\alpha)$ für alle $\alpha \neq 0$ vorhanden und für $\alpha \to \pm\infty$ gegen Null konvergent, falls $f(x)$ sowohl für $x \to \infty$ als auch $x \to -\infty$ entweder absolut konvergent ist oder monoton gegen Null geht.

4. Ist $a > 0$, so fällt das Integral

$$\int_a \frac{\sin \alpha x}{x}\,dx$$

unter Satz 1, weil im Intervall $(a, \infty]$ die Funktion $f(x) = 1 : x$ monoton gegen Null abnimmt. Im Intervall $[0, a]$ und demnach in $[0, \infty]$ ist $f(x)$ hingegen nicht integrierbar. Obwohl der gesamte Integrand $x^{-1} \sin \alpha x$ daselbst regulär ist, also das Integral

$$\Psi(\alpha) = \int_0 \frac{\sin \alpha x}{x}\,dx$$

für alle $\alpha$ vorhanden ist, so ist doch $\Psi(\alpha)$ für $\alpha \to \infty$ nicht gegen Null konvergent. Die Transformation $\alpha x = \xi$, $\alpha > 0$, ergibt nämlich

$$\int_0 \frac{\sin \alpha x}{x}\,dx = \int_0 \frac{\sin \xi}{\xi}\,d\xi,$$

also ist $\Psi(\alpha)$ für $\alpha > 0$ konstant, und die Konstante ist, wie wir noch in § 4, 3 sehen werden, von Null verschieden.

## § 3. Größenordnung trigonometrischer Integrale.

1. Es entsteht die Frage, ob man nicht über die Schnelligkeit, mit welcher $\Phi(\alpha)$ und $\Psi(\alpha)$ für $\alpha \to \infty$ gegen Null abnehmen, Aussagen machen kann. Wenn die Funktion $f(x)$ nur als (absolut) integrierbar bekannt ist, so kann man, sogar für ein endliches Intervall $(a, b)$, nach Lebesgue keine derartige Aussage machen. Es läßt sich vielmehr nachweisen, daß diese Integrale beliebig langsam gegen Null abnehmen können[7]. Anders aber ist es, wenn man über die Funktion $f(x)$ etwas Genaueres weiß. Ist $f(x)$ in $(a, b)$ monoton abnehmend oder in $(a, \infty]$ monoton gegen Null abnehmend, so gibt es auf Grund von § 2, (5) eine Konstante $A$, so daß für $\alpha > 0$

$$|\Psi(\alpha)| \leqq A\alpha^{-1}.$$

In der bekannten Landauschen Symbolik kann man hierfür schreiben

(1) $$\Psi(\alpha) = O(\alpha^{-1}).$$

Wir erinnern an das Prinzip dieser Symbolik. Für $\xi \to \infty$ sei $\varphi(\xi) > 0$. Die Relation $f(\xi) = O[\varphi(\xi)]$ besagt, daß der Quotient

$$\frac{f(\xi)}{\varphi(\xi)}$$

für $\xi \to \infty$ beschränkt ist, und die Re'ation $f(\xi) = o[\varphi(\xi)]$ besagt, daß er sogar gegen Null geht. Wenn $f(\xi) = O[\varphi(\xi)]$ und $f_1(\xi) = O[\varphi_1(\xi)]$, wobei $\varphi(\xi) \leqq \varphi_1(\xi)$, und wenn $h(\xi)$ und $h_1(\xi)$ für $\xi \to \infty$ beschränkt sind, so gilt $fh + f_1h_1 = O(\varphi_1)$. Analoges gilt für die $o$-Relation.

Die gleiche Abschätzung (1) gilt für ein Intervall $(a, b)$, wenn daselbst $f(x)$ differenzierbar ist, vgl. § 1, (6), und für das Intervall $[a, \infty]$, wenn $f(x)$ daselbst eine absolut integrierbare Ableitung besitzt und für $\xi \to \infty$ gegen Null geht. Das letztere ist an der durch partielle Integration gewonnenen Formel (Anhang 8)

$$\int\limits_a f(x) \sin \alpha x \, dx = \frac{1}{\alpha} f(a) \cos \alpha a + \frac{1}{\alpha} \int\limits_a f'(x) \cos \alpha x \, dx$$

zu ersehen.

2. Daß die Abschätzung (1) einerseits für monotone und andererseits für differenzierbare Funktionen besteht, ist kein Zufall. Es besteht vielmehr der folgende Zusammenhang. Wenn man weiß, daß die Abschätzung (1) für monoton abnehmende Funktionen besteht, so ergibt sich sofort, daß sie auch für monoton zunehmende Funktionen besteht, und daß sie allgemeiner für Funktionen besteht, die sich als lineare Verbindung (mit komplexen Koeffizienten) von monotonen Funktionen darstellen lassen. Die letzteren Funktionen werden wir, wie üblich, als *Funktionen von beschränkter Variation* bezeichnen. Wir benötigen nicht den eigentlichen Begriff der beschränkten Variation, wir wollen nur

direkt zeigen, daß jede Funktion, die eine absolut integrierbare Ableitung besitzt, im angegebenen Sinne von beschränkter Variation ist. Wenn $f_1'(x) + i f_2'(x)$ absolut integrierbar ist, so ist es auch $f_1'(x)$ und $f_2'(x)$, daher genügt es, unsere Behauptung für reellwertige Funktionen nachzuweisen. Wenn $f(x)$ in $(a, b)$ eine integrierbare Ableitung besitzt, so kann man setzen

$$(2) \qquad \begin{aligned} f(x) &= f(b) + \int_x^b \frac{|f'(\xi)| - f'(\xi)}{2} d\xi - \int_x^b \frac{|f'(\xi)| + f'(\xi)}{2} d\xi \\ &= f(b) + h_1(x) - h_2(x), \end{aligned}$$

und die beiden Funktionen $h_1(x)$ und $h_2(x)$, die noch vom Parameter $b$ abhängen, sind monoton abnehmend, da die Integranden nicht-negativ sind. Handelt es sich um das Intervall $[a, \infty]$ und ist daselbst $f'(x)$ absolut integrierbar, so setze man (2) für irgendein $b$ aus $[a, \infty]$ an. Für $x \to \infty$ existiert der Limes rechts in (2), also auch der Limes von $f(x)$. Wir bezeichnen ihn mit $f(\infty)$. Der Grenzübergang $b \to \infty$ bei festem $x$ in (2) ergibt dann wiederum

$$f(x) = f(\infty) + h_1(x) - h_2(x),$$

mit monoton abnehmenden Funktionen $h_1(x)$ und $h_2(x)$, wobei in den letzteren Funktionen der Parameter $b$ nunmehr den Wert $+\infty$ hat, w. z. b. w. Es ist $\lim h_1(x) = \lim h_2(x) = 0$ für $x \to \infty$. Wenn also $f(x)$ für $x \to \infty$ gegen Null abnimmt, so kann man $f(x)$ als Differenz zweier monotoner Funktionen darstellen, die gleichfalls gegen Null abnehmen[8]).

3. Der Untersuchung zugänglich ist auch der Fall, daß $f(x)$ in einzelnen Punkten Unendlichkeitsstellen gesetzmäßiger Bauart besitzt. In einem Intervall $(a, b)$ sei für beliebiges $c$

$$f(x) = \frac{g(x)}{|x-c|^\mu},$$

wo $g(x)$ von beschränkter Variation ist und $\mu$ eine positive Zahl $< 1$ ist. Man kann unschwer zeigen, daß dann

$$\int_a^b f(x) {\cos \atop \sin} \alpha x dx = O(|\alpha|^{-\mu}).$$

Auf den Beweis gehen wir nicht ein[9]).

4. Die in $[-\infty, \infty]$ betrachtete Funktion $f(x)$ sei differenzierbar und mitsamt ihrer Ableitung absolut integrierbar. Da $f'(x)$ absolut integrierbar ist, existiert das Integral

$$g(x) = \int^x f'(\xi) d\xi,$$

und wegen $g'(x) = f'(x)$ ist $f(x) = g(x) + c$. Für $x \to -\infty$ ist $g(x) \to 0$. Wäre $c \neq 0$, so könnte nicht $f(x)$ für $x \to -\infty$ absolut integrierbar sein, also ist $f(x) = g(x)$, und insbesondere ist $f(x) \to 0$ für $x \to -\infty$. Schreibt man jetzt

$$\int f'(\xi)\,d\xi = c_1,$$

so ist

$$f(x) = c_1 - \int_x f'(\xi)\,d\xi.$$

Es ergibt sich wiederum $c_1 = 0$, und daher ist $f(x) \to 0$ auch für $x \to \infty$. Nunmehr betrachten wir die Transformierte

$$E(\alpha) = \frac{1}{2\pi} \int f(x)\, e(-\alpha x)\, dx.$$

Partielle Integration ergibt

$$i\alpha E(\alpha) = \frac{1}{2\pi} \int f'(x)\, e(-\alpha x)\, dx.$$

Nach Satz 1 (vgl. auch § 2, 3) angewandt auf den Integranden $f'(x)$ statt $f(x)$, ist $i\alpha E(\alpha)$ für $\alpha \to \pm\infty$ gegen Null konvergent, d. h.

$$E(\alpha) = o(|\alpha|^{-1}).$$

Wenn die Funktion $f'(x)$ ihrerseits wiederum eine absolut integrierbare Ableitung besitzt, so erhält man auf Grund dessen

$$i\alpha E(\alpha) = o(|\alpha|^{-1})$$

also

$$E(\alpha) = o(|\alpha|^{-2}).$$

Allgemein erhalten wir den folgenden **Satz**: *Wenn die in* $[-\infty, \infty]$ *betrachtete Funktion* $f(x)$ *k-mal differenzierbar ist,* $k = 0, 1, 2, \ldots$ *), *und mitsamt den ersten k Ableitungen absolut integrierbar ist, so besteht für ihre Transformierte die Abschätzung*

$$E(\alpha) = o(|\alpha|^{-k}).$$

## § 4. Gleichmäßige Konvergenz trigonometrischer Integrale.

1. Wenn in einem konvergenten Integral

$$\int_a g(x, \lambda)\, dx$$

der Integrand von einem Parameter $\lambda$ abhängt, so heißt das Integral gleichmäßig konvergent, falls man zu jedem $\varepsilon$ ein $A(\varepsilon)$ angeben kann,

---

*) Unter der 0-ten Ableitung einer Funktion verstehen wir die Funktion selber.

so daß für $A > A(\varepsilon)$ und alle betrachteten Werte $\lambda$

$$\Big|\int\limits_{A} g(x, \lambda)\, dx\Big| \leqq \varepsilon.$$

Eine analoge Definition gilt, wenn das Integral sich über $[-\infty, \infty]$ erstreckt, vgl. § 2, 3.

Gleichmäßige Konvergenz tritt ein, falls eine absolut integrierbare Funktion $\gamma(x)$ vorhanden ist, für welche $|g(x, \lambda)| < |\gamma(x)|$.

**Satz 2.** *Daher ist für eine absolut integrierbare Funktion $f(x)$ das Integral § 2, (3), für alle $\alpha$ gleichmäßig konvergent. Wenn $f(x)$ für $x \to \infty$ monoton gegen Null geht, so folgt aus § 2, 2 die gleichmäßige Konvergenz für $|\alpha| \geqq \alpha_0\ (> 0)$. Ähnliches gilt für $\Phi(\alpha)$. Wenn allgemeiner*

$$f(x) = g(x) \sin(px + q),$$

*und $g(x)$ monoton gegen Null geht, so sind $\Phi(\alpha)$ und $\Psi(\alpha)$ in jedem Intervall $(\alpha_1, \alpha_2)$ gleichmäßig konvergent, welches keinen der Punkte $\alpha = +p$ und $\alpha = -p$ enthält. Dasselbe gilt wiederum für die allgemeinen Integrale*

$$(1) \qquad \int\limits_{a} f(x) \cos \alpha(x-t)\, dx, \qquad \int\limits_{a} f(x) \sin \alpha(x-t)\, dx.$$

*Außerdem ist jedes dieser Integrale in jedem Intervalle, in welchem es gleichmäßig konvergiert, eine stetige Funktion von $\alpha$.*

Das Letztere ist sehr leicht einzusehen. Wir betrachten ein $\alpha$-Intervall, in welchem die Funktion

$$\Psi_n(\alpha) = \int\limits_{a}^{a+n} f(x) \sin \alpha x\, dx$$

für $n \to \infty$ gleichmäßig gegen $\Psi(\alpha)$ konvergiert. Da $\Psi_n(\alpha)$ überall in $\alpha$ stetig ist, vgl. § 1, 5, so ist nach einem bekannten Satz auch die Grenzfunktion $\Psi(\alpha)$ auf dem betrachteten Intervall stetig. Ähnliches gilt für die anderen Integrale.

2. Gleichmäßig konvergente Integrale kann man unter dem Integralzeichen nach dem Parameter differenzieren und integrieren, etwa nach den folgenden Regeln[10]):

a) Wenn eine Funktion $g(x, \lambda)$ für $a \leqq x < \infty$ und $\lambda_0 \leqq \lambda \leqq \lambda_1$ stetig ist, und wenn das Integral

$$G(\lambda) = \int\limits_{a} g(x, \lambda)\, dx$$

gleichmäßig konvergiert, so ist die Funktion $G(\lambda)$ stetig in $(\lambda_0, \lambda_1)$.

b) Es ist

$$\int\limits_{\lambda_0}^{\lambda_1} G(\lambda)\, d\lambda = \int\limits_{a} \Big[\int\limits_{\lambda_0}^{\lambda_1} g(x, \lambda)\, d\lambda\Big] dx.$$

c) Wenn überdies die Funktion $g(x, \lambda)$ in allen Punkten nach $\lambda$ differenzierbar ist, und wenn die Funktion

$$g_\lambda(x, \lambda) = \frac{\partial g(x, \lambda)}{\partial \lambda}$$

daselbst wiederum stetig ist und ein gleichmäßig konvergentes Integral besitzt, so ist die Funktion $G(\lambda)$ differenzierbar, und es besteht die Relation

$$G'(\lambda) = \int_a g_\lambda(x, \lambda)\, dx.$$

3. Als erste Anwendung integrieren wir die erste Gleichung § 2, (4) nach $\alpha$ zwischen den Grenzen 0 und $\alpha$. Dies gibt

$$\text{(2)} \qquad \int_0 e^{-kx} \frac{\sin \alpha x}{x}\, dx = \operatorname{arc\,tg} \frac{\alpha}{k} \qquad k > 0.$$

Für festes $\alpha > 0$ ist das linke Integral gleichmäßig in $0 \leqq k < \infty$ konvergent, wie aus der Abschätzung

$$\left| \int_A \frac{e^{-kx}}{x} \sin \alpha x\, dx \right| \leqq \frac{2}{\alpha} \frac{e^{-kA}}{A} \leqq \frac{2}{\alpha} \frac{1}{A}$$

folgt. Daher ist nach a)

$$\int_0 \frac{\sin x}{x}\, dx = \lim_{k \to 0} \int_0 e^{-kx} \frac{\sin x}{x}\, dx = \lim_{k \to 0} \operatorname{arctg} \frac{1}{k}.$$

Der letzte Limes hat aber, wegen $k > 0$, den Wert $\pi : 2$, daher ist[11])

$$\text{(3)} \qquad \int_0 \frac{\sin x}{x}\, dx = \frac{\pi}{2}.$$

Hieraus folgt

$$\text{(4)} \qquad \int \frac{\sin x}{x}\, dx = \pi.$$

Öfters werden wir die obigen Regeln stillschweigend benutzen. Zuweilen werden wir sie unter allgemeineren als den oben formulierten Bedingungen in Anspruch nehmen; es wird sich dann aber nur um die Auswertung bestimmter Integrale handeln, von denen in den theoretischen Überlegungen kein Gebrauch gemacht werden wird.

4. Unter Benutzung von (4) und § 2, 4 hat man[12])

$$\text{(5)} \qquad \frac{1}{\pi} \int \frac{\sin \alpha x}{x}\, dx = \begin{cases} 1 & \alpha > 0 \\ 0 & \alpha = 0 \\ -1 & \alpha < 0. \end{cases}$$

Man spricht in diesem Falle von einem *diskontinuierlichen Integral.*

Das Integral

(6) $$D(\lambda) = \frac{1}{\pi}\int \frac{\sin x}{x} \cos \lambda x \, dx$$

läßt sich auf das obige zurückführen, wenn man einsetzt

(7) $$2 \sin x \cos \lambda x = \sin (1-\lambda) x + \sin (1+\lambda) x.$$

Eine einfache Fallunterscheidung ergibt die Werte

(8) $$D(\lambda) = \begin{cases} 0 & |\lambda| > 1 \\ \frac{1}{2} & |\lambda| = 1 \\ 1 & |\lambda| < 1. \end{cases}$$

Das Integral (6) nennt man *den Dirichletschen diskontinuierlichen Faktor*. Ersetzt man $\cos \lambda x$ durch $\sin \lambda x$, so ist der Integrand eine ungerade Funktion, und daher verschwindet das Integral, sofern es konvergiert. Zusammenfassend erhält man für $|\lambda| \neq 1$

(9) $$\frac{1}{\pi}\int \frac{\sin x}{x} e(\lambda x) dx = D(\lambda).$$

Für $\varrho > 0$ und reelles $\sigma$ erhält man durch die Variablentransformation $x = \varrho \xi$

(10) $$\frac{1}{\pi}\int \frac{\sin \varrho x}{x} e(\sigma x) dx = D\left(\frac{\sigma}{\varrho}\right),$$

und durch die allgemeinere Variablentransformation $x = \varrho(\xi - t)$

(11) $$\frac{1}{\pi}\int \frac{\sin \varrho (x-t)}{x-t} e(\sigma x) dx = D\left(\frac{\sigma}{\varrho}\right) e(\sigma t).$$

Wenn man (9) mit $e(-\lambda a)$ multipliziert, und den Realteil nimmt, so erhält man für das Integral

$$h(\lambda) = \frac{1}{\pi}\int \frac{\sin x}{x} \cos \lambda (x-a) dx$$

den Wert

(12) $$h(\lambda) = D(\lambda) \cos \lambda a.$$

Hieraus können wir das Integral

$$H(\lambda) = \frac{1}{\pi}\int \frac{\sin x}{x} \cdot \frac{\sin \lambda (x-a)}{x-a} dx$$

berechnen. Da $h(\lambda)$ aus $H(\lambda)$ durch formale Differentiation entsteht, so wollen wir die Regeln aus 2. anwenden. Das Integral $H(\lambda)$ ist nach Satz 2 für alle $\lambda$ gleichmäßig konvergent, da der Faktor von $\sin \lambda (x-a)$ für $x \to \pm\infty$ absolut integrierbar ist. Das Integral $h(\lambda)$ konvergiert nach Satz 2 gleichmäßig in jedem abgeschlossenen Intervall, welches keinen der Punkte $+1$ und $-1$ enthält. Daher ist mit eventueller Ausnahme der Punke $+1$ und $-1$ die Funktion $H(\lambda)$ differenzierbar und es ist

$$H'(\lambda) = h(\lambda).$$

Da $H(\lambda)$ durchweg stetig ist, folgt daraus

$$H(\lambda) = H(0) + \int_0^\lambda h(\lambda)\,d\lambda = \int_0^\lambda h(\lambda)\,d\lambda,$$

und daher ist, wegen (8) und (12),

$$H(\lambda) = \frac{\sin a}{a}, \qquad \frac{\sin \lambda a}{a}, \qquad -\frac{\sin a}{a}$$

je nachdem

$$\lambda \geqq 1, \qquad |\lambda| \leqq 1, \qquad \lambda \leqq -1.$$

Der Spezialfall $a = 0$ ergibt für

$$\frac{1}{\pi}\int \frac{\sin x}{x} \cdot \frac{\sin \lambda x}{x}\,dx$$

in denselben Intervallen die Werte 1, $\lambda$, $-1$; insbesondere

$$\frac{1}{\pi}\int \left(\frac{\sin x}{x}\right)^2 dx = 1. \tag{13}$$

Wenn man (7) benutzt, erhält man[13])

$$\frac{1}{\pi}\int \left(\frac{\sin x}{x}\right)^2 \cos \lambda x\,dx = \begin{cases} 1 - \frac{|\lambda|}{2} & |\lambda| \leqq 2 \\ 0 & |\lambda| \geqq 2. \end{cases} \tag{14}$$

Integration nach $\lambda$ von 0 bis $\lambda$ ergibt für $\lambda > 0$

$$\frac{1}{\pi}\int \left(\frac{\sin x}{x}\right)^2 \frac{\sin \lambda x}{x}\,dx = \begin{cases} \lambda - \frac{\lambda^2}{4} & 0 \leqq \lambda \leqq 2 \\ 1 & 2 \leqq \lambda, \end{cases} \tag{15}$$

und insbesondere

$$\frac{1}{\pi}\int \left(\frac{\sin x}{x}\right)^3 dx = \frac{3}{4}\,. \tag{16}$$

Setzt man dies Verfahren fort, so findet man, daß allgemein für ganzzahlige $p \geqq 2$ die Funktion

$$c_p(\lambda) = \int \left(\frac{\sin x}{x}\right)^p \cos \lambda x\,dx \tag{17}$$

außerhalb eines genügend großen Intervalls (nämlich für $|\lambda| \geqq p$) verschwindet. Wir bemerken noch, daß

$$\frac{1}{\pi}\int \left(\frac{\sin x}{x}\right)^4 dx = \frac{2}{3}\,. \tag{18}$$

## § 5. Der Cauchysche Hauptwert von Integralen.

1. Gegeben sei in einem Intervall $(a, b)$ ein innerer Punkt $c$ und eine Funktion $f(x)$ von der folgenden Beschaffenheit. Für (genügend kleines) $\varepsilon > 0$ ist $f(x)$ auf den Intervallen $(a, c-\varepsilon)$ und $(c+\varepsilon, b)$ integrierbar und die Summe

$$\int_a^{c-\varepsilon} f(x)\,dx + \int_{c+\varepsilon}^b f(x)\,dx$$

strebt für $\varepsilon \to 0$ einem Grenzwert zu. Diesen Grenzwert bezeichnen wir als den *Cauchyschen Hauptwert* des Integrals

$$\int_a^b f(x)\,dx.$$

Wenn $f(x)$ auch in der Umgebung des Punktes $c$, also im ganzen Intervall $(a, b)$, integrierbar ist, so existiert der Cauchysche Hauptwert und gleicht dem normalen Wert des Integrals. Eine ähnliche Definition gilt für den Fall, daß mehrere Ausnahmepunkte $c_1, \ldots, c_k$ vorhanden sind und daß die Integrationsgrenzen $a$ bzw. $b$ nicht endlich sind. Als ein Spezialfall des Cauchyschen Hauptwerts ist der Fall zu betrachten, daß der Punkt $c$ etwa mit dem Endpunkt $a$ zusammenfällt, wenn nämlich $f(x)$ für $\varepsilon > 0$ auf $(a + \varepsilon, b)$ integrierbar ist und der

$$\lim_{\varepsilon \to 0} \int_{a+\varepsilon}^b f(x)\,dx$$

vorhanden ist. — Falls $f(x)$ auf jedem endlichen Intervall integrierbar ist und der

$$\lim_{N \to \infty} \int_{-N}^N f(x)\,dx$$

vorhanden ist, so pflegt man auch vom Cauchyschen Hauptwert des Integrals

$$\int f(x)\,dx$$

zu sprechen. Die einzelnen Integrale $\int_0$ und $\int^0$ brauchen dann nicht zu konvergieren.

2. Uns interessieren insbesondere die Integrale

$$\varphi(\alpha) = \int_a^b \frac{f(x)}{x-t} \cos \alpha x\,dx, \qquad \psi(\alpha) = \int_a^b \frac{f(x)}{x-t} \sin \alpha x\,dx,$$

wo $t$ einen Punkt des Intervalls $(a, b)$ bedeutet, und $f(x)$ in erster Linie integrierbar ist. Es sei zuerst $t = 0$ und etwa $a = -1$ und $b = 1$. Das Integral $\psi(\alpha)$ existiert dann im gewöhnlichen Sinne. Was $\varphi(\alpha)$ anbetrifft, so handelt es sich um den Grenzwert

$$\lim_{\varepsilon \to 0} \int_\varepsilon^1 \frac{f(x) - f(-x)}{x} \cos \alpha x\,dx.$$

Er ist vorhanden, wenn die Funktion

$$g(x) = \frac{f(x) - f(-x)}{x}$$

in [0, 1] integrierbar ist, und dann ist auch nach Satz 1

$$\varphi(\alpha) \to 0 \text{ für } |\alpha| \to \infty.$$

Wir bemerken, daß $g(x)$ in [0, 1] integrierbar ist, falls $f(x)$ etwa stetig differenzierbar ist. Denn nach der Definition des Differentialquotienten ist

$$\lim_{x \to 0} \frac{f(x) - f(-x)}{2x} = f'(0),$$

und demnach ist $g(x)$ auch im kritischen Punkt $x = 0$ stetig.

Für $t \neq 0$ erhält man allgemeiner, daß die Integrale $\varphi(\alpha)$ und $\psi(\alpha)$ vorhanden sind, falls die Funktion

$$\frac{f(t+x) - f(t-x)}{x}$$

in einem gewissen Intervall $0 < x \leqq x_0$ integrierbar ist, was wiederum dann eintritt, wenn etwa $f(x)$ stetig differenzierbar ist.

3. Wie Hardy in ausführlichen Arbeiten[14]) gezeigt hat, kann man mit Cauchyschen Hauptwerten in weitem Maße wie mit gewöhnlichen Integralen operieren. Betrachten wir z. B. den Hauptwert

$$(1) \qquad \psi(\alpha) = \int_{1-a}^{1+a} \frac{f(x)}{x-1} \sin \alpha x \, dx$$

für eine stetig differenzierbare Funktion $f(x)$. Schreibt man ihn

$$\sin \alpha \int_0^a \frac{f(1+x) - f(1-x)}{x} \cos \alpha x \, dx + \cos \alpha \int_0^a [f(1+x) + f(1-x)] \frac{\sin \alpha x}{x} \, dx,$$

so erkennt man, daß $\psi(\alpha)$ differenzierbar ist; und wenn man die Differentiation ausführt, so ergibt sich durch eine einfache Umformung

$$\psi'(\alpha) = \int_{1-a}^{1+a} \frac{x f(x)}{x-1} \cos \alpha x \, dx.$$

Anders ausgedrückt, der Wert von $\psi'(\alpha)$ entsteht durch Differentiation von (1) unter dem Integralzeichen. Dasselbe gilt von

$$\varphi(\alpha) = \int_{1-a}^{1+a} \frac{f(x)}{x-1} \cos \alpha x \, dx.$$

Diesen Umstand wollen wir zur Berechnung von

$$\Psi(\alpha) = \int_0^{\infty} \frac{\sin \alpha x}{(1-x^2)x} \, dx$$

benutzen. Wir zerlegen das Integral in die drei Summanden

$$\int_0^{1-a} + \int_{1-a}^{1+a} + \int_{1+a}^{\infty} = \Psi_1 + \Psi_2 + \Psi_3.$$

Hierbei ist $0 < a < 1$. $\Psi_2$ ist, wie wir eben gesehen haben, beliebig oft unter dem Integralzeichen differenzierbar, von $\Psi_1$ gilt dasselbe. Wenn man $\Psi_3$ formal einmal oder zweimal differenziert, so entstehen die Integrale

$$\int_{1+a} \frac{\cos \alpha x}{1-x^2}\,dx \qquad \text{bzw.} \qquad -\int_{1+a} \frac{x \sin \alpha x}{1-x^2}\,dx.$$

Auf Grund von Satz 2 ist daher $\Psi'(\alpha)$ für alle $\alpha$ und $\Psi''(\alpha)$ für $\alpha \neq 0$ vorhanden und stetig, und es ist

$$\Psi'(\alpha) = \int_0 \frac{\cos \alpha x}{1-x^2}\,dx, \qquad \Psi''(\alpha) = -\int_0 \frac{x \sin \alpha x}{1-x^2}\,dx.$$

Für $\alpha > 0$ erhält man

$$\Psi(\alpha) + \Psi''(\alpha) = \int_0 \frac{\sin \alpha x}{x}\,dx = \frac{\pi}{2}.$$

Die allgemeine Lösung dieser Differentialgleichung lautet

$$\Psi(\alpha) = \frac{\pi}{2} + A \sin \alpha + B \cos \alpha, \tag{2}$$

wo $A$ und $B$ Konstanten sind. Da $\Psi(\alpha)$ durchweg stetig ist, ergibt der Grenzübergang $\alpha \to 0$ in (2) den Wert $B = -\pi:2$. Wenn man in ähnlicher Weise in $\Psi'(\alpha) = A \cos \alpha - B \sin \alpha$ den Limes $\alpha \to 0$ nimmt, so erhält man

$$A = \int_0 \frac{dx}{1-x^2}.$$

Schreibt man für das letztere Integral

$$\frac{1}{2}\int_0^2 \frac{dx}{1-x} + \frac{1}{2}\int_0^2 \frac{dx}{1+x} + \int_2 \frac{dx}{1-x^2},$$

so ergibt sich

$$A = 0 + \frac{1}{2}\log 3 - \frac{1}{2}\log\frac{2+1}{2-1} = 0.$$

Durch eine einfache Transformation erhält man endgültig[15]) für $a > 0$, $\alpha > 0$:

$$\int_0 \frac{\sin \alpha x}{x(a^2-x^2)}\,dx = \frac{\pi}{2a^2}(1-\cos a\alpha) \tag{3}$$

$$\int_0 \frac{\cos \alpha x}{a^2-x^2}\,dx = \frac{\pi}{2a}\sin a\alpha, \qquad \int_0 \frac{x \sin \alpha x}{a^2-x^2}\,dx = -\frac{\pi}{2}\cos a\alpha.$$

4. Viel rascher berechnet man diese Integrale durch komplexe Integration. Auf diesem Wege erhält man auch für $a > 0$ und $0 < \Re(\lambda) < 2$

die Formeln[16])

(4) $$\int_0 \frac{y^{\lambda-1}e(ay)}{a^2-y^2}dy = -i\frac{\pi}{2}a^{\lambda-2}e(\alpha a) + e\left(\lambda\frac{\pi}{2}\right)\int_0 \frac{x^{\lambda-1}e^{-ax}}{a^2+x^2}dx$$

(5) $$\int_0 \frac{y^{\lambda-1}e(ay)}{a^2+y^2}dy = -i\frac{\pi}{2}a^{\lambda-2}e^{-\alpha a}e\left(\lambda\frac{\pi}{2}\right) + e\left(\lambda\frac{\pi}{2}\right)\int_0 \frac{x^{\lambda-1}e^{-ax}}{a^2-x^2}dx.$$

5. Für späteren Gebrauch beweisen wir, daß der Realteil von

(6) $$\int_{-a}^{a} \frac{e^{-x}}{x+i\varepsilon}dx \qquad a > 0$$

für $\varepsilon \to 0$ gegen den Hauptwert von

(7) $$\int_{-a}^{a} \frac{e^{-x}}{x}dx$$

konvergiert. Der Realteil der Differenz von (7) und (6) beträgt nämlich

$$\varepsilon^2\int_0^a \frac{e^{-x}-e^{x}}{x}\cdot\frac{1}{x^2+\varepsilon^2}dx,$$

und da $x^{-1}(e^{-x}-e^{x})$ in $(0, a)$ beschränkt ist, so ist sein Absolutbetrag kleiner als eine Konstante mal

$$\varepsilon^2\int_0 \frac{1}{x^2+\varepsilon^2}dx = \varepsilon\frac{\pi}{2}.$$

ZWEITES KAPITEL.

# Darstellungs- und Summenformeln.

## § 6. Eine allgemeine Darstellungsformel.

1. Gegeben seien in $[-\infty, \infty]$ die Funktionen $K(\xi)$ und $f(\xi)$. Unter passenden Bedingungen existiert für $n > n_0$ das Integral

(1) $$f_n(x) = \int f\left(x+\frac{\xi}{n}\right)K(\xi)d\xi$$

und wenn man noch den Grenzübergang $n \to \infty$ unter dem Integralzeichen vollziehen darf, so entsteht

(2) $$f(x)\int K(\xi)d\xi = \lim_{n\to\infty} f_n(x)$$

d. h.

(2') $$f(x)\int K(\xi)d\xi = \lim_{n\to\infty}\int f\left(x+\frac{\xi}{n}\right)K(\xi)d\xi.$$

Diese Relation nennen wir eine *Darstellung der Funktion $f(x)$ durch den Kern $K(\xi)$.* Für (1) kann man auch schreiben

(3) $$f_n(x) = n \int f(x + \xi) K(n\xi) d\xi$$

oder

(4) $$f_n(x) = n \int f(\xi) K(n(\xi - x)) d\xi.$$

Die Relation (2) kommt nur in Frage, wenn $f(\xi)$ in $x = \xi$ stetig ist. Eine Darstellung ist aber auch noch im allgemeineren Falle möglich, wo $f(\xi)$ den rechten und linken Grenzwert $f(x + 0)$ und $f(x - 0)$ besitzt, nur tritt dann an Stelle von (2) der Ausdruck

(5) $$f(x + 0) \int_0 K(\xi) d\xi + f(x - 0) \int^0 K(\xi) d\xi = \lim_{n \to \infty} f_n(x).$$

Wenn $K(\xi)$ gerade ist, $K(-\xi) = K(\xi)$, und wenn darüber hinaus

(6) $$\int K(\xi) d\xi = 1,$$

so lautet sie*)

(7) $$\frac{1}{2}[f(x + 0) + f(x - 0)] = \lim_{n \to \infty} \int f\left(x + \frac{\xi}{n}\right) K(\xi) d\xi.$$

**Satz 3**[17]). *Für die Gültigkeit von* (5) *in Punkten $x$, für welche $f(x + 0)$ und $f(x - 0)$ existieren, ist eine der zwei folgenden Voraussetzungen hinreichend:*

a) *$f(\xi)$ ist beschränkt, $|f(\xi)| \leqq G$, und $K(\xi)$ ist absolut integrierbar.*

b) *$f(\xi)$ ist absolut integrierbar, $K(\xi)$ ist absolut integrierbar und beschränkt, und für $|\xi| \to \infty$ ist $K(\xi) = o(|\xi|^{-1})$.*

Beweis. Der Satz sei bereits bewiesen. Setzt man $f_1(\xi) = f(\xi)$ für $\xi \geqq x$ und $= 0$ für $\xi < x$, so genügt auch $f_1(x)$ der Voraussetzung a) bzw. b), und (5) lautet

(8) $$f(x + 0) \int_0 K(\xi) d\xi = \lim_{n \to \infty} \int_0 f\left(x + \frac{\xi}{n}\right) K(\xi) d\xi.$$

Ähnlich hat man

(9) $$f(x - 0) \int^0 K(\xi) d\xi = \lim_{n \to \infty} \int^0 f\left(x + \frac{\xi}{n}\right) K(\xi) d\xi.$$

Umgekehrt ist (5) eine Folge von (8) und (9). Es genügt daher, die Formeln (8) und (9) zu beweisen, und da sie symmetrisch gebaut sind, befassen wir uns nur mit einer von ihnen, und zwar mit (8).

---

*) Falls $\int K(\xi) d\xi \neq 0$, so läßt sich die Normierung (6) durch Multiplikation von $K(\xi)$ mit einer Konstanten erreichen.

Ad a) Das Integral $f_n(x)$ existiert für alle $n$. Für die Differenz

$$\varphi(n) = \int_0 \left[f\left(x + \frac{\xi}{n}\right) - f(x+0)\right] K(\xi)\, d\xi$$

hat man die Abschätzung, $A > 0$,

$$|\varphi(n)| \leqq \int_0^A \left| f\left(x + \frac{\xi}{n}\right) - f(x+0)\right| \cdot |K(\xi)|\, d\xi + 2G \int_A |K(\xi)|\, d\xi.$$

Da $K(\xi)$ absolut integrierbar ist, so kann man durch passende Wahl von $A$ den zweiten Bestandteil rechts kleiner als eine beliebige Zahl $\varepsilon > 0$ machen. Der erste Bestandteil ist

$$\leqq \delta(n) \int_0^A |K(\xi)|\, d\xi,$$

wo $\delta(n)$ die obere Grenze von $|f(x+t) - f(x+0)|$ im Intervall $0 < t \leqq A n^{-1}$ bezeichnet. Bei festem $A$ wird aber die Länge dieses Intervalls mit $n^{-1}$ beliebig klein, und nach der Definition des Grenzwerts $f(x+0)$ wird dann auch $\delta(n)$ beliebig klein. Daher ist bei festem $A$ der erste Bestandteil kleiner als $\varepsilon$ für $n \geqq n(\varepsilon)$, und demnach ist $|\varphi(n)| \leqq \varepsilon + \varepsilon = 2\varepsilon$ für $n \geqq n(\varepsilon)$. Anders ausgedrückt, es ist

$$\varphi(n) \to 0 \text{ für } n \to \infty.$$

Ad b) Wir schreiben, für $c > 0$,

$$n \int_0 f(x+\xi) K(n\xi)\, d\xi = n \int_0^c + n \int_c = g_n(x) + h_n(x).$$

Da der Grenzwert $f(x+0)$ existiert, so ist $f(x+\xi)$ in einem gewissen Intervall $0 < \xi \leqq c$ beschränkt. Wenn man für ein solches $c$ außerhalb dieses Intervalls die Funktion $f(x+\xi)$ durch Null ersetzt, und die so entstandene Funktion für den Augenblick mit $f(x+\xi)$ bezeichnet, so stimmt der dazugehörige Ausdruck (3) mit $g_n(x)$ überein, und nach dem ad a) Bewiesenen ist, für $n \to \infty$,

$$g_n(x) \to f(x+0) \int_0 K(\xi)\, d\xi.$$

Wir haben noch zu zeigen, daß $h_n(x)$ für $n > n_0$ existiert, und daß $h_n(x) \to 0$ für $n \to \infty$. Für $c \leqq \xi < \infty$ ist $n\xi \geqq nc$. Wegen $nc \to \infty$ und

$$K(\xi) = o(|\xi|^{-1})$$

gibt es für $n > n_0$ ein $\varepsilon_n$, mit $\varepsilon_n \to 0$, so daß

$$|K(n\xi)| < \varepsilon_n (n\xi)^{-1} \qquad c \leqq \xi < \infty.$$

Demnach ist $\left| n \int_c \right| \leqq \varepsilon \int_c \xi^{-1} |f(x+\xi)|\, d\xi$, und daraus folgen die Behauptungen über $h_n(x)$.

2. Von besonderer Bedeutung ist der *Féjersche Kern*[18])

(10)
$$K(\xi) = \frac{1}{\pi}\left(\frac{\sin\xi}{\xi}\right)^2.$$

Die dazugehörige Darstellung lautet, wenn $f(x)$ beschränkt oder absolut integrierbar ist,

(11)
$$\frac{f(x+0)+f(x-0)}{2} = \lim_{n\to\infty} \frac{1}{\pi n}\int f(\xi)\left(\frac{\sin n(\xi-x)}{\xi-x}\right)^2 d\xi.$$

Allgemeiner hat man für $p > 1$

(12)
$$\frac{f(x+0)+f(x-0)}{2} = \lim_{n\to\infty} \frac{n^{1-p}}{c_p}\int f(\xi)\left(\frac{\sin n(\xi-x)}{\xi-x}\right)^p d\xi,$$

wobei

$$c_p = \int \left(\frac{\sin\xi}{\xi}\right)^p d\xi.$$

Im Falle $p = 1$, d. h. für

(13)
$$K(\xi) = \frac{1}{\pi}\frac{\sin\xi}{\xi},$$

ist die Formel (12) die sog. *Fouriersche Integralformel.* Sie erfordert eine besondere Behandlung, da sie nicht unter Satz 3 fällt, vgl. § 8.

3. Wir beweisen noch ein wichtiges Kriterium für den Fall des Féjerschen Kernes. Es sei $f(\xi)$ absolut integrierbar, und der Wert $f(x)$ endlich. Wir setzen

$$\int_0 [f(x+\xi)-f(x)]\frac{(\sin n\xi)^2}{\pi n\xi^2}\,d\xi = \int_0^\delta + \int_\delta = g_n(x) + h_n(x).$$

Nun ist

$$\pi|h_n(x)| \leqq \int_\delta \frac{|f(x+\xi)|}{n\xi^2}\,d\xi + \int_\delta \frac{|f(x)|}{n\xi^2}\,d\xi \leqq \frac{1}{n\delta^2}\int_\delta |f(x+\xi)|\,d\xi + \frac{|f(x)|}{n\delta},$$

und daher

(14)
$$\lim_{n\to\infty} h_n(x) = 0 \qquad \text{für festes } \delta.$$

Zur Abschätzung von $g_n(x)$ führen wir die Funktion

$$F(\xi) = \int_0^\xi |f(x+\xi)-f(x)|\,d\xi$$

ein, und machen die Voraussetzung, daß für den betrachteten Punkt $x$

(15)
$$\frac{1}{\xi}F(\xi) \to 0 \qquad \text{für } \xi \to 0.$$

Wenn man die Abschätzung

$$\left|\frac{\sin x}{x}\right| < \frac{2}{1+x} \qquad x > 0$$

benutzt, (die man sehr leicht durch die Fallunterscheidung $0 < x \leqq 1$ und $1 < x$ beweist), so erhält man

(16)
$$\frac{\pi}{4} \mid g_n(x) \mid \leqq \int_0^\delta \frac{n F'(\xi)\, d\xi}{(1+n\xi)^2} = \frac{n\delta}{(1+n\delta)^2} \cdot \frac{1}{\delta} F(\delta) + 2 \int_0^\delta \frac{1}{\xi} F(\xi) \frac{n^2 \xi}{(1+n\xi)^3} d\xi.$$

Wenn man weiterhin die Abschätzung

$$\int_0^\delta \frac{n^2 \xi\, d\xi}{(1+n\xi)^3} \leqq \int_0^\infty \frac{x\, dx}{(1+x)^3} = \frac{1}{2}$$

benutzt und (15) berücksichtigt, so findet man aus (16), daß es zu jedem $\varepsilon > 0$ ein $\delta$ gibt, so daß

(17)
$$\overline{\lim_{n \to \infty}} \mid g_n(x) \mid \leqq \varepsilon.$$

Da $\varepsilon$ beliebig klein sein kann, so folgt aus (14) und (17), daß

$$g_n(x) + h_n(x) \to 0.$$

In jedem Punkte $x$, für welchen (15) gilt, besteht demnach die Relation

(18)
$$f(x) = \lim_{n \to \infty} \frac{1}{\pi n} \int f(\xi) \left( \frac{\sin n(\xi - x)}{\xi - x} \right)^2 d\xi.$$

Nun hat aber Lebesgue bewiesen, daß für eine beliebige (integrierbare) Funktion $f(x)$ die Beziehung (15) in fast allen Punkten $x$ statthat[19]). Wir haben daher den

**Satz 4.** *Für eine absolut integrierbare Funktion $f(x)$ besteht die Darstellung* (18) *in fast allen Punkten $x$ des Gesamtintervalls*[19]).

## § 7. Das Dirichletsche Integral und verwandte Integrale.

1. Gegeben sei in $(0, \infty]$ eine Funktion $f(x)$, welche positiv und monoton abnehmend ist. Ihren Grenzwert bei Annäherung von $x$ an den Randpunkt $x = 0$ bezeichnen wir wie üblich mit $f(+0)$. Für irgendein $p$ aus $0 < p \leqq 1$ betrachten wir den Kern

(1)
$$K(x) = \frac{\sin x}{x^p}.$$

Er fällt nicht unter Satz 3. Aber nach Satz 1 sind die Integrale

(2)
$$F(n) = \int_0^\infty f\left(\frac{x}{n}\right) \frac{\sin x}{x^p} dx$$

für alle $n > 0$ vorhanden, und wir wollen zeigen, daß auch jetzt die Relation

(3)
$$\lim F(n) = f(+0) \int_0^\infty \frac{\sin x}{x^p} dx \qquad n \to \infty$$

besteht. Für die Differenz

$$\psi(n) = F(n) - f(+0) \int_0^{\infty} \frac{\sin x}{x^p}\, dx$$

schreiben wir

$$\psi(n) = \int_0^A \left[ f\left(\frac{x}{n}\right) - f(+0) \right] \frac{\sin x}{x^p}\, dx + \left[ \int_A^{\infty} \frac{1}{x^p} f\left(\frac{x}{n}\right) \sin x\, dx - \int_A^{\infty} \frac{1}{x^p} f(+0) \sin x\, dx \right]$$
$$= \psi_1(n) \qquad\qquad + \psi_2(n).$$

Nach § 2, (5) ist

$$|\psi_2(n)| \leqq \frac{2}{A^p} \left[ f\left(\frac{A}{n}\right) + f(+0) \right] \leqq \frac{4 f(+0)}{A^p}.$$

Daher ist, für passendes $A$, $|\psi_2(n)| \leqq \varepsilon$. Bei festem $A$ wird aber $|\psi_1(n)| \leqq \varepsilon$ für $n \geqq n_0$. Das ergibt sich ebenso wie die Abschätzung des ersten Bestandteils in Satz 3, Voraussetzung a). Daraus folgt (3).

2. Insbesondere erhält man für $p = 1$

$$f(+0) = \lim_{n \to \infty} \frac{2}{\pi} \int_0^{\infty} f(x) \frac{\sin nx}{x}\, dx. \tag{4}$$

Wenn die Funktion $f(x)$ auf einem endlichen Intervall $(0, a)$ positiv und monoton abnehmend ist, so kann man sie auf $[a, \infty]$ durch Null ergänzen, und daher ist

$$f(+0) = \lim_{n \to \infty} \frac{2}{\pi} \int_0^a f(x) \frac{\sin nx}{x}\, dx. \qquad a > 0 \tag{5}$$

Die Formel gilt insbesondere für $f(x) = 1$, und daher auch für $f(x) = c$, wo $c$ eine beliebige Konstante ist. Wenn sie für $f_1(x)$ und $f_2(x)$ besteht, so besteht sie auch für $f_1(x) + f_2(x)$. Hieraus folgt leicht der

**Satz 5.** *Die Relation (5) gilt für jede Funktion von beschränkter Variation.*

Zusatz. Für $0 < a < 2\pi$ ist

$$0 = \lim_{n \to \infty} \frac{1}{\pi} \int_0^a f(x) \left( \frac{1}{\sin \frac{x}{2}} - \frac{2}{x} \right) \sin nx\, dx. \tag{6}$$

Dies folgt aus Satz 1, da der Faktor von $\sin nx$ integrierbar ist. Durch Addition von (5) und (6) entsteht[20])

$$f(+0) = \lim_{n \to \infty} \frac{1}{\pi} \int_0^a f(x) \frac{\sin nx}{\sin \frac{x}{2}}\, dx. \qquad 0 < a < 2\pi \tag{7}$$

3. Wir kehren zu den Funktionen $f(x)$ von 1. zurück. Auch für die Kerne

(8) $$K(x) = \frac{\cos x}{x^p} \qquad 0 < p < 1$$

erhält man

(9) $$\lim_{n \to \infty} \int_0 f\left(\frac{x}{n}\right) K(x)\, dx = f(+0) \int_0 K(x)\, dx.$$

Den Wert $p = 1$ haben wir vorderhand ausgenommen, weil für ihn $K(x)$ in der Umgebung des Punktes $x = 0$ nicht integrierbar ist. Man kann aber den Punkt herausschneiden; und zwar führen wir für festes $a > 0$ den Kern ein: $K(x) = x^{-1} \cos x$ für $x \geqq a$ und $= 0$ für $x < a$. Dann gilt wiederum die Relation (9). Zum Beweise verfahre man ähnlich wie in 1. Nur der Bestandteil $\psi_1(n)$ ändert sich ein wenig. Er lautet jetzt

$$\psi_1(n) = \int_a^A \left[ f\left(\frac{x}{n}\right) - f(+0) \right] K(x)\, dx,$$

aber man findet wiederum, daß er mit $n^{-1}$ beliebig klein wird. Wenn die Relation (9) für die Kerne $K_1(x)$ und $K_2(x)$ gültig ist, so gilt sie offenbar auch für $K = K_1 + K_2$. Durch Heranziehung von Satz 3, Voraussetzung a) erhält man folgendes. Die Relation (9) gilt für jeden Kern, welcher für $x \to \infty$ sich schreiben läßt

(10) $$K(x) = a \frac{\cos x}{x^p} + b \frac{\sin x}{x^q} + H(x),$$

wo $p > 0$, $q > 0$, und $H(x)$ für $x \to \infty$ absolut integrierbar ist. — Und anstatt zu fordern, daß $f(x)$ positiv und monoton abnehmend ist, kann man zulassen, daß $f(x)$ in $(0, \infty]$ eine Funktion von beschränkter Variation ist, z. B. daß $f(x)$ in $[0, \infty]$ eine absolut integrierbare Ableitung besitzt.

Von der Beschaffenheit (10) ist insbesondere jede Funktion $K_0(x)$ welche (wie z. B. die Besselschen Funktionen $J_\nu(x)$ für $\Re(\nu) > -1$) für $x \to \infty$ eine asymptotische Entwicklung

(11) $$\frac{\cos x}{x^p} \left( a_0 + \frac{a_1}{x} + \frac{a_2}{x^2} + \cdots \right) + \frac{\sin x}{x^q} \left( b_0 + \frac{b_1}{x} + \frac{b_2}{x^2} + \cdots \right)$$

mit $p > 0$ und $q > 0$ zuläßt. Darunter versteht man, daß für jedes $m > 0$ die Differenz

$$K_0(x) - \frac{\cos x}{x^p} \sum_{\mu=0}^{m} \frac{a_\mu}{x^\mu} - \frac{\sin x}{x^q} \sum_{\mu=0}^{m} \frac{b_\mu}{x^\mu}$$

für $x \to \infty$ die Größenordnung $O(x^{-m-1})$ besitzt.

Es ist $K_0(x) \to 0$ für $x \to \infty$, und das Integral

(12) $$K_1(x) = \int_x K_0(\xi)\, d\xi$$

existiert und ist eine Funktion von derselben Beschaffenheit wie $K_0(x)$. Dies ist unschwer an der Formel ($r > 0$, $\alpha \neq 0$)

$$\int_x \frac{e(\alpha\xi)}{\xi^r}\, d\xi = -\frac{1}{i\alpha}\frac{e(\alpha x)}{x^r} + \frac{r}{i\alpha}\int_x \frac{e(\alpha\xi)}{\xi^{r+1}}\, d\xi$$

zu erkennen. Man kann daher den Prozeß (12) iterieren, und die Funktionen

(13) $$K_{\mu+1}(x) = \int_x K_\mu(\xi)\, d\xi \qquad \mu = 0, 1, 2, \ldots$$

sind alle von der nämlichen Beschaffenheit wie $K_0(x)$.

**Satz 6.** *Wir betrachten für $\lambda = 1, 2, 3, \ldots$ das Integral*

$$F(n) = \int_0 f\left(\frac{x}{n}\right) x^\lambda K_0(x)\, dx.$$

*Damit $F(n)$ für $n > 0$ existiert und für $n \to \infty$ einem endlichen Grenzwert zustrebt, ist hinreichend, daß 1. $f(x)$ in $(0, \infty]$ $\lambda$-mal differenzierbar ist und auch $f^{(\lambda)}(x)$ in $(0, \infty]$ stetig ist, und daß 2. jede der Funktionen $g(x) = x^\lambda f(x)$, $g'(x)$, $g''(x)$, $\ldots$, $g^{(\lambda)}(x)$ eine in $[0, \infty]$ absolut integrierbare Ableitung besitzt. Der Grenzwert beträgt*

$$\lambda!\, K_{\lambda+1}(0)\, f(+0).$$

Beweis. Aus der Voraussetzung 1. folgt leicht, daß

$$g(0) = g'(0) = \ldots = g^{(\lambda-1)}(0) = 0, \quad g^{(\lambda)}(0) = \lambda!\, f(+0)$$

und aus der Voraussetzung 2. folgt, daß die Funktionen $g(x)$, $g'(x)$, $\ldots$, $g^{(\lambda)}(x)$ für $x \to \infty$ beschränkt sind. Schreibt man

$$F(n) = n^\lambda \int_0 g\left(\frac{x}{n}\right) K_0(x)\, dx,$$

so folgt, daß das Integral $F(n)$ vorhanden ist, und daß man es $\lambda$-mal hintereinander partiell integrieren kann, mit dem Ergebnis

$$F(n) = \int_0 g^{(\lambda)}\left(\frac{x}{n}\right) K_\lambda(x)\, dx.$$

Durch Anwendung von (9) folgt

$$\lim_{n\to\infty} F(n) = g^{(\lambda)}(0) \int_0 K_\lambda(x)\, dx, \qquad \text{w. z. b. w.}$$

## § 8. Die Fouriersche Integralformel.

1. Diese Formel lautet

$$\text{(1)} \qquad \frac{1}{2}[f(x+0)+f(x-0)] = \lim_{n\to\infty} \frac{1}{\pi}\int f(x+\xi)\frac{\sin n\xi}{\xi}\,d\xi.$$

Es genügt, die Teilformel

$$\text{(2)} \qquad f(x+0) = \lim_{n\to\infty} \frac{2}{\pi}\int_0 f(x+\xi)\frac{\sin n\xi}{\xi}\,d\xi$$

zu erörtern.

Wir betrachten für festes $x$ und variables $n$ das Integral

$$\Phi(n) = \frac{2}{\pi}\int_0 f(x+\xi)\frac{\sin n\xi}{\xi}\,d\xi$$

und zerlegen es für irgendein $a > 0$ in die beiden Summanden

$$\Phi_1(n) = \frac{2}{\pi}\int_0^a f(x+\xi)\frac{\sin n\xi}{\xi}\,d\xi, \quad \Phi_2(n) = \frac{2}{\pi}\int_a \frac{f(x+\xi)}{\xi}\sin n\xi\,d\xi.$$

Auf $\Phi_2(n)$ können wir § 2 anwenden. Nach Satz 1 ist $\Phi_2(n)$ für $n > 0$ vorhanden und für $n \to \infty$ gegen Null konvergent, falls die Funktion

$$\text{(3)} \qquad \frac{f(x+\xi)}{\xi}$$

für $\xi \to \infty$ entweder absolut integrierbar ist oder monoton gegen Null geht. Aus der Abschätzung $[A > |x| + 1]$

$$\int_A \left|\frac{f(x+\xi)}{\xi}\right| d\xi = \int_{A+x} \left|\frac{f(\xi)}{\xi}\right| \frac{\xi}{\xi - x}\,d\xi \leqq \frac{A}{A-|x|}\int_{+1} \left|\frac{f(\xi)}{\xi}\right| d\xi$$

ist zu ersehen, daß die erste Bedingung dahin abgeändert werden kann, daß die Funktion

$$\text{(4)} \qquad \frac{f(\xi)}{\xi}$$

für $\xi \to \infty$ absolut integrierbar ist. In dieser Form ist die Bedingung unabhängig vom betrachteten Punkte $x$, und bezieht sich nur auf das Infinitärverhalten von (4). Auch die zweite Bedingung kann man dahin abändern, daß die Funktion (4) für $\xi \to \infty$ monoton gegen Null gehen soll. Zwar braucht, wenn dies zutrifft, die Funktion (3) nicht selber monoton zu sein, aber an der Zerlegung

$$\frac{f(x+\xi)}{\xi} = \frac{f(x+\xi)}{x+\xi} + x\,\frac{f(x+\xi)}{x+\xi}\cdot\frac{1}{\xi}$$

erkennt man, daß sie die Summe zweier Funktionen ist, von denen jede für $\xi \to \infty$ monoton gegen Null geht. Auf Grund von Satz 1a) kann man, wie leicht einzusehen ist, die zweite Bedingung sogar dahin verallgemeinern, daß für $\xi \to \infty$ die Funktion (4) in der Form

$$g(\xi) \sin (p\xi + q) \qquad p > 0$$

darstellbar sein soll, wobei $g(\xi)$ für $\xi \to \infty$ monoton gegen Null geht. Allerdings braucht dann das Integral $\Phi_2(n)$ für $n = +p$ nicht vorhanden zu sein.

Jetzt haben wir noch Bedingungen anzugeben, unter denen die Relation

$$\lim_{n \to \infty} \Phi_1(n) = f(x + 0)$$

besteht. Die wichtigste dieser Bedingungen, mit der wir uns auch begnügen wollen, haben wir schon in § 7 kennengelernt. Sie besagt, daß $f(x + \xi)$ im Intervall $0 < \xi < a$ von beschränkter Variation ist. In der Theorie der Fourierschen Reihen werden noch andere Bedingungen hergeleitet, doch wollen wir darauf gar nicht eingehen. Zusammenfassend haben wir den folgenden

**Satz 7**[21]. *Wenn die Funktion $f(\xi)$ in der Umgebung des Punktes $x$ von beschränkter Variation ist, so besteht die Formel*

$$\frac{1}{2}[f(x + 0) + f(x - 0)] = \lim_{n \to \infty} \frac{1}{\pi} \int f(\xi) \frac{\sin n(\xi - x)}{\xi - x} d\xi, \tag{5}$$

*vorausgesetzt, daß sowohl für $\xi \to \infty$ als auch für $\xi \to -\infty$ die Funktion $\frac{f(\xi)}{\xi}$ eine der folgenden Bedingungen erfüllt:*

*α) sie ist absolut integrierbar,*

*β) sie ist monoton gegen Null konvergent, oder ist allgemeiner in der Form $g(\xi) \sin (p\xi + q)$ darstellbar, wo $g(\xi)$ monoton gegen Null konvergiert.*

Bemerkung. Man kann die Bedingung β) selbstverständlich dahin verallgemeinern, daß sich die Funktion (4) bzw. $g(\xi)$ als lineare Verbindung von monoton gegen Null konvergierenden Funktionen darstellen lassen soll. Dies ist z. B. dann möglich, wenn die betreffende Funktion für $\xi \to \infty$ gegen Null konvergiert und eine absolut integrierbare Ableitung besitzt. Eine Art Spezialfall der Bedingung β) ist also die folgende:

*γ) sie konvergiert gegen Null und besitzt eine absolut integrierbare Ableitung, oder die Funktion $g(\xi)$ ist von dieser Beschaffenheit.*

Nach Hardy[22] ist die Bedingung, daß (4) für $\xi \to \infty$ eine absolut integrierbare Ableitung besitzt, mit der Bedingung äquivalent, daß $\xi^{-1} f'(\xi)$ für $\xi \to \infty$ absolut integrierbar ist.

Beispiele. 1. Für $f(x) = x^{-1} \sin x$ ist nach § 4, 4 für $n \geqq 1$

$$\frac{1}{\pi} \int f(\xi) \frac{\sin n(\xi - x)}{\xi - x} d\xi = \frac{\sin x}{x} = f(x).$$

2. Für $f(x) = \cos x$ ist nach § 4, 4 für $n > 1$

$$\frac{1}{\pi} \int f(\xi) \frac{\sin n\xi}{\xi} d\xi = 1 = f(0).$$

3. $f(x) = e^{-kx}$ für $x > 0$ und $f(x) = 0$ für $x < 0$ ergibt nach § 4, 3

$$\frac{1}{\pi} \int f(\xi) \frac{\sin n\xi}{\xi} d\xi = \frac{1}{\pi} \operatorname{arctg} \frac{n}{k} \qquad k > 0,$$

und die rechte Seite hat für $n \to \infty$ tatsächlich den Grenzwert $\frac{1}{2}[f(+0) + f(-0)]$.
4. Nach unserem Satz ist z. B. der

$$\lim_{n \to \infty} \frac{1}{\pi} \int_0 \frac{1}{\xi^p} \frac{\sin n(\xi - x)}{\xi - x} d\xi \qquad 0 < p < 1$$

für $x \neq 0$ vorhanden und $= x^{-p}$ für $x > 0$ und $= 0$ für $x < 0$.

2. **Satz 8.** *Wenn $f(x)$ dasselbe Infinitärverhalten wie in Satz 7 aufweist und wenn für fast alle $x$ aus einem Intervall $(a, b)$ der Ausdruck*

$$\frac{1}{\pi} \int f(\xi) \frac{\sin n(\xi - x)}{\xi - x} d\xi \tag{6}$$

*für $n \to \infty$ konvergent ist, so ist die Grenzfunktion für fast alle $x$ aus $(a, b)$ mit $f(x)$ identisch.*

Beweis. Wir zerlegen (6) in die Bestandteile

$$\int_a^b + \int^a + \int_b = B_1 + B_2 + B_3.$$

$B_2 + B_3$ entsteht aus (6) wenn man $f(x)$ in $(a, b)$ durch Null ersetzt. Nach Satz 7 konvergiert daher $B_2 + B_3$ für alle $x$ aus $[a, b]$ gegen Null. Also ist, nach Voraussetzung, der Ausdruck

$$\varphi(n, x) = \frac{1}{\pi} \int_a^b f(\xi) \frac{\sin n(\xi - x)}{\xi - x} d\xi$$

für fast alle $x$ aus $(a, b)$ mit $n \to \infty$ konvergent; und wir haben zu zeigen, daß er gegen $f(x)$ konvergiert. Wir bilden

$$\psi(n, x) = \frac{1}{2n} \int_0^{2n} \varphi(\nu, x) d\nu,$$

und da man die Reihenfolge der Integrationen nach $\nu$ und $\xi$ vertauschen kann (Anhang 7, 10)), so ist

$$\psi(n, x) = \frac{1}{\pi n} \int_a^b f(\xi) \left(\frac{\sin n(\xi - x)}{\xi - x}\right)^2 d\xi.$$

Wenn $\varphi(n)$ für $0 < n < \infty$ beschränkt ist und für $n \to \infty$ einem Limes zustrebt, so strebt

$$\psi(n) = \frac{1}{n} \int_0^n \varphi(\nu)\, d\nu$$

gegen denselben Limes; das ist ein allgemeiner Satz (Anhang 17). Auf Grund dessen ist für fast alle $x$ aus $(a, b)$

$$\lim \varphi(n, x) = \lim \psi(n, x). \qquad n \to \infty$$

Nach Satz 4 ist für fast alle $x$ aus $(a, b)$ $\lim \psi(n, x) = f(x)$, daher ist auch für fast alle $x$ aus $(a, b)$ $\lim \varphi(n, x) = f(x)$.

## § 9. Die Wienersche Formel[23]).

1. Neuerdings hat Norbert Wiener der Formel

$$\lim_{n \to \infty} \int_0 f\left(\frac{x}{n}\right) K(x)\, dx = f(+0) \int_0 K(x)\, dx$$

eine andere gegenübergestellt, welche sich auf den Grenzübergang $n \to 0$ bezieht. Wir nehmen an, daß für die Funktion $f(x)$ der „*Mittelwert*“

$$\mathfrak{M}\{f\} = \lim_{x \to \infty} \frac{1}{x} \int_0^x f(\xi)\, d\xi \tag{1}$$

vorhanden (und endlich) ist. Die Wienersche Formel lautet dann

$$\lim_{n \to 0} \int_0 f\left(\frac{x}{n}\right) K(x)\, dx = \mathfrak{M}\{f\} \cdot \int_0 K(x)\, dx. \tag{2}$$

**Satz 9.** *Für die Gültigkeit von* (2) *sind die folgenden Voraussetzungen hinreichend:*

1) $K(x)$ *ist in* $(0, \infty]$ *differenzierbar, und es gibt eine Konstante* $H$, *so daß*

$$|x^2 K(x)| \leq H \text{ für } 1 \leq x < \infty. \tag{3}$$

2) *Es gibt eine Konstante* $G$, *so daß*

$$\frac{1}{x} \int_0^x |f(\xi)|\, d\xi \leq G \text{ für } 0 < x < \infty. \tag{4}$$

Beweis. Wenn man von der gegebenen Funktion $f(x)$ ihren Mittelwert abzieht, so entsteht eine neue Funktion, für welche wiederum 2. erfüllt ist, und deren Mittelwert verschwindet, d. h.

$$\lim_{x \to \infty} \frac{1}{x} \int_0^x f(\xi)\, d\xi = 0. \tag{5}$$

Da die Formel (2) für jede konstante Funktion $f(x)$ besteht, und da die Formel „additiv“ ist, so genügt es, unseren Satz für Funktionen von der besonderen Beschaffenheit (5) zu beweisen. Dem eigentlichen Beweis schicken wir zwei Bemerkungen voraus:

*α*) Führt man die Funktion

$$\Phi(x) = \int_0^x |f(\xi)|\, d\xi \tag{6}$$

ein, so erhält man für $0 < A < B$ unter Berücksichtigung von (4)

$$\int_A^B \frac{|f(x)|}{x^2}\, dx = \int_A^B \frac{d\Phi}{x^2} = \frac{\Phi(B)}{B^2} - \frac{\Phi(A)}{A^2} + 2\int_A^B \frac{\Phi(x)}{x^3}\, dx \leqq \frac{G}{B} + 2G\int_A \frac{dx}{x^2} \leqq \frac{3G}{A},$$

also ist auch

$$\int_A \frac{|f(x)|}{x^2}\, dx \leqq \frac{3G}{A}. \tag{7}$$

Unter Berücksichtigung von (3) findet man für $A \geqq 1$, vermittels der Variablentransformation $x = n\xi$,

$$\left|\int_A f\left(\frac{x}{n}\right) K(x)\, dx\right| \leqq \frac{3GH}{A}. \tag{8}$$

*β*) Wir führen die Funktion

$$\Phi_n(t) = \int_0^t f\left(\frac{x}{n}\right) dx = t\left\{\frac{n}{t}\int_0^{t/n} f(x)\, dx\right\}$$

ein. Aus (4) und (5) folgt

$$|\Phi_n(t)| \leqq Gt \text{ und } \lim_{n\to 0} \frac{\Phi_n(t)}{t} = 0. \tag{9}$$

Aus (5) ergibt sich weiterhin folgendes. Zu jedem $a > 0$ und $\eta > 0$ kann man ein $n_0 > 0$ angeben, so daß für $0 < n \leqq n_0$ und für $t > a$

$$|\Phi_n(t)| \leqq \eta t.$$

Nun der Beweis selber. Wegen (5) haben wir zu beweisen, daß

$$\int_0 f\left(\frac{x}{n}\right) K(x)\, dx \tag{10}$$

für $n \to 0$ gegen Null geht. Gegeben sei ein $\varepsilon > 0$. Wir zerlegen das Integral (10) in die Bestandteile

$$\int_0^A \text{ und } \int_A.$$

Auf Grund von (8) bestimmen wir ein festes $A \geqq 1$, so daß

$$\left|\int_A\right| \leqq \varepsilon.$$

Jetzt setzen wir

$$(11)\qquad \int_0^A = \int_0^A K(x)\,d\Phi_n(x) = \Phi_n(A)K(A) - \int_0^A \Phi_n(x)K'(x)\,dx.$$

Auf Grund von (9) gibt es ein $n_1$, so daß für $0 < n \leqq n_1$

$$|\Phi_n(A)K(A)| \leqq \varepsilon.$$

Nun bleibt noch das Integral rechts in (11). Wir zerlegen es in

$$\int_0^a + \int_a^A.$$

Einerseits ist, nach (9),

$$\left|\int_0^a\right| \leqq Ga\int_0^a |K'(x)|\,dx,$$

und dies kann für ein passendes festes $a$ kleiner als $\varepsilon$ gemacht werden. Andererseits bestimmen wir zu diesem $a$ und zu

$$\eta = \varepsilon\left[\int_a^A x\,|K'(x)|\,dx\right]^{-1}$$

ein $n_0$ gemäß Bemerkung $\beta$). Dann ist

$$\left|\int_a^A\right| \leqq \eta\int_a^A x\,|K'(x)|\,dx \leqq \varepsilon.$$

Also ist für $0 < n \leqq \operatorname{Min}(n_0, n_1)$

$$\left|\int_0 f\left(\frac{x}{n}\right) K(x)\,dx\right| \leqq \varepsilon + \varepsilon + \varepsilon + \varepsilon = 4\varepsilon,$$

und damit ist der Beweis zu Ende.

Z. B. ist für eine beschränkte Funktion $f(x)$, deren Mittelwert existiert,

$$\lim_{n\to 0} \frac{2}{\pi}\int_0 f(x)\frac{\sin^2 nx}{nx^2}\,dx = \mathfrak{M}\{f\}.$$

Hieraus findet man leicht folgendes:

2. *Wenn eine Funktion $f(x)$ in $[-\infty, \infty]$ vorgegeben ist, so wollen wir unter ihrem „Mittelwert" den Grenzwert*

$$(12)\qquad \mathfrak{M}\{f\} = \lim_{x\to\infty}\frac{1}{2x}\int_{-x}^{x} f(\xi)\,d\xi$$

*verstehen, sofern dieser Grenzwert existiert. Wenn nun $f(x)$ einen solchen Mittelwert besitzt und etwa beschränkt ist, so ist*

$$(13)\qquad \lim_{n\to 0}\frac{1}{\pi}\int f(x)\frac{\sin^2 nx}{nx^2}\,dx = \mathfrak{M}\{f\}.$$

## § 10. Die Poissonsche Summationsformel[24]).

1. Die Funktion $f(x)$ sei für alle $x$ definiert. Wir bilden die Transformierte*)

(1) $$\varphi(\alpha) = \int f(x)\, e\,(2\pi\alpha x)\, dx.$$

Dann lautet die Poissonsche Formel ($\alpha$ und $k$ sind ganze Zahlen)

(2) $$\sum_{\alpha=-\infty}^{+\infty} \varphi(\alpha) = \sum_{k=-\infty}^{+\infty} f(k).$$

Bevor wir sie unter geeigneten Voraussetzungen über $f(x)$ beweisen, wollen wir aus ihr formal einige andere Formeln herleiten. Wir bezeichnen bis auf weiteres mit $\lambda$ und $\mu$ irgend zwei positive Zahlen, für welche

$$\lambda\mu = 1.$$

Wenn man $f(x)$ durch $f\left(\frac{x}{\lambda}\right)$ ersetzt, so entsteht aus (2)

(3) $$\sqrt{\lambda} \sum_{-\infty}^{+\infty} \varphi(\alpha\lambda) = \sqrt{\mu} \sum_{-\infty}^{+\infty} f(k\mu).$$

Es sei $t$ eine Zahl aus dem Intervall $0 \leqq t < 1$. Wir betrachten die Funktion $F(x) = f(t\mu + x)$ und bezeichnen ihre Transformierte mit $\Phi(\alpha)$. Es ist

$$\Phi(\alpha\lambda) = \int f(t\mu + x)\, e\,(2\pi\alpha\lambda x)\, dx = e\,(-\,2\pi\alpha t)\, \varphi\,(\alpha\lambda),$$

daher geht (3) über in

(4) $$\sqrt{\lambda} \sum_{-\infty}^{+\infty} e\,(-\,2\pi\alpha t)\, \varphi\,(\alpha\lambda) = \sqrt{\mu} \sum_{-\infty}^{+\infty} f\,(t\mu + k\mu).$$

Nunmehr sei eine Funktion $f(x)$ auf dem Intervall $(0, \infty]$ definiert. Wir führen die Integrale

(5) $$\psi(\alpha) = 2 \int_0 f(x) \cos\,(2\pi\alpha x)\, dx$$

(6) $$\chi(\alpha) = 2 \int_0 f(x) \sin\,(2\pi\alpha x)\, dx$$

ein. Wenn wir die Funktion $f(x)$ auf dem Intervall $[-\infty, 0]$ zu einer graden Funktion ergänzen, so ist $\varphi(\alpha) = \psi(\alpha)$ und daraus erhält man

(7) $$\sqrt{\lambda} \left\{ \psi(0) + 2 \sum_{\alpha=1}^{\infty} \cos 2\pi\alpha t \cdot \psi(\alpha\lambda) \right\} = \sqrt{\mu} \left\{ f(t\mu) + \sum_{k=1}^{\infty} [f(k\mu + t\mu) + f(k\mu - t\mu)] \right\}.$$

---

*) Diese Transformierte ist etwas anders als die eigentliche Transformierte $E(\alpha)$ normiert, vgl. § 2, 3.

Dies gibt z. B. für $t = 0$ und $t = 1:2$ die Spezialfälle

$$(8)\qquad \sqrt{\lambda}\left\{\psi(0) + 2\sum_{\alpha=1}^{\infty}\psi(\alpha\lambda)\right\} = \sqrt{\mu}\left\{f(0) + 2\sum_{k=1}^{\infty}f(k\mu)\right\}$$

$$(9)\qquad \sqrt{\lambda}\left\{\psi(0) + 2\sum_{\alpha=1}^{\infty}(-1)^{\alpha}\psi(\alpha\lambda)\right\} = 2\sqrt{\mu}\sum_{k=0}^{\infty}f((k+\tfrac{1}{2})\mu).$$

Wenn man aber die Funktion $f(x)$ zu einer ungeraden Funktion ergänzt, so ist $\varphi(\alpha) = i\chi(\alpha)$ und dann erhält man aus (4)

$$(10)\quad 2\sqrt{\lambda}\sum_{\alpha=1}^{\infty}\sin 2\pi\alpha t\cdot\chi(\alpha\lambda) = \sqrt{\mu}\left\{f(t\mu) + \sum_{k=1}^{\infty}[f(k\mu+t\mu) - f(k\mu-t\mu)]\right\}.$$

Für $t = 0$ ergibt sich scheinbar ein Widerspruch, weil links 0 und rechts $\sqrt{\mu}\, f(0\mu)$ steht. Der Widerspruch löst sich dadurch, daß nach der Ergänzung von $f(x)$ die Gesamtfunktion im Punkte $t = 0$ zwei Grenzwerte von entgegengesetztem Vorzeichen hat, und daß deswegen unter $f(0)$ der Wert 0 zu verstehen ist. — Für $t = 1:4$ erhält man, wenn man $\lambda$ und $\mu$ durch $\lambda:2$ und $2\mu$ ersetzt und die laufenden Indizes etwas abändert

$$(11)\qquad \sqrt{\lambda}\sum_{\alpha=0}^{\infty}(-1)^{\alpha}\chi[(\alpha+\tfrac{1}{2})\lambda] = \sqrt{\mu}\sum_{k=0}^{\infty}(-1)^{k}f((k+\tfrac{1}{2})\mu).$$

2. Nun der Beweis. Im Verlaufe dieses Paragraphen setzen wir von jeder Funktion $f(x)$ voraus, daß sie in jedem Punkte $x$ die Grenzwerte $f(x+0)$ und $f(x-0)$ besitzt und daß in jedem Punkte $x$ der Funktionswert $f(x)$ mit $\frac{1}{2}[f(x+0) + f(x-0)]$ übereinstimmt. Wenn also z. B. eine Funktion $g(x)$ von vornherein in einem Intervall $(0, p)$ gegeben ist, wo $p$ eine ganze Zahl ist, und wenn sie zwecks Anwendung der Formel (2) durch Nullwerte zu einer überall definierten Funktion $f(x)$ erweitert wird, so ist für die Summe rechts in (2) der Ausdruck

$$\tfrac{1}{2}[g(0) + g(p)] + \sum_{1}^{p-1} g(k)$$

einzusetzen. Weiterhin nennen wir in diesem Paragraphen eine Reihe

$$(12)\qquad \sum_{-\infty}^{+\infty} A_\nu$$

konvergent, wenn die Partialsummen

$$(13)\qquad s_n = \sum_{-n}^{n} A_\nu$$

für $n \to \infty$ einem Grenzwert zustreben, und analog nennen wir ein über das Gesamtintervall $[-\infty, \infty]$ sich erstreckendes Integral konvergent, wenn sein Cauchyscher Hauptwert existiert, vgl. § 5, 1.

Es ist für ganzzahliges $\alpha$ und ganzzahliges $p > 0$

$$\int_{-p-\frac{1}{2}}^{p+\frac{1}{2}} f(x)\, e(2\pi\alpha x)\, dx = \int_{-\frac{1}{2}}^{\frac{1}{2}} \left(\sum_{-p}^{p} f(x+k)\right) e(2\pi\alpha x)\, dx. \tag{14}$$

Wenn die Reihe

$$\sum_{-\infty}^{+\infty} f(x+k) \tag{15}$$

im Intervall $-\frac{1}{2} \leq x < \frac{1}{2}$ gleichmäßig konvergiert — die Limesfunktion heiße $g(x)$ —, dann ist für $p \to \infty$ der Ausdruck rechts in (14) konvergent. Demnach ist es auch der Ausdruck links, d. h. es existiert das Integral $\varphi(\alpha)$, und es besteht die Relation

$$\varphi(\alpha) = \int_{-\frac{1}{2}}^{\frac{1}{2}} g(x)\, e(2\pi\alpha x)\, dx.$$

Hieraus folgt

$$\sum_{-n}^{n} \varphi(\alpha) = \int_{-\frac{1}{2}}^{\frac{1}{2}} g(x) \frac{\sin(2n+1)\pi x}{\sin \pi x}\, dx.$$

Wenn nun $g(x)$ von beschränkter Variation ist, so konvergiert die rechte Seite für $n \to \infty$ gegen $g(0)$, vgl. § 7, 2. Daher konvergiert auch die linke Seite, und wenn man noch den Wert von $g(0)$ einsetzt, so entsteht (2). Unter Berücksichtigung der formalen Umformungen aus 1. erhalten wir den

**Satz 10.** *Für die Gültigkeit der Formel* (4) *ist hinreichend, daß die Reihe*

$$\sum_{k=-\infty}^{+\infty} f(x + t\mu + k\mu) \tag{16}$$

*gleichmäßig in*

$$-\tfrac{1}{2} \leq x < \tfrac{1}{2} \tag{17}$$

*konvergiert, und daß ihre Summe daselbst von beschränkter Variation ist. Die beiden Reihen in* (4) *sind unter dieser Voraussetzung von selbst konvergent.*

3. Auf dieses Kriterium wollen wir zwei speziellere zurückführen.

a) Die Funktion $f(x)$ sei im Intervall $l - 2 \leq x < \infty$ positiv, monoton gegen Null abnehmend, und integrierbar. Für $k \geqq l$ und $x \geqq -1$

ist dann

$$f(x+k) \leq \int_{k-1}^{k} f(x+\xi)\,d\xi \leq \int_{k-2}^{k-1} f(\xi)\,d\xi$$

und daher für $p \geqq l$ und beliebiges $r > 0$

$$\sum_{p}^{p+r} f(x+k) \leq \int_{k-2} f(\xi)\,d\xi.$$

Also ist die Reihe

$$\sum_{k=l}^{\infty} f(x+k) \tag{18}$$

gleichmäßig in $-1 \leq x < \infty$ konvergent. Da überdies alle Summanden monoton abnehmend sind, so ist auch die Summenfunktion monoton abnehmend.

b) Die Funktion $f(x)$ sei im Intervall $l-1 \leq x < \infty$ differenzierbar und die beiden Integrale

$$\int_{l-1} f(\xi)\,d\xi \quad \text{und} \quad \int_{l-1} |f'(\xi)|\,d\xi \tag{19}$$

seien endlich. Es ist

$$\left|\sum_{p}^{m} f(x+k) - \int_{p}^{m+1} f(x+\xi)\,d\xi\right| \leq \sum_{p}^{m}\left|\int_{0}^{1}[f(x+k) - f(x+k+\xi)]\,d\xi\right|.$$

Setzt man hierin, für $0 \leq \xi < 1$,

$$|f(x+k) - f(x+k+\xi)| = \left|\int_{0}^{\xi} f'(x+k+\eta)\,d\eta\right| \leq \int_{k}^{k+1} |f'(x+\eta)|\,d\eta,$$

so entsteht

$$\left|\sum_{p}^{m} f(x+k) - \int_{p}^{m+1} f(x+\xi)\,d\xi\right| \leq \sum_{p}^{m}\int_{k}^{k+1} |f'(x+\eta)|\,d\eta = \int_{p}^{m+1} |f'(x+\eta)|\,d\eta,$$

und daraus ergibt sich endgültig

$$\left|\sum_{p}^{m} f(x+k)\right| \leq \left|\int_{p}^{m+1} f(x+\xi)\,d\xi\right| + \int_{p}^{m+1} |f'(x+\eta)|\,d\eta.$$

Hieraus folgt wegen der Konvergenz der Integrale (19), daß die Reihe (18) gleichmäßig im Intervall (17) konvergiert. Ihre Summe bezeichnen wir mit $f_1(x)$. Wenn sie reell ist, so läßt sich $f_1(x) - f_1(0)$ in (17) als Differenz der monotonen Funktionen

$$\sum_{l}^{\infty}\int_{0}^{x} \frac{|f'(\xi+k)| \pm f'(\xi+k)}{2}\,d\xi$$

darstellen. Sonst gibt es eine solche Darstellung für Real- und Imaginärteil getrennt.

Auf Grund dieser Bemerkungen gelangen wir zu folgendem

**Satz 10a.** *Für die Gültigkeit der Formel* (4) *ist es hinreichend, daß* $f(x)$ *im Endlichen von beschränkter Variation ist und sowohl für* $x \to \infty$ *als auch für* $x \to -\infty$ *eine der folgenden Bedingungen erfüllt:*

1) *sie ist monoton und absolut integrierbar,*

2) *sie ist integrierbar und besitzt eine absolut integrierbare Ableitung.*

*Die beiden Reihen in* (4) *sind von selbst konvergent*[25]).

Bemerkung ad 2. Die Funktion $f(x)$ selber braucht für $x \to \infty$ nicht absolut integrierbar zu sein. So fällt z. B. die Funktion $x^{-1}\sin\sqrt{x}$ unter 2.

Beispiele. 1. Die berühmteste Anwendung von (3) ist die Formel[26])

$$\frac{1}{\sqrt{x}}\sum_{-\infty}^{+\infty} e^{-\frac{k^2\pi}{x}} = \sum_{-\infty}^{+\infty} e^{-k^2 x\pi}.$$

Sie ergibt sich auf Grund der Relation

$$\int e^{-\xi^2} e(\alpha\xi)\, d\xi = \sqrt{\pi}\, e^{-\frac{\alpha^2}{4}},$$

die wir noch beweisen werden, vgl. § 15, (9).

2. Für $f(x) = e^{-px}$, $p > 0$, ist nach § 2, (4)

$$\psi(\alpha) = \frac{2p}{p^2 + (2\pi\alpha)^2}, \quad \chi(\alpha) = \frac{2(2\pi\alpha)}{p^2 + (2\pi\alpha)^2}.$$

Aus (7) und (10) erhält man die Formeln[27])

$$(20)\qquad \frac{1}{2\lambda}\mathfrak{Cof}\, p\mu\left(\frac{1}{2} - t\right)\cdot \mathfrak{Sin}^{-1}\frac{p\mu}{2} = \frac{1}{p} + 2\sum_{\alpha=1}^{\infty} \cos 2\pi\alpha t\, \frac{p}{p^2 + (2\pi\alpha\lambda)^2}$$

$$(21)\qquad \frac{1}{2\lambda}\mathfrak{Sin}\, p\mu\left(\frac{1}{2} - t\right)\cdot \mathfrak{Sin}^{-1}\frac{p\mu}{2} = 2\sum_{\alpha=1}^{\infty} \sin 2\pi\alpha t\, \frac{2\pi\alpha\lambda}{p^2 + (2\pi\alpha\lambda)^2},$$

von denen die zweite auch durch Differentiation der ersten nach $t$ entsteht. Sie gelten für $p > 0$, $\lambda > 0$, $\mu > 0$, $\lambda\mu = 1$, $0 < t < 1$, und enthalten für spezielle Werte der Parameter zahlreiche bekannte Formeln. Z. B. gibt (21) für $t = 1:4$

$$\frac{1}{2\lambda}\left(e^{\frac{p\mu}{4}} + e^{-\frac{p\mu}{4}}\right)^{-1} = 2\sum_{\beta=0}^{\infty} (-1)^{\beta} \frac{2\pi(2\beta+1)\lambda}{p^2 + [2\pi(2\beta+1)\lambda]^2}.$$

Hieraus kann man die Formel[28])

$$(22)\qquad \sum_{k=-\infty}^{+\infty} (e^{2k\pi q} + e^{-2k\pi q})^{-1} = \frac{1}{2q} \sum_{k=-\infty}^{+\infty} \left(e^{\frac{k\pi}{2q}} + e^{-\frac{k\pi}{2q}}\right)^{-1}$$

berechnen.

3. Mit Hilfe von (20) und (21) kann man folgende trigonometrische Integrale auswerten[29])

$$\int_0^\infty \frac{e^{\omega x} - e^{-\omega x}}{e^{\pi x} - e^{-\pi x}} \cos a x \, dx = \frac{\sin\omega}{e^a + 2\cos\omega + e^{-a}} \qquad -\pi < \omega < \pi$$

$$\int_0^\infty \frac{e^{\omega x} + e^{-\omega x}}{e^{\pi x} - e^{-\pi x}} \sin a x \, dx = \frac{1}{2} \frac{e^a - e^{-a}}{e^a + 2\cos\omega + e^{-a}} \qquad -\pi < \omega < \pi$$

$$\int_0^\infty \frac{\cos\omega x}{e^{\pi x} - e^{-\pi x}} \sin a x \, dx = \frac{1}{4} \frac{e^a - e^{-a}}{e^\omega + e^{-\omega} + e^a + e^{-a}}$$

$$\int_0^\infty \frac{\sin a x}{e^{2\pi x} - 1} dx = \frac{1}{4} \mathfrak{Ctg} \frac{a}{2} - \frac{1}{2a}.$$

4. Als letzte Anwendung der Poissonschen Formel betrachten wir in $0 < x < \infty$ die Funktion $f(x) = x^{-s}$ für $0 < s < 1$. Es ist, vgl. §12,1,

$$\chi(a) = 2\int_0^\infty \frac{\sin 2\pi a x}{x^s} dx = \frac{2\Gamma(1-s)\cos\frac{1}{2}s\pi}{(2\pi a)^{1-s}}.$$

Daher ergibt die Formel (11)

$$(23)\qquad \sum_0^\infty \frac{(-1)^n}{(2n+1)^s} = \left(\frac{2}{\pi}\right)^{1-s} \cos\frac{1}{2}s\pi\, \Gamma(1-s) \sum_0^\infty \frac{(-1)^n}{(2n+1)^{1-s}},$$

und diese Relation ist ein Spezialfall der Funktionalgleichung für die Dirichletschen $L$-Funktionen[30]).

Aber die eben betrachtete Funktion fällt nicht unter Satz 10a. Dennoch war die Anwendung der Summationsformel gerechtfertigt. Wir bemerken ohne Beweis folgendes. Was das Verhalten von $f(x)$ im Unendlichen anbetrifft, so genügt es für die Gültigkeit von (10), daß $f(x)$ für $x \to \infty$ monoton gegen Null geht. Was das Verhalten von $f(x)$ im Endlichen anbetrifft, so kann man für die allgemeine Formel (4) zulassen, daß $f(x)$ auf einem beliebig großen endlichen Intervall $(a, b)$ nur in der Umgebung der „Gitterpunkte" $t\mu + k\mu$, $k = 0, \pm 1, \pm 2, \ldots$, von beschränkter Variation ist und sonst nur integrierbar ist.

DRITTES KAPITEL.

# Das Fouriersche Integraltheorem.

## § 11. Das Fouriersche Integraltheorem und die Inversionsformeln.

1. Als Fouriersches Integraltheorem bezeichnen wir die Formel

(1) $\qquad \frac{1}{2}\left[f(x+0)+f(x-0)\right] = \frac{1}{\pi} \int\limits_0^\infty d\alpha \int f(\xi) \cos \alpha\,(\xi - x)\,d\xi.$

**Satz 11.** *Für die Gültigkeit von* (1) *ist hinreichend, daß* $f(\xi)$ *in der Umgebung von* $x$ *von beschränkter Variation ist und daß sowohl für* $\xi \to \infty$ *als auch* $\xi \to -\infty$ *eine der folgenden Bedingungen erfüllt ist\*):*

1) $f(\xi)$ *ist absolut integrierbar,*

2) $\dfrac{f(\xi)}{\xi}$ *ist absolut integrierbar; und* $f(\xi)$ *ist monoton gegen Null konvergent oder allgemeiner in der Form* $g(\xi) \sin (p\xi + q)$ *darstellbar, wo* $g(\xi)$ *monoton gegen Null geht*[31]).

*Im Falle* 2) *ist das Integral nach* $\alpha$ *ein Cauchyscher Hauptwert mit höchstens zwei Ausnahmepunkten.*

Beweis. Wenn man das Integral rechts in (1) in der Form

(2) $\qquad\qquad \lim\limits_{n\to\infty} \int\limits_0^n d\alpha \int f(\xi) \cos \alpha(\xi - x)\,d\xi$

schreibt und die Reihenfolge der Integrationen nach $\alpha$ und $\xi$ vertauscht, so entsteht

(3) $\qquad\qquad \lim\limits_{n\to\infty} \int f(\xi) \frac{\sin n\,(\xi - x)}{\xi - x}\,d\xi.$

Auf Grund von Satz 7 brauchen wir nur nachzuweisen, daß diese Vertauschung der Integrationsfolgen zulässig ist. Die Formel (1) ist additiv: wenn sie für $f_1(\xi)$ und $f_2(\xi)$ besteht, so besteht sie auch für $f_1(\xi) + f_2(\xi)$. Daher können wir zu ihrem Beweise annehmen, daß $f(\xi)$ außerhalb einer Halbgraden $[a, \infty]$ verschwindet.

Ad 1) Wenn $f(\xi)$ absolut integrierbar ist, so ist wegen

$$\left| f(\xi) \cos \alpha(\xi - x) \right| \leqq \left| f(\xi) \right|$$

die Gleichheit

$$\int\limits_\sigma^n d\alpha \int\limits_a f(\xi) \cos \alpha(\xi - x)\,d\xi = \int\limits_a d\xi \int\limits_\sigma^n f(\xi) \cos \alpha(\xi - x)\,d\alpha$$

nach einem grundlegenden allgemeinen Satz (Anhang 7, 10) für jedes endliche Intervall $(\sigma, n)$ gültig, w. z. b. w.

---

\*) Es genügt also z. B., daß $f(\xi)$ für $\xi \to \infty$ der Bedingung 1. und für $\xi \to -\infty$ der Bedingung 2. genügt.

Ad 2) Nach 1) ist für endliche Zahlen $\sigma$, $n$, $a$, $b$

$$\int_\sigma^n d\alpha \int_a^b f(\xi)\cos\alpha(\xi - x)\, d\xi = \int_a^b d\xi \int_\sigma^n f(\xi)\cos\alpha\,(\xi - x)\, d\alpha.$$

In dieser Relation ist bei festem $x$ der formale Grenzübergang $b \to \infty$ zulässig, wenn das Integral

$$\varphi(\alpha) = \int_a f(\xi)\cos\alpha(\xi - x)\, d\xi$$

in $\sigma \leqq \alpha \leqq n$ gleichmäßig konvergent ist. Setzt man nämlich

$$\varphi_b(\alpha) = \int_a^b f(\xi)\cos\alpha\,(\xi - x)\, d\xi\,,$$

so ist dann

$$\int_\sigma^n \varphi_b(\alpha)\, d\alpha \to \int_\sigma^n \varphi(\alpha)\, d\alpha.$$

Nun wenden wir Satz 2 an. Wenn $f(\xi)$ monoton gegen Null geht, so ist als $\alpha$-Intervall jedes Intervall $(\varepsilon, n)$ brauchbar, für welches $0 < \varepsilon < n$. Also haben wir dann

$$\int_\varepsilon^n d\alpha \int_a f(\xi)\cos\alpha(\xi - x)\, d\xi = \int_a f(\xi)\,\frac{\sin n\,(\xi - x)}{\xi - x}\, d\xi - \int_a f(\xi)\,\frac{\sin\varepsilon\,(\xi - x)}{\xi - x}\, d\xi.$$

Da zugleich mit $\xi^{-1} f(\xi)$ auch $(\xi - x)^{-1} f(\xi)$ für $\xi \to \infty$ absolut integrierbar ist, so ist, wiederum nach Satz 2, das zweite Integral rechts stetig in $\varepsilon$ und daher für $\varepsilon \to 0$ gegen Null konvergent. Also besitzt das Integral links einen Grenzwert für $\varepsilon \to 0$ und es ist

$$\lim_{\varepsilon \to 0} \int_\varepsilon^n d\alpha \int_a f(\xi)\cos\alpha\,(\xi - x)\, d\xi = \int_a f(\xi)\,\frac{\sin n\,(\xi - x)}{\xi - x}\, d\xi, \tag{4}$$

w. z. b. w. — Im allgemeineren Falle $f(\xi) = g(\xi)\sin(p\xi + q)$, $p > 0$, vertausche man die Integrationsfolgen im wiederholten Integral

$$\left(\int_0^{p-\varepsilon} + \int_{p+\varepsilon}^n\right) d\alpha \int_a f(\xi)\cos\alpha\,(\xi - x)\, d\xi.$$

Dann zeigt es sich, daß für $\varepsilon \to 0$ ein Grenzwert vorhanden ist und dem Ausdruck rechts in (4) gleich ist, w. z. b. w.

2. Wir schreiben der Kürze wegen $f(x)$ statt $\frac{1}{2}[f(x+0) + f(x-0)]$. Wenn man von Konvergenzfragen absieht, so läßt sich die Formel (1) folgendermaßen auffassen. Jede in $[-\infty, \infty]$ definierte „willkürliche" Funktion $f(x)$ läßt sich in der Gestalt

$$f(x) = \int_0 [C(\alpha)\cos\alpha x + S(\alpha)\sin\alpha x]\, d\alpha \tag{5b}$$

schreiben, wobei

$$C(\alpha) = \frac{1}{\pi}\int f(\xi)\cos\alpha\xi\, d\xi, \quad S(\alpha) = \frac{1}{\pi}\int f(\xi)\sin\alpha\xi\, d\xi. \tag{5a}$$

Die Formel (5b) ist die „harmonische Analyse“ der Funktion $f(x)$, die Darstellung dieser Funktion als „Summe“ von Cosinussen und Sinussen. Ist nun insbesondere $f(x)$ gerade $[f(-x) = f(x)]$ bzw. ungerade $[f(-x) = -f(x)]$, so ist $S(\alpha) = 0$ bzw. $C(\alpha) = 0$ und man erhält die Formelpaare

(6a) $$C(\alpha) = \frac{2}{\pi}\int_0 f(\xi) \cos \alpha\xi \, d\xi$$

(6b) $$f(x) = \int_0 C(\alpha) \cos x\alpha \, d\alpha$$

(7a) $$S(\alpha) = \frac{2}{\pi}\int_0 f(\xi) \sin \alpha\xi \, d\xi$$

(7b) $$f(x) = \int_0 S(\alpha) \sin x\alpha \, d\alpha.$$

Durch Einsetzen entsteht

(8) $$f(x) = \frac{2}{\pi}\int_0 d\alpha \cos x\alpha \int_0 f(\xi) \cos \alpha\xi \, d\xi$$

bzw.

(9) $$f(x) = \frac{2}{\pi}\int_0 d\alpha \sin x\alpha \int_0 f(\xi) \sin \alpha\xi \, d\xi.$$

Sind $\lambda$ und $\mu$ irgend zwei Zahlen, deren Produkt $2:\pi$ beträgt und multipliziert man $C(\alpha)$ mit $\lambda\pi:2$, so geht (6) in das streng symmetrische Formelpaar über:

(10) $$\psi(\alpha) = \lambda \int_0 f(\xi) \cos \alpha\xi \, d\xi, \qquad f(x) = \mu \int_0 \psi(\alpha) \cos x\alpha \, d\alpha.$$

Ähnlich erhält man aus (7)

(11) $$\chi(\alpha) = \lambda \int_0 f(\xi) \sin \alpha\xi \, d\xi, \qquad f(x) = \mu \int_0 \chi(\alpha) \sin x\alpha \, d\alpha.$$

Wir werden im folgenden den Übergang von der Relation (6a) zur Relation (6b) als Inversion von (6a) bezeichnen und die zweite Relation die Inverse [oder auch die Umkehrung[32])] der ersten nennen. Ähnlich im Falle (7). Aus Satz 11 folgt unmittelbar der

**Satz 11a.** *Die Inversion von* (6a) *und* (7a) *ist zulässig, wenn die in* $[0, \infty]$ *definierte Funktion* $f(\xi)$ *für* $\xi \to \infty$ *das Verhalten* 1) *oder* 2) *von Satz* 11 *aufweist und in der Umgebung von* $x$ *von beschränkter Variation ist.*

Z. B. erhält man[33]) durch Inversion von § 2, (4)

(12) $$\int_0 \frac{\cos x\alpha}{k^2+\alpha^2}\, d\alpha = \frac{\pi}{2k} e^{-kx}, \qquad \int_0 \frac{\alpha \sin x\alpha}{k^2+\alpha^2}\, d\alpha = \frac{\pi}{2} e^{-kx}.$$

Betrachtet man $f(x) = \frac{\sin x}{x}$, so ist, nach § 4, (6), $C(\alpha) = 1$ für $0 < \alpha < 1$ und $= 0$

für $a > 1$; nun ist tatsächlich

$$\int_0 C(a) \cos ax\, da = \int_0^1 \cos ax\, da = f(x).$$

3. Auch wenn $f(x)$ in $[-\infty, \infty]$ vorgegeben ist, kann man das Relationspaar (5) als ein Inversionspaar auffassen; allerdings muß man es hierzu „komplex" schreiben. Wir betrachten die Transformierte von $f(x)$

$$E(a) = \frac{1}{2\pi} \int f(\xi)\, e\,(-a\xi)\, d\xi. \tag{13}$$

Dann ist, vgl. den Beweis zu Satz 11,

$$\int_\sigma^n E(a) e(xa) da + \int_{-n}^{-\sigma} E(a) e(xa) da = \int_\sigma^n [E(a) e(xa) + E(-a) e(-xa)] da$$
$$= \frac{1}{\pi} \int_\sigma^n da \int f(\xi) \cos a(\xi - x) d\xi,$$

und wir erhalten den folgenden

**Satz 11b.** *Wenn $f(\xi)$ sowohl für $\xi \to \infty$ als auch für $\xi \to -\infty$ das Verhalten* 1. *oder* 2. *von Satz* 11 *aufweist, so läßt sich die Relation* (13) *in die Relation*

$$f(x) = \int E(a)\, e(xa)\, da \tag{14}$$

*umkehren. Diese Umkehrung besteht für Punkte $x$, in deren Umgebung $f(x)$ von beschränkter Variation ist, sofern man das Integral* (14) *in passender Weise als einen Cauchyschen Hauptwert auffaßt.*

4. Von Interesse ist der

**Satz 12.** *Wenn $f(\xi)$ das angegebene Infinitärverhalten aufweist (insbesondere wenn $f(\xi)$ absolut integrierbar ist), und wenn das Integral*

$$\int E(a) e(xa) da$$

*für fast alle $x$ eines Intervalls $(a, b)$ konvergiert (etwa als Cauchyscher Hauptwert), so ist die Grenzfunktion für fast alle $x$ aus $(a, b)$ mit $f(x)$ identisch.*

Beweis. Bei dem angegebenen Infinitärverhalten ist

$$\int_{-n}^n E(a) e(xa) da = \frac{1}{\pi} \int f(\xi) \frac{\sin n(\xi - x)}{\xi - x} d\xi.$$

Jetzt wende man Satz 8 an.

## § 12. Trigonometrische Integrale mit $e^{-x}$.

1. Von Euler[34]) stammen die Formeln $[a > 0,\ 0 < \mu < 1]$

$$\int_0 x^{\mu-1} \frac{\cos}{\sin} ax\, dx = \frac{\Gamma(\mu)}{a^\mu} \frac{\cos}{\sin} \mu \frac{\pi}{2}, \tag{1}$$

welche man in die eine zusammenfassen kann

$$(2)\qquad \int_0 x^{\mu-1} e(-\alpha x)\,dx = \frac{\Gamma(\mu)}{\alpha^\mu} e\left(-\mu\frac{\pi}{2}\right).$$

Hierin bezeichnet $\Gamma(\mu)$ die Eulersche Gammafunktion

$$(3)\qquad \Gamma(\mu) = \int_0 e^{-x} x^{\mu-1}\,dx.$$

Ein wichtiger Spezialfall von (1) sind die Formeln von Fresnel

$$(4)\qquad \int_0 \frac{\cos x}{\sqrt{x}}\,dx = \int_0 \frac{\sin x}{\sqrt{x}}\,dx = \frac{1}{\sqrt{2}}\,\Gamma\left(\frac{1}{2}\right) = \sqrt{\frac{\pi}{2}},$$

auf die wir noch gesondert eingehen werden. Die Formel (2) ergibt sich auch durch den Grenzübergang $k \to 0$ aus der folgenden [$k > 0$, $-\infty < \alpha < \infty$, $0 < \mu < \infty$]

$$(5)\qquad \int_0 e^{-kx} x^{\mu-1} e(-\alpha x)\,dx = \frac{\Gamma(\mu)}{(k+i\alpha)^\mu}.$$

Hierin ist

$$(k+i\alpha)^\mu = \sqrt{k^2+\alpha^2}^{\,\mu}\, e\left(\mu \operatorname{arc\,tg}\frac{\alpha}{k}\right) \qquad -\frac{\pi}{2} < \operatorname{arc\,tg}\frac{\alpha}{k} < \frac{\pi}{2}\,.$$

Auf den Beweis von (5) gehen wir nicht ein[35]).

2. Durch Inversion von (5) entsteht [$k > 0$, $\mu > 0$]

$$(6)\qquad \frac{\Gamma(\mu)}{2\pi}\int \frac{e(\alpha x)}{(k+i\alpha)^\mu}\,d\alpha = \begin{cases} e^{-kx}x^{\mu-1} & x > 0\\ 0 & x < 0\end{cases}$$

und hieraus[36]) durch Vorzeichenwechsel von $\alpha$ und $x$

$$(7)\qquad \frac{\Gamma(\mu)}{2\pi}\int \frac{e(\alpha x)}{(k-i\alpha)^\mu}\,d\alpha = \begin{cases} 0 & x > 0\\ e^{kx}|x|^{\mu-1} & x < 0.\end{cases}$$

Ersetzt man $\alpha$ durch $\alpha + q$, so findet man leicht, daß beide Relationen auch für solche komplexe $k$ gelten, für welche $\Re(k) > 0$; nur muß man dann setzen

$$(8)\qquad (k+i\alpha)^\mu = |k+i\alpha|^\mu e\left(\mu \operatorname{arc\,tg}\frac{\alpha+\Im(k)}{\Re(k)}\right).$$

Dies kann man auch durch analytische Fortsetzung erhalten, ebenso daß auch komplexe $\mu$ mit $\Re(\mu) > 0$ zulässig sind.

3. Wenn man in

$$(9)\qquad \int_0 e^{-kx} e(-\alpha x)\,dx = \frac{1}{k+i\alpha} \qquad \Re(k) > 0$$

$\alpha$ durch $\alpha - \varrho$ bzw. $\alpha + \varrho$ ersetzt und beides addiert, so erhält man

$$2i\int_0 e^{-kx} e(-\alpha x)\cos\varrho x\,dx = \frac{1}{\alpha-\varrho-ik} + \frac{1}{\alpha+\varrho-ik}\,.$$

Integration nach $\varrho$ zwischen 0 und $\varrho$ ergibt für $0 < \varrho < \alpha$

$$2i\int_0 e^{-kx} e(-\alpha x)\frac{\sin\varrho x}{x}\,dx = \log\left(\frac{\alpha+\varrho-ik}{\alpha-\varrho-ik}\cdot\frac{\alpha-ik}{\alpha-ik}\right),$$

wobei der Imaginärteil des Logarithmus zwischen $-\pi : 2$ und $\pi : 2$ zu nehmen ist. Der Grenzübergang $k \to 0$ ergibt nach Abtrennen des Reellen für $0 < \alpha < \beta$ oder $0 < \beta < \alpha$

(10) $$\int_0 \frac{\sin \alpha x}{x} \sin \beta x \, dx = \frac{1}{2} \log \left| \frac{\alpha+\beta}{\alpha-\beta} \right|.$$

Integration von (9) nach $k$ ergibt $[a > 0, \quad b > 0]$

$$\int_0 \frac{e^{-ax} - e^{-bx}}{x} e(-\alpha x) \, dx = \log \frac{b + i\alpha}{a + i\alpha};$$

hieraus folgt[37])

(11) $$\int_0 \frac{e^{-ax} - e^{-bx}}{x} \cos \alpha x \, dx = \log \sqrt{\frac{b^2 + \alpha^2}{a^2 + \alpha^2}}$$

(12) $$\int_0 \frac{e^{-ax} - e^{-bx}}{x} \sin \alpha x \, dx = \operatorname{arc\,tg} \frac{b}{\alpha} - \operatorname{arc\,tg} \frac{a}{\alpha}.$$

Nach (3) ist für positive Zahlen $a$, $x$ und $\mu$

(13) $$\Gamma(\mu) (x + a)^{-\mu} = \int_0 e^{-(x+a)z} z^{\mu-1} \, dz.$$

Man multipliziere mit $e^{-kx} e(-\alpha x)$, $k > 0$, und integriere nach $x$ zwischen 0 und $\infty$. Im wiederholten Integral rechts kann man die Reihenfolge der Integrationen vertauschen, und das gibt

(14) $$\Gamma(\mu) \int_0 \frac{e^{-kx} e(-\alpha x)}{(x+a)^\mu} dx = \int_0 \frac{e^{-az} z^{\mu-1}}{z + k + i\alpha} dz.$$

Für $\alpha \neq 0$ kann man sogar den Grenzübergang $k \to 0$ vornehmen. Insgesamt erhält man $[a > 0, \mu > 0, k \geqq 0, \alpha \neq 0]$

(15) $$\Gamma(\mu) \int_0 \frac{e^{-kx}}{(x+a)^\mu} \begin{Bmatrix} \cos \\ \sin \end{Bmatrix} \alpha x \, dx = \int_0 \frac{e^{-az}}{(z+k)^2 + \alpha^2} \begin{Bmatrix} z+k \\ \alpha \end{Bmatrix} dz.$$

4. Das Fresnelsche Integral

(16) $$J = \sqrt{\frac{2}{\pi}} \int_0 \frac{\sin x}{\sqrt{x}} dx$$

kann man „direkt" durch Benutzung von § 11, (11) für $\lambda = \mu$ auswerten[38]). Man setze $f(x) = x^{-\frac{1}{2}}$. Dann ist

(17) $$\chi(\alpha) = \sqrt{\frac{2}{\pi}} \int_0 \frac{\sin \alpha \xi}{\sqrt{\xi}} d\xi = \frac{1}{\sqrt{\alpha}} \chi(1) = f(\alpha) J.$$

Also ist auch $f(\alpha) = \chi(\alpha) J$, und daher ist

(18) $$\chi(\alpha) \cdot (1 - J^2) = 0.$$

An der Zerlegung

$$\int_0 \frac{\sin x}{\sqrt{x}} dx = \sum_{k=0}^{\infty} \int_{2k\pi}^{(2k+1)\pi} \sin x \left( \frac{1}{\sqrt{x}} - \frac{1}{\sqrt{x+\pi}} \right) dx$$

erkennt man, daß $J > 0$, also ist, wegen (17), $\chi(\alpha) \neq 0$. Daher folgt aus (18): $1 - J^2 = 0$. Wegen $J > 0$ ist daher $J = 1$. Ähnlich kann man das Cosinusintegral behandeln, nur gestaltet sich der Nachweis, daß $J > 0$, etwas komplizierter. — Der Beweis beruht darauf, daß die Funktion $x^{-\frac{1}{2}}$ ihre eigene Cosinus- bzw. Sinustransformierte ist. Es gibt noch viele andere solche „selbst-reziproke" Funktionen[39]).

## § 13. Die absolut integrierbaren Funktionen. Ihre Faltung und ihre Summation.

1. *Wir betrachten die Gesamtheit derjenigen Funktionen $f(x)$, welche in $[-\infty, \infty]$ definiert und absolut integrierbar sind. Diese Gesamtheit werden wir mit $\mathfrak{F}_0$ bezeichnen.* Da wir von einer Funktion aus $\mathfrak{F}_0$ über ihren Verlauf im Endlichen nur Integrierbarkeit verlangen, so ist es angebracht, von dem Verhalten einer solchen Funktion auf einer Nullmenge keine Notiz zu nehmen. Insbesondere werden wir zwei Funktionen aus $\mathfrak{F}_0$ als identisch ansehen, wenn die Funktionen f a s t überall in $[-\infty, \infty]$ gleiche Werte haben. Wenn $f(x)$ eine Funktion aus $\mathfrak{F}_0$ ist, so gehören auch die folgenden Funktionen zu $\mathfrak{F}_0$: $f(-x)$, $\overline{f(x)}$, für jeden beschränkten (im Endlichen integrierbaren) Faktor $g(x)$ die Funktion $g(x)\,f(x)$, insbesondere, für reelle $\lambda$, die Funktion $e(\lambda x)\,f(x)$, und außerdem die Funktion $f(x+\lambda)$. Überdies ist die Klasse $\mathfrak{F}_0$ l i n e a r.

2. Wir nennen eine Gesamtheit von Funktionen linear, wenn zugleich mit $f_1(x)$ und $f_2(x)$ für beliebige (komplexe) Konstanten $c_1$ und $c_2$ auch $c_1 f_1 + c_2 f_2$ zur Gesamtheit gehört. Insbesondere ist mit $f(x)$ für jede Konstante $c$ auch $cf$ eine Funktion der Gesamtheit.

Außerdem ist $\mathfrak{F}_0$ im folgenden Sinne abgeschlossen. Wenn eine Folge von Funktionen $f_n(x), n = 1, 2, 3, \ldots$, aus $\mathfrak{F}_0$ im integrierten Mittel konvergent ist, d. h. wenn

$$\lim_{\substack{m\to\infty \\ n\to\infty}} \int |f_m(x) - f_n(x)|\,dx = 0, \tag{1}$$

so gibt es genau eine Funktion $f(x)$ aus $\mathfrak{F}_0$ gegen welche sie in diesem Sinne konvergiert, d. h. für welche

$$\lim_{n\to\infty} \int |f(x) - f_n(x)|\,dx = 0. \tag{2}$$

Man vgl. Anhang 11.

3. Gegeben seien zwei Funktionen $f_1$ und $f_2$ aus $\mathfrak{F}_0$. Zur Abkürzung setzen wir

$$\int |f_i(x)|\,dx = C_i, \qquad i = 1, 2. \tag{3}$$

Wir benutzen jetzt ausgiebig den Satz von F u b i n i, vgl. Anhang 7, 10). Die Funktion

$$g(x, y) = f_1(y) f_2(x-y) \tag{4}$$

ist eine meßbare Funktion der Variablen $(x, y)$. Für jeden Punkt $y$, in welchem $f_1(y)$ endlich ist, hat man

$$\int |g(x, y)|dx = |f_1(y)| \int |f_2(x-y)|dy = |f_1(y)| \cdot C_2,$$

und daher ist

$$\int dy \int |g(x, y)|dx = C_2 \int |f_1(y)|dy = C_1 C_2.$$

Die Funktion $g(x, y)$ ist demzufolge über die ganze $(x, y)$-Ebene absolut integrierbar. Auf Grund dessen existiert für fast alle $x$ das Integral

(5) $$\int g(x, y)\,dy = \int f_1(y) f_2(x-y)\,dy$$

und ist wiederum eine Funktion aus $\mathfrak{F}_0$. Sie ist von der Reihenfolge von $f_1$ und $f_2$ unabhängig, weil nämlich

(6) $$\int f_1(y) f_2(x-y)\,dy = \int f_2(\eta) f_1(x-\eta)\,d\eta.$$

*Wenn für zwei beliebige Funktionen in* $[-\infty, \infty]$ *das Integral* (6) *für fast alle* $x$ *existiert, so nennen wir die Funktion*

(7) $$\frac{1}{2\pi}\int f_1(y) f_2(x-y)\,dy$$

*die Faltung*[40]) *von* $f_1$ *und* $f_2$. Wenn $f_1(x)$ und $f_2(x)$ Funktionen aus $\mathfrak{F}_0$ sind, so existiert ihre Faltung und gehört gleichfalls zu $\mathfrak{F}_0$.

4. *Jeder Funktion aus* $\mathfrak{F}_0$ *ordnen wir ihre Transformierte* $E(\alpha)$ *zu,*

(8) $$E(\alpha) = \frac{1}{2\pi}\int f(x)\, e(-\alpha x)\,dx.$$

*Die Gesamtheit dieser Funktionen* $E(\alpha)$ *bezeichnen wir mit* $\mathfrak{T}_0$. Damit eine Funktion $E(\alpha)$ zu $\mathfrak{T}_0$ gehört, ist notwendig, daß sie beschränkt ist,

(9) $$2\pi\, |E(\alpha)| \leqq \int |f(x)|\,dx,$$

daß sie stetig ist (Satz 2) und für $\alpha \to \pm\infty$ gegen Null geht (Satz 1). Die Klasse $\mathfrak{T}_0$ ist wiederum linear: zu $c_1 f_1 + c_2 f_2$ gehört $c_1 E_1 + c_2 E_2$. Zugleich mit $E(\alpha)$ gehören auch $E(-\alpha)$, $\overline{E(\alpha)}$, $E(\alpha+\lambda)$ und $e(\lambda\alpha)\,E(\alpha)$, $\lambda$ reell, zu $\mathfrak{T}_0$. Sie sind die Transformierten von $f(-x)$, $\overline{f(-x)}$, $e(-\lambda x)\,f(x)$ und $f(x+\lambda)$. Wenn Funktionen aus $\mathfrak{F}_0$ im integrierten Mittel konvergieren, so sind ihre Transformierten gleichmäßig in $-\infty < \alpha < \infty$ konvergent, denn es ist

$$2\pi\,|E(\alpha) - E_n(\alpha)| \leqq \int |f(x) - f_n(x)| \cdot |e(-\alpha x)|\,dx \leqq \int |f(x) - f_n(x)|\,dx.$$

**Satz 13.** *Der Faltung von Funktionen aus* $\mathfrak{F}_0$ *entspricht die Multiplikation ihrer Transformierten.*

Beweis. Es ist

$$\frac{1}{2\pi}\int f(x)\,e(-\alpha x)\,dx = \frac{1}{4\pi^2}\int dx \int f_1(y)\,e(-\alpha y)\,f_2(x-y)\,e(-\alpha(x-y))\,dy,$$

und da für festes $\alpha$ die Funktionen $f_1(y)\,e(-\alpha y)$ und $f_2(\eta)\,e(-\alpha\eta)$ zu $\mathfrak{F}_0$ gehören, so kann man die Reihenfolge der Integrationen vertauschen und man erhält

(10) $$E(\alpha) = E_1(\alpha)\,E_2(\alpha).$$

Innerhalb der Klasse $\mathfrak{T}_0$ kann man also die Funktionen nach Belieben multiplizieren. Wir bemerken noch, daß die Transformierte $E_1(\alpha)\,\overline{E_2(\alpha)}$ zur Funktion

(11) $$\frac{1}{2\pi}\int f_1(y)\overline{f_2(y-x)}\,dy = \frac{1}{2\pi}\int f_1(y+x)\,\overline{f_2(y)}\,dy$$

gehört.

5. Jeder Funktion aus $\mathfrak{F}_0$ ist nach Definition genau eine Funktion aus $\mathfrak{T}_0$ zugeordnet. Hiervon gilt auch die Umkehrung:

**Satz 14.** *Zwei Funktionen aus $\mathfrak{F}_0$, die gleiche Transformierte haben, sind identisch*[41]).

Beweis. Zu $f(x) = f_1(x) - f_2(x)$ gehört $E(\alpha) = E_1(\alpha) - E_2(\alpha)$. Es sei nun $E(\alpha) \equiv 0$. Dann ist

$$\int E(\alpha)\, e(\alpha x)\, d\alpha \equiv 0.$$

Nach Satz 12 ist demzufolge $f(x) \equiv 0$.

Die Zusammengehörigkeit von je einer Funktion aus $\mathfrak{F}_0$ und $\mathfrak{T}_0$ ist also eine umkehrbar eindeutige. Wir drücken sie durch die Relation

(12) $$f(x) \sim \int e(\alpha x)\, E(\alpha)\, d\alpha$$

aus. Diese Formel nennen wir, ganz unabhängig davon, ob das Integral konvergiert oder nicht, eine Darstellung von $f(x)$. Wir werden auch von der Funktion

(13) $$\int e(\alpha x)\, E(\alpha)\, d\alpha$$

sprechen. Es wird darunter die wohlbestimmte Funktion aus $\mathfrak{F}_0$ gemeint sein, deren Transformierte mit der vorgegebenen Funktion $E(\alpha)$ aus $\mathfrak{T}_0$ übereinstimmt. Wir sagen, daß die Darstellung von $f(x)$ konvergiert, wenn das Integral (13) für fast alle $x$ konvergent ist, und auf Grund von Satz 12 schreiben wir dann

(14) $$f(x) = \int e(\alpha x)\, E(\alpha)\, d\alpha.$$

6. Gegeben sei in $[-\infty, \infty]$ eine stetige Funktion $\varphi(\alpha)$, welche die folgenden Eigenschaften besitzt: 1) $\varphi(-\alpha) = \varphi(\alpha)$, 2) $\varphi(0) = 1$, 3) $\varphi(\alpha)$ ist absolut integrierbar, und 4) die Funktion

(15) $$K(x) = \frac{1}{2\pi}\int e(\alpha x)\, \varphi(\alpha)\, d\alpha$$

ist absolut integrierbar (also eine Funktion aus $\mathfrak{F}_0$), beschränkt und im Unendlichen gleich $o(|x|^{-1})$. — Es ist leicht einzusehen, daß $\varphi(\alpha)$ die Transformierte von $2\pi K(x)$ ist, und daß allgemeiner $\varphi\left(\frac{\alpha}{n}\right)$ die Transformierte von $2\pi n\, K(nx)$ ist, d. h.

$$\varphi\left(\frac{\alpha}{n}\right) = n\int e(-\alpha x)\, K(nx)\, dx.$$

Hieraus folgt wegen 2)

(16) $$\int K(\xi)\, d\xi = 1.$$

Von der angegebenen Beschaffenheit sind z. B. die Funktionen $e^{-|\alpha|}$, $e^{-\alpha^2}$ und $\varphi(\alpha) = 1 - |\alpha|$ für $|\alpha| \leq 1$ und $= 0$ für $|\alpha| > 1$. Die dazugehörigen Funktionen $K(x)$ sind

$$\frac{1}{\pi}\frac{1}{1+x^2},\quad \frac{1}{2\sqrt{\pi}}e^{-\left(\frac{x}{2}\right)^2}\quad\text{und}\quad \frac{2}{\pi}\left(\frac{\sin\frac{x}{2}}{x}\right)^2,$$

vgl. § 12, (9); § 15, (9) und § 4, (14).

Nunmehr sei $f(x)$ eine beliebige Funktion aus $\mathfrak{F}_0$ und $E(\alpha)$ ihre Transformierte. Der Faltung von $f(x)$ und $2\pi n\,K(nx)$ entspricht die Transformierte $\varphi\left(\frac{\alpha}{n}\right)E(\alpha)$. Nun ist $\varphi\left(\frac{\alpha}{n}\right)$ absolut integrierbar und $E(\alpha)$ beschränkt, also ist das Produkt auch absolut integrierbar. Daher ist für fast alle $x$

$$(17)\qquad \int\varphi\left(\frac{\alpha}{n}\right)E(\alpha)\,e(\alpha x)\,d\alpha = n\int f(\xi)\,K[n(x-\xi)]\,d\xi.$$

Nach Satz 1 und 2 ist die linke Seite für alle $x$ konvergent und stetig. Ebenso ist die rechte Seite für alle $x$ konvergent und stetig; dies folgt unschwer daraus, daß $f(\xi)$ absolut integrierbar ist und daß $K(x)$, wegen (15), für alle $x$ beschränkt und gleichmäßig stetig ist. Zum Letzteren vgl. die Betrachtungen in 4. Wenn zwei Funktionen fast überall übereinstimmen, und wenn die Funktionen stetig sind, so stimmen sie Punkt für Punkt überein. Die Relation (17) gilt also in allen Punkten $x$. Wegen (16) ist nunmehr nach Satz 3 in jedem Punkte $x$, in welchem $f(x+0)$ und $f(x-0)$ vorhanden ist,

$$(18)\qquad \frac{1}{2}[f(x+0)+f(x-0)] = \lim_{n\to\infty}\int\varphi\left(\frac{\alpha}{n}\right)E(\alpha)\,e(\alpha x)\,d\alpha.$$

Wegen 1) kann man hierfür auch schreiben

$$(19)\qquad \frac{1}{2}[f(x+0)+f(x-0)] = \lim_{n\to\infty}\frac{1}{\pi}\int_0\varphi\left(\frac{\alpha}{n}\right)d\alpha\int f(\xi)\cos\alpha(x-\xi)\,d\xi.$$

Wenn man den Grenzübergang $n\to\infty$ unter dem Integralzeichen vollzieht, so entsteht die Formel § 11, (1); aber dieser Grenzübergang ist unzulässig; schon aus dem Grunde, weil für die Gültigkeit der letzteren Formel die Voraussetzung der beschränkten Variation in der Umgebung von $x$ gemacht wurde. Wir können diesen Sachverhalt dahin auffassen, daß für absolut integrierbare Funktionen $f(x)$ in Punkten $x$, in denen die Forderung nach beschränkter Variation nicht erfüllt ist, die Formel § 11, (1) in der Weise aufrechterhalten werden kann, daß sie mit Hilfe eines konvergenzerzeugenden Faktors $\varphi(\alpha)$ von sehr allgemeiner Natur „summiert" wird. In den zwei Spezialfällen $\varphi(\alpha)=e^{-|\alpha|}$ und $\varphi(\alpha)=e^{-\alpha^2}$ heißt das Integral (19) ein *Sommerfeldsches Integral*[42]).

7. Den Satz 13 kann man zur Berechnung bestimmter Integrale benutzen.

**Satz 15.** *Gegeben seien Funktionen $f_1(x)$ und $f_2(x)$ aus $\mathfrak{F}_0$. Damit für alle $x$ die Relation*

$$2\pi \int E_1(\alpha)\, E_2(\alpha)\, e(\alpha x)\, d\alpha = \int f_1(y)\, f_2(x-y)\, dy \tag{20}$$

*besteht, ist es hinreichend, daß eine der folgenden Bedingungen erfüllt ist:*

1) *Die Funktion $E_1(\alpha)\, E_2(\alpha)$ ist absolut integrierbar und die rechte Seite von* (20) *stellt eine stetige Funktion dar.*

2) *Eine der Funktionen $f_1(x)$ und $f_2(x)$ besitzt eine absolut integrierbare Ableitung.*

Beweis. Ad 1) Diese Hälfte des Satzes haben wir schon in 6. bewiesen und benutzt. Wir wiederholen kurz den Beweis. Nach Satz 12 besteht (20) für fast alle $x$. Da beide Seiten der Relation stetige Funktionen sind, so besteht sie auf Grund dessen für alle $x$ ohne Ausnahme.

Ad 2) Nach Satz 11b genügt es, nachzuweisen, daß die rechte Seite von (20) differenzierbar ist. Es habe, nach Voraussetzung, etwa $f_2(x)$ eine absolut integrierbare Ableitung. Wir setzen

$$2\pi\varphi(x) = \int f_1(y)\, f_2'(x-y)\, dy,$$

und bilden für irgendein $a$ das Integral

$$2\pi \int_a^x \varphi(\xi)\, d\xi = \int_a^x d\xi \int f_1(y)\, f_2'(\xi - y)\, dy.$$

Rechts kann man die Integrationsfolge vertauschen, und man erhält

$$\int f_1(y)\, dy \int_a^x f_2'(\xi - y)\, d\xi = \int f_1(y)\, f_2(x-y)\, dy - \int f_1(y)\, f_2(a-y)\, dy$$
$$= 2\pi\, f(x) - 2\pi\, f(a).$$

Also ist die Faltung $f(x)$ das Integral einer Funktion $\varphi(x)$, w. z. b. w.

Wenn $f_1(x)$ und $f_2(x)$ für $x < 0$ beide verschwinden, so verschwindet daselbst auch ihre Faltung und für $x > 0$ hat sie den Wert

$$\frac{1}{2\pi} \int_0^x f_1(y)\, f_2(x-y)\, dy. \tag{21}$$

Der erste Teil der Behauptung gilt auch, wenn man mehrere Funktionen hintereinander faltet. Wenn allgemeiner, für $\nu = 1, 2, \ldots, n$, $f_\nu(x) = 0$ für $x \leq x_\nu$, so ist die Faltung $= 0$ für $x \leq x_1 + x_2 + \cdots + x_n$. Ähnliches gilt, wenn man das Zeichen „$<$" durch das Zeichen „$>$" ersetzt. Von allen diesen Regeln wollen wir im nachfolgenden Gebrauch machen.

8. Aus der Beziehung

$$\int \frac{\sin \varrho\xi}{\xi}\, e(\sigma\xi)\, d\xi = 0 \text{ für } |\sigma| > \varrho > 0$$

erhält man, wenn man die den $n$ Funktionen $\frac{\sin \varrho_\nu a}{a}$ aus $\mathfrak{T}_0$ entsprechenden Funktionen $f_\nu(x)$ aus $\mathfrak{F}_0$ miteinander faltet, für $\varrho_\nu > 0$ die Beziehung

$$(22) \qquad \int \prod_1^n \frac{\sin \varrho_\nu \xi}{\xi} e(\sigma\xi)\, d\xi = 0 \text{ für } |\sigma| \geqq \varrho_1 + \varrho_2 + \cdots + \varrho_n,$$

und insbesondere, vgl. § 4, 4,

$$(23) \qquad \int \left(\frac{\sin \varrho\xi}{\xi}\right)^n e(\sigma\xi)\, d\xi = 0 \text{ für } |\sigma| \geqq n\varrho > 0.$$

Aus § 12, (6) ergibt sich[43]) für $\Re(k_\nu) > 0,\ \mu_\nu > 0,\ \nu = 1, 2 \ldots, n$

$$(24) \qquad \frac{1}{2\pi}\int \frac{e(ax)\,da}{(k_1 + ia)^{\mu_1} \cdots (k_n + ia)^{\mu_n}} = 0 \text{ für } x < 0 \text{ und}$$

$$(25) \qquad \frac{1}{2\pi}\int \frac{e(ax)\,da}{(k_1 + ia)^{\mu_1}(k_2 + ia)^{\mu_2}} = \frac{e^{-k_2 x}}{\Gamma(\mu_1)\,\Gamma(\mu_2)} \int_0^x e^{(k_2 - k_1)y} y^{\mu_1 - 1}(x - y)^{\mu_2 - 1} dy$$

für $x > 0$. Aus § 12, (6) und § 12, (7) erhält man durch Faltung für $\Re(k) > 0$, $\mu > 0$ und $x > 0$

$$(26) \qquad \frac{1}{2\pi}\int \frac{e(ax)\,da}{(k^2 + a^2)^\mu} = \frac{e^{kx}}{\Gamma^2(\mu)} \int_x e^{-2ky} y^{\mu-1} (y - x)^{\mu-1} dy^{44)}.$$

Für $\mu = 1$ ergibt dies die schon von § 11, (12) bekannte Formel, $\Re(l) > 0$,

$$(27) \qquad \frac{1}{2\pi}\int \frac{e(ax)\,da}{l^2 + a^2} = \frac{1}{2l} e^{-l|x|}. \qquad -\infty < x < \infty$$

Allgemeiner erhält man für ganzzahliges $\mu > 0$ durch Ausrechnen des rechts in (26) stehenden Integrals für $x > 0$

$$(28) \qquad \frac{1}{\pi}\int_0 \frac{\cos ax\, da}{(l^2 + a^2)^\mu} = \frac{e^{-lx}}{2^{2\mu-1}\,\Gamma(\mu)} \sum_{r=0}^{\mu-1} \frac{\Gamma(2\mu - r - 1)}{\Gamma(r+1)\,\Gamma(\mu - r)} \frac{(2x)^r}{l^{2\mu - r - 1}}.$$

Wenn man für $x < 0$ die Funktion (27) $n$-mal hintereinander mit der Funktion aus § 12, (6) für verschiedene Werte von $k$ und $\mu$ faltet[45]), so erhält man [$\Re(k_\nu) > 0$, $\Re(l) > 0,\ \mu_\nu > 0,\ x < 0$]

$$(29) \qquad \frac{1}{2\pi}\int \frac{e(ax)\,da}{(l^2 + a^2)(k_1 + ia)^{\mu_1} \ldots (k_n + ia)^{\mu_n}} = \frac{e^{lx}}{2l} \prod_1^n \frac{1}{(l + k_\nu)^{\mu_\nu}}.$$

Für $x > 0$ erhält man[46]) aus § 12, (6) und § 12, (7)

$$(30) \qquad \frac{1}{2\pi}\int \frac{e(ax)\,da}{(k + ia)^\varrho (k - ia)^\sigma} = \frac{e^{kx}}{\Gamma(\varrho)\,\Gamma(\sigma)} \int_x e^{-2ky} y^{\varrho-1} (y - x)^{\sigma-1} dy.$$

Ist $\varrho + \sigma > 1$, so kann man $x \to 0$ gehen lassen und es entsteht

$$(31) \qquad \int \frac{da}{(k + ia)^\varrho (k - ia)^\sigma} = 2\pi \frac{\Gamma(\varrho + \sigma - 1)}{\Gamma(\varrho)\,\Gamma(\sigma)\,(2k)^{\varrho + \sigma - 1}}.$$

Durch die Variablentransformation $a = k \operatorname{tg} x$ und die Substitution $\sigma + \varrho - 1 = p$ und $\sigma - \varrho = q$ ergibt sich [$p > 0$, $q$ beliebig]

$$\int_{-\frac{\pi}{2}}^{\frac{\pi}{2}} \cos^{p-1} x \cos qx \, dx = \int_{-\frac{\pi}{2}}^{\frac{\pi}{2}} \cos^{p-1} x \, e(qx) \, dx = \frac{\pi}{2^{p-1}} \frac{\Gamma(p)}{\Gamma\left(\frac{p+1+q}{2}\right) \Gamma\left(\frac{p+1-q}{2}\right)}.$$

Durch Inversion erhält man hieraus für $p > 1$

$$\frac{1}{2^p} \int \frac{\Gamma(p) \, e(x\alpha)}{\Gamma\left(\frac{p+1+x}{2}\right) \Gamma\left(\frac{p+1-x}{2}\right)} dx = \begin{cases} \cos^{p-1}\alpha & |\alpha| \leqq \frac{\pi}{2}. \\ 0 & |\alpha| > \frac{\pi}{2} \end{cases}$$

9. Wir bringen jetzt einige Bemerkungen, die uns späterhin von Nutzen sein werden.

Wenn man in Satz 12 die Funktionen $f(\xi)$ und $E(\alpha)$ vertauscht und kleine Normierungsänderungen vornimmt, so ergibt sich folgendes. *Falls die Funktion $E(\alpha)$ absolut integrierbar ist, und falls die Funktion*

$$f(x) = \int e(x\alpha) \, E(\alpha) \, d\alpha$$

*zu* $\mathfrak{F}_0$ *gehört* (d. h. absolut integrierbar ist), *so stimmt die Funktion*

$$\frac{1}{2\pi} \int e(-\alpha x) \, f(x) \, dx$$

*für fast alle $\alpha$ mit $E(\alpha)$ überein. Wenn insbesondere $E(\alpha)$ auch stetig ist, so gilt für alle $\alpha$*

$$E(\alpha) = \frac{1}{2\pi} \int e(-\alpha x) f(x) \, dx,$$

*und $E(\alpha)$ ist, als Transformierte von $f(x)$, eine Funktion aus $\mathfrak{T}_0$.*

Demzufolge ist in der Klasse $\mathfrak{T}_0$ jede in $[-\infty, \infty]$ definierte Funktion $\gamma(\alpha)$ enthalten, welche zweimal differenzierbar ist, und mitsamt ihren beiden Ableitungen absolut integrierbar ist, also insbesondere jede Funktion $\gamma(\alpha)$, welche zweimal differenzierbar ist und außerhalb eines endlichen Intervalles verschwindet. Denn für die Funktion

(32) $$K_\gamma(x) = \int e(x\alpha) \, \gamma(\alpha) \, d\alpha$$

erhält man durch sinngemäße Anwendung von § 3, 4 die Abschätzung

$$K_\gamma(x) = o(|x|^{-2}),$$

nach welcher $K_\gamma(x)$ eine Funktion aus $\mathfrak{F}_0$ ist. Wir bemerken noch, daß

$$\gamma(\alpha) = \frac{1}{2\pi} \int e(-\alpha x) \, K_\gamma(x) \, dx.$$

Falls $\gamma(\alpha)$ mehr als zwei, nämlich $r$ absolut integrierbare Ableitungen besitzt, $r \geqq 2$, so ist nach § 3, 4

(33) $$K_\gamma(x) = o(|x|^{-r}).$$

Falls für $r \geqq 1$ die Funktionen

(34) $$\alpha^\varrho \gamma(\alpha) \qquad \varrho = 0, 1, \ldots, r$$

absolut integrierbar sind, so ergibt sich (ohne Differenzierbarkeitsvoraussetzungen) durch Anwendung von § 4, 2, c) auf das Integral (32), daß die Funktion $K_\gamma(x)$ $r$-mal stetig differenzierbar ist, nämlich

$$K_\gamma^{(\varrho)}(x) = \int e(x\alpha)\,(i\alpha)^\varrho \gamma(\alpha)\,d\alpha. \qquad \varrho = 0, 1, \ldots, r \tag{35}$$

Falls darüber hinaus die zwei ersten Ableitungen der Funktionen (34) absolut integrierbar sind [was z. B. von selbst eintrifft, wenn $\gamma(\alpha)$ außerhalb eines endlichen Intervalles verschwindet], so sind nach obigem die Funktionen (35) gleichfalls absolut integrierbar.

## § 14. Trigonometrische Integrale mit rationalen Funktionen.

1. Damit eine rationale Funktion unter die Betrachtungen des § 11 fällt, ist notwendig und hinreichend, daß der Grad des Zählers kleiner als der Grad des Nenners ist und daß keine reellen Pole vorhanden sind. — Die Transformierte

$$\frac{1}{2\pi}\int \frac{e(-\alpha x)}{x - ik}\,dx \tag{1}$$

ist nach § 12, (6) und § 12, (7) für beliebige komplexe Zahlen $k$ bekannt. Für $\Re(k) > 0$ ist sie

$$0 \text{ für } \alpha > 0 \text{ und } ie^{k\alpha} \text{ für } \alpha < 0, \tag{2}$$

und für $\Re(k) < 0$ ist sie

$$-ie^{k\alpha} \text{ für } \alpha > 0 \text{ und } \quad 0 \text{ für } \alpha < 0. \tag{3}$$

Durch Faltung, oder einfacher durch Differentiation nach $k$, kann man daraus die Transformierten von $(x - ik)^{-n}$, $n = 1, 2, \ldots$, berechnen. Auf Grund der Partialbruchzerlegung erhält man hieraus, im Prinzip, die Transformierte einer jeden rationalen Funktion. So erhält man z. B. für $\alpha > 0$ die Formeln § 11, (12) aber diesmal allgemeiner für $\Re(k) > 0$. Durch Integration der ersten nach $\alpha$ ergibt sich

$$\frac{1}{\pi}\int\limits_0 \frac{\sin \alpha x}{x\,x^2 + k^2}\,dx = \frac{1}{2\,k^2}(1 - e^{-\alpha k}). \tag{4}$$

2. Die Partialbruchzerlegung ist beschwerlich. In speziellen Fällen kann man anders verfahren. Setzt man z. B. in § 11, (12), $k = re(\varphi)$, $-\frac{\pi}{2} < \varphi < \frac{\pi}{2}$, und trennt man Reelles und Imaginäres, so ergibt sich

$$\frac{1}{\pi}\int\limits_0 \frac{\cos \alpha x\,dx}{x^4 + 2r^2x^2\cos 2\varphi + r^4} = \frac{1}{2\,r^3}\,e^{-r\alpha\cos\varphi}\,\frac{\sin(\varphi + r\alpha\sin\varphi)}{\sin 2\varphi}$$

$$\frac{1}{\pi}\int\limits_0 \frac{x^2\cos \alpha x\,dx}{x^4 + 2r^2x^2\cos 2\varphi + r^4} = \frac{1}{2\,r}\,e^{-r\alpha\cos\varphi}\,\frac{\sin(\varphi - r\alpha\sin\varphi)}{\sin 2\varphi}.$$

Insbesondere ist für $\varphi = \frac{\pi}{4}$, $[a > 0,\ r > 0]$,

$$\frac{1}{\pi}\int_0^{\infty} \frac{\cos ax\,dx}{x^4 + r^4} = \frac{\sqrt{2}}{4r^3} e^{-\frac{ra}{\sqrt{2}}}\left[\cos\left(\frac{ra}{\sqrt{2}}\right) + \sin\left(\frac{ra}{\sqrt{2}}\right)\right].$$

Durch Differentiation nach $a$ folgt

$$\frac{1}{\pi}\int_0^{\infty} \frac{x \sin ax\,dx}{x^4 + r^4} = \frac{1}{2r^2} e^{-\frac{ra}{\sqrt{2}}} \sin\left(\frac{ra}{\sqrt{2}}\right).$$

Auf diese Weise kann man zahlreiche andere Integrale auswerten[47]).

3. Das praktischste Verfahren ergibt sich aus der Residuentheorie. Ist $f(z)$ rational, $z = x + yi$, so hat

$$\int f(x)\, e(-\alpha x)\, dx$$

für $\alpha < 0$ den Wert

$$2\pi i\, \Sigma\, R^+$$

und für $\alpha > 0$ den Wert

$$-\, 2\pi i\, \Sigma\, R^-.$$

Hierbei ist $\Sigma R^+$ die Summe der Residuen der Funktion

$$f(z)\, e(-\alpha z)$$

für diejenigen Pole, welche in der Halbebene $y > 0$ gelegen sind, und $\Sigma R^-$ für diejenigen Pole, welche in der unteren Halbebene gelegen sind. Ist $f(x)$ gerade, so ist

$$\frac{1}{\pi}\int_0^{\infty} f(x) \cos \alpha x\, dx = i\Sigma R^+ = -\, i\Sigma R^-, \qquad \alpha > 0$$

und ist $f(x)$ ungerade, so ist

$$\frac{1}{\pi}\int_0^{\infty} f(x) \sin \alpha x\, dx = \Sigma R^+ = \Sigma R^-. \qquad \alpha > 0$$

Es sei z. B., um den einfachsten Fall herauszugreifen, $f(z) = z - \lambda$, wobei $\mathfrak{J}(\lambda) \neq 0$. Für $\mathfrak{J}(\lambda) > 0$ erhält man, wenn man noch $x$ durch $\alpha$ und $\alpha$ durch $-x$ ersetzt,

$$(5) \qquad \int \frac{e(\alpha x)}{\alpha - \lambda}\, d\alpha = \begin{cases} 0 & \text{für } x < 0 \\ 2\pi i\, e(\lambda x) & \text{für } x > 0\text{'} \end{cases}$$

und für $\mathfrak{J}(\lambda) < 0$ ergibt sich ähnlich

$$(6) \qquad \int \frac{e(\alpha x)}{\alpha - \lambda}\, d\alpha = \begin{cases} -\, 2\pi i\, e(\lambda x) & \text{für } x < 0 \\ 0 & \text{für } x > 0. \end{cases}$$

Dies steht mit dem Wert (2) bzw. (3) von (1) in Einklang. Wir wollen hiervon eine Anwendung machen, die uns später nützlich sein wird. Wir betrachten irgendeine Funktion $f(x)$ aus $\mathfrak{F}_0$ und bezeichnen ihre Transformierte mit $\varphi(\alpha)$. Da die rechts in (5) und (6) stehenden Funktionen gleichfalls zu $\mathfrak{F}_0$ gehören, so gibt es für $\mathfrak{J}(\lambda) \neq 0$ eine Funktion aus $\mathfrak{F}_0$ — wir bezeichnen sie mit $g_1(x)$ —, deren Transformierte mit

$$\frac{\varphi(\alpha)}{i(\alpha-\lambda)} \tag{7}$$

übereinstimmt. Sie hat den Wert

$$e(\lambda x)\int^{x} e(-\lambda x_1)\, f(x_1)\, dx_1 \quad \text{bzw.} \quad -e(\lambda x)\int_{x} e(-\lambda x_1)\, f(x_1)\, dx_1$$

je nachdem

$$\mathfrak{J}(\lambda) > 0 \quad \text{bzw.} \quad \mathfrak{J}(\lambda) < 0.$$

Man kann diesen Prozeß iterieren. Für jedes ganzzahlige $p > 0$ gibt es eine Funktion $g_p(x)$ aus $\mathfrak{F}_0$, deren Transformierte mit

$$\frac{\varphi(\alpha)}{\{i(\alpha-\lambda)\}^p} \tag{8}$$

übereinstimmt. Es ist

$$g_p(x) = e(\lambda x)\, f_p(x), \tag{9}$$

wobei $f_p(x)$ den Wert

$$\int^{x} dx_1 \int^{x_1} dx_2 \ldots dx_{p-1} \int^{x_{p-1}} e(-\lambda x_p)\, f(x_p)\, dx_p \tag{10}$$

bzw.

$$(-1)^p \int_{x} dx_1 \int_{x_1} dx_2 \ldots dx_{p-1} \int_{x_{p-1}} e(-\lambda x_p)\, f(x_p)\, dx_p \tag{11}$$

hat, je nachdem $\mathfrak{J}(\lambda) > 0$ bzw. $\mathfrak{J}(\lambda) < 0$.

4. Für $k > 0$ ergibt eine Partialbruchzerlegung

$$\frac{2}{i}\int_0 \frac{e^{-kx}}{1+x^2}\, dx = \int_0 \frac{e^{-y}}{y+ki}\, dy - \int_0 \frac{e^{-y}}{y-ki}\, dy; \tag{13}$$

und offenbar gilt diese Relation auch für $\mathfrak{R}(k) > 0$. Jetzt setzen wir $k = \varepsilon + \alpha i$, $\alpha > 0$ und $\varepsilon > 0$, und für das erste Integral rechts schreiben wir

$$\int_0^{2\alpha} \frac{e^{-y}}{y-\alpha+\varepsilon i}\, dy + \int_{2\alpha} \frac{e^{-y}}{y-\alpha+\varepsilon i}\, dy.$$

Wenn man auf beiden Seiten von (13) den Realteil abtrennt, und dann den Grenzübergang $\varepsilon \to 0$ vornimmt, so entsteht für $\alpha > 0$, vgl. § 5, 5,

$$2\int_0 \frac{\sin \alpha x}{1+x^2}\, dx = \int_0 \frac{e^{-y}}{y+\alpha}\, dy - \int_0 \frac{e^{-y}}{y-\alpha}\, dy.$$

Vom zweiten Integral rechts ist der Cauchysche Hauptwert zu nehmen. Wenn man noch die Funktion

$$li\, y = -\int_{-\log y} \frac{e^{-\xi}}{\xi}\, d\xi.$$

(Integrallogarithmus von $y$) einführt, so kann man hierfür schreiben[48])

(14) $$\int_0 \frac{\sin ax}{1+x^2}\,dx = \frac{1}{2}\left[e^{-a}\,li\,e^{a} - e^{a}\,li\,e^{-a}\right].$$

Etwa durch Differentiation bekommt man

(15) $$\int_0 \frac{x\cos ax}{1+x^2}\,dx = -\frac{1}{2}\left[e^{-a}\,li\,e^{a} + e^{a}\,li\,e^{-a}\right].$$

Durch Inversion verwandter Formeln entsteht

$$\int_0 e^{x}\,li\,e^{-x}\cos ax\,dx = \frac{\log a - a\frac{\pi}{2}}{1+a^2}$$

$$\int_0 e^{-x}\,li\,e^{x}\cos ax\,dx = \frac{-\log a - a\frac{\pi}{2}}{1+a^2}.$$

## § 15. Trigonometrische Integrale mit $e^{-x^2}$.

Wir gehen davon aus, daß

(1) $$\int_0 e^{-x^2}\,dx = \frac{1}{2}\sqrt{\pi}.$$

Der einfachste direkte Beweis verläuft bekanntlich folgendermaßen. Bezeichnet man das Integral mit $J$, so ist

$$J^2 = \int_0 e^{-y^2}\,dy \int_0 e^{-x^2}\,dx = \int_0\int_0 e^{-(x^2+y^2)}\,dx\,dy,$$

und nach Einführung von Polarkoordinaten

$$J^2 = \int_0 e^{-r^2}r\,dr \int_0^{\frac{\pi}{2}} d\varphi = \frac{\pi}{4}.$$

Die Variablentransformation $x = y\sqrt{\lambda}$, $\lambda > 0$, und nachherige wiederholte Differentiation nach $\lambda$ ergibt

(2) $$\int_0 e^{-\lambda y^2}dy = \frac{1}{2}\sqrt{\pi}\,\lambda^{-\frac{1}{2}}$$
$$\int_0 y^{2n}e^{-\lambda y^2}dy = \frac{1}{2}\sqrt{\pi}\,\frac{1\cdot 3\cdots(2n-1)}{2^n}\,\lambda^{-\frac{2n+1}{2}}.$$

Nunmehr wollen wir das Integral

(3) $$\int_0 e^{-x^2}\cos 2bx\,dx$$

nach einem Verfahren berechnen, welches auch in manchen schwierigeren Fällen herangezogen werden kann[49]). Wir benutzen die Reihenentwicklung

$$\cos 2bx = \sum_0^{\infty}(-1)^n\frac{x^{2n}(2b)^{2n}}{(2n)!}.$$

Wenn man sie in (3) einsetzt und dann gliedweise ausintegriert, so entsteht, wegen (2),

$$\frac{1}{2}\sqrt{\pi}\sum_{0}^{\infty}(-1)^n\frac{1\cdot 3\cdots(2n-1)}{1\cdot 2\cdots 2n}\frac{2^{2n}}{2^n}b^{2n} = \frac{1}{2}\sqrt{\pi}\sum_{0}^{\infty}(-1)^n\frac{b^{2n}}{1\cdot 2\cdots n}$$
$$= \frac{1}{2}\sqrt{\pi}\,e^{-b^2}.$$

Die eben benutzte Vertauschung von Reihensummation und Integration über ein unendliches Intervall muß noch gerechtfertigt werden. Wir setzen

$$\cos 2bx = \sum_{0}^{n}(-1)^\nu\frac{x^{2\nu}(2b)^{2\nu}}{(2\nu)!} + R_n(x),$$

dann ist nach Obigem

$$(4)\qquad \int_0 e^{-x^2}\cos 2bx\,dx = \frac{1}{2}\sqrt{\pi}\sum_{\nu=0}^{n}(-1)^\nu\frac{b^{2\nu}}{\nu!} + \int_0 R_n(x)\,e^{-x^2}\,dx.$$

Nun ist aber nach dem Taylorschen Satz für ein passendes $\Theta$ zwischen 0 und 1

$$|R_n(x)| = \left|\frac{(-1)^{n+1}(2bx)^{2n+2}\cos(\Theta\,2bx)}{1\cdot 2\ldots(2n+2)}\right| \leqq \frac{x^{2n+2}(2b)^{2n+2}}{1\cdot 2\ldots(2n+2)}.$$

Daher ist, unter Benutzung von (2),

$$\left|\int_0 R_n(x)\,e^{-x^2}\,dx\right| \leqq \frac{1}{2}\sqrt{\pi}\frac{b^{2n+2}}{(n+1)!}.$$

Für $n\to\infty$ konvergiert demnach in (4) das Fehlerglied gegen Null, und wir erhalten[50])

$$(5)\qquad \int_0 e^{-x^2}\cos 2bx\,dx = \frac{1}{2}\sqrt{\pi}\,e^{-b^2}.$$

Wenn man diese Gleichung wiederholt nach $b$ differenziert und (2) benutzt, so ergibt sich[51]) für $k = (0), 1, 2, 3, \ldots$

$$(6)\qquad \begin{aligned}\int_0 x^{2k}e^{-x^2}\cos 2bx\,dx &= e^{-b^2}\int_0\frac{(x+bi)^{2k}+(x-bi)^{2k}}{2}e^{-x^2}\,dx\\ \int_0 x^{2k-1}e^{-x^2}\sin 2bx\,dx &= e^{-b^2}\int_0\frac{(x+bi)^{2k-1}-(x-bi)^{2k-1}}{2i}e^{-x^2}\,dx.\end{aligned}$$

Für das Integral

$$\varphi(b) = \int_0 e^{-x^2}\sin 2bx\,dx$$

gibt es auch eine gewisse Relation. Es ist

$$\varphi'(b) + 2b\varphi(b) = -\int_0\frac{d}{dx}[e^{-x^2}\cos 2bx]\,dx = 1$$

und daher

$$\varphi(b) = e^{-b^2} \int_0^b e^{b^2}\, db + C e^{-b^2}.$$

Aus $\varphi(0) = 0$ ergibt sich $C = 0$, und daher ist[52])

(7) $$\int_0 e^{-x^2} \sin 2bx\, dx = e^{-b^2} \int_0^b e^{\beta^2}\, d\beta.$$

Durch eine einfache Variablentransformation erhält man aus (5) für $\lambda > 0$,

(8) $$\int_0 e^{-\lambda x^2} \cos ax\, dx = \frac{1}{2} \sqrt{\frac{\pi}{\lambda}}\, e^{-\frac{a^2}{4\lambda}}$$

und daraus

(9) $$\int e^{-\lambda x^2} e(-ax)\, dx = \sqrt{\frac{\pi}{\lambda}}\, e^{-\frac{a^2}{4\lambda}}.$$

Nach § 12, (3) ist für $k \geq 0$ und $\mu > -1$

$$\frac{1}{(x^2+k^2)^{\mu+1}} = \frac{1}{\Gamma(\mu+1)} \int_0 y^{\mu}\, e^{-(x^2+k^2)y}\, dy.$$

Daraus folgt[53])

(10) $$\int_0 \frac{\cos ax\, dx}{(x^2+k^2)^{\mu+1}} = \frac{\sqrt{\pi}}{2\,\Gamma(\mu+1)} \int_0 y^{\mu-\frac{1}{2}}\, e^{-\left(k^2 y + \frac{a^2}{4y}\right)} dy.$$

Für $\mu = 0$ gibt dies

(11) $$\frac{1}{2}\sqrt{\pi} \int_0 y^{-\frac{1}{2}}\, e^{-\left(k^2 y + \frac{a^2}{4y}\right)} dy = \frac{\pi}{2k}\, e^{-|a|k}$$

und (nach der Substitution $y = x^2$, $k^2 = p$, $a^2 = 4q$) für $p > 0$ und $q > 0$

(12) $$\int_0 e^{-px^2 - q/x^2} dx = \frac{1}{2} \sqrt{\frac{\pi}{p}}\, e^{-2\sqrt{pq}}.$$

Das Integral links ist bei festem $p > 0$ für alle komplexen $q$ mit positivem Realteil konvergent und definiert, wie man leicht zeigt, eine analytische Funktion in $q$. Nach dem Prinzip der analytischen Fortsetzung ist daher die Gl. (12) auch für $q = \varrho + ia$ mit $\varrho > 0$ gültig. Daher ist, wenn wir noch $p = 1$ setzen, und, was sich rechtfertigen läßt, den Grenzübergang $\varrho \to 0$ vornehmen, für $a > 0$

(13) $$\int_0 e^{-x^2} e\left(-\frac{a}{x^2}\right) dx = \frac{1}{2}\sqrt{\pi}\, e^{-\sqrt{2a}}\, e(-\sqrt{2a}).$$

Ähnlich erhält man[54])

(14) $$\int_0 e^{-\frac{1}{x^2}} e(-ax^2)\, dx = \frac{1}{2} \sqrt{\frac{\pi}{2a}} (1-i)\, e^{-\sqrt{2a}(1+i)}.$$

Wir vermerken noch das Formelpaar

$$\int_0 e^{-\sqrt{x}} \begin{Bmatrix}\cos\\ \sin\end{Bmatrix} ax\, dx = \frac{1}{2\sqrt{\pi a}} \int_0 \frac{x^{-\frac{1}{2}}\, e^{-\frac{x}{4a}}}{a^2+x^2} \begin{Bmatrix}a\\ x\end{Bmatrix} dx.$$

## § 16. Besselsche Funktionen.

In der Theorie der Zylinderfunktionen gibt es eine große Zahl von trigonometrischen Integralen, von denen wir die wichtigsten feststellen wollen. Wegen der Bezeichnungen und Beweise verweisen wir auf das grundlegende Werk: G. N. Watson, Theory of Bessel Functions, Cambridge 1922: zitiert mit „Watson".

Für die Besselschen Funktionen beliebiger komplexer Ordnung besteht für $\Re(\nu) > -\frac{1}{2}$ die Relation[55])

$$(1) \qquad J_\nu(x) = \frac{2\left(\frac{x}{2}\right)^\nu}{\sqrt{\pi}\,\Gamma\left(\nu+\frac{1}{2}\right)} \int_0^1 (1-t^2)^{\nu-\frac{1}{2}} \cos xt\, dt.$$

Durch Inversion erhält man, $\Re(\nu) > -\frac{1}{2}$,

$$(2) \qquad \int_0^\infty \left(\frac{x}{2}\right)^{-\nu} J_\nu(x) \cos ax\, dx = \begin{cases} \dfrac{\sqrt{\pi}}{\Gamma\left(\nu+\frac{1}{2}\right)} (1-a^2)^{\nu-\frac{1}{2}} & 0 < a < 1 \\ 0 & 1 < a < \infty, \end{cases}$$

oder in etwas anderer Schreibweise $[a > 0,\ b > 0,\ \Re(\nu) > -\frac{1}{2}]$

$$(3) \qquad \int_0^\infty \frac{J_\nu(ax)}{x^\nu} \cos bx\, dx = \begin{cases} \dfrac{\sqrt{\pi}}{2^\nu\,\Gamma\left(\nu+\frac{1}{2}\right) a^\nu} (a^2-b^2)^{\nu-\frac{1}{2}} & b < a \\ 0 & b > a. \end{cases}$$

Es ist[55a]) für $\Re(\nu) > 0$, $a > 0$, $b > 0$

$$(4) \qquad \int_0^\infty J_\nu(ax)\, e(bx)\, dx = \begin{cases} \dfrac{1}{\sqrt{a^2-b^2}}\, e\left(\nu \arcsin \dfrac{b}{a}\right) & b < a \\ \dfrac{a^\nu\, e\left(\frac{\pi}{2}+\nu\frac{\pi}{2}\right)}{\sqrt{b^2-a^2}} (b+\sqrt{b^2-a^2})^{-\nu} & b > a, \end{cases}$$

und

$$(5) \qquad \int_0^\infty \frac{J_\nu(ax)}{x}\, e(bx)\, dx = \begin{cases} \dfrac{1}{\nu}\, e\left(\nu \arcsin \dfrac{b}{a}\right) & b < a \\ \dfrac{a^\nu\, e\left(\nu\frac{\pi}{2}\right)}{\nu} (b+\sqrt{b^2-a^2})^{-\nu} & b > a. \end{cases}$$

Wichtige Spezialfälle hiervon („Webersche diskontinuierliche Integrale") sind

$$(6) \qquad \int_0^\infty J_0(ax) \cos bx\, dx = \frac{1}{\sqrt{a^2-b^2}} \quad \text{bzw.} \quad 0,$$

$$(7) \qquad \int_0^\infty J_0(ax) \sin bx\, dx = 0 \quad \text{bzw.} \quad \frac{1}{\sqrt{b^2-a^2}},$$

je nachdem $b < a$ bzw. $b > a$.

Für ganzzahlige $n$ hat man die Formeln[56])

$$J_{2n+\frac{1}{2}}(x) = (-1)^n \sqrt{\frac{2x}{\pi}} \int_0^1 P_{2n}(t) \cos xt\, dt$$

$$J_{2n+\frac{3}{2}}(x) = (-1)^n \sqrt{\frac{2x}{\pi}} \int_0^1 P_{2n+1}(t) \sin xt\, dt;$$

hierin sind die $P_m(t)$ die Legendreschen Polynome.

Allgemeiner als (3) sind die Formeln [$\Re(\nu) > -\frac{1}{2}$, $z$ beliebig komplex][57])

(8) $$\int_0 \frac{J_\nu\{a\sqrt{x^2+z^2}\}}{\sqrt{x^2+z^2}^{\,\nu}} \cos bx\,dx = \sqrt{\frac{\pi}{2}}\, a^{-\nu} J_{\nu-\frac{1}{2}}\{z\sqrt{a^2-b^2}\} \cdot \left(\frac{\sqrt{a^2-b^2}}{z}\right)^{\nu-\frac{1}{2}}$$

für $b < a$ und $= 0$ für $b > a$. Der Spezialfall $\nu = \frac{1}{2}$ gibt [$a > 0$, $b > 0$]

$$\frac{2}{\pi} \int_0 \frac{\sin(a\sqrt{x^2+z^2})}{\sqrt{x^2+z^2}} \cos bx\,dx = \begin{cases} J_0(z\sqrt{a^2-b^2}) & b < a \\ 0 & b > a. \end{cases}$$

Die Funktion $a^{-\nu} J_\nu(a)$ ist eine gerade Funktion von $a$. Auf Grund von (2) und § 4, (11) erhält man durch Faltung für den Ausdruck

(9) $$\int \frac{\sin \varrho(a-t)}{a-t} \frac{J_\nu(a)}{a^\nu}\,da$$

den Wert[58])

(10) $$\frac{2^{1-\nu}\sqrt{\pi}}{\Gamma\left(\nu+\frac{1}{2}\right)} \int_0^\varrho \cos ty \cdot (1-y^2)^{\nu-\frac{1}{2}}\,dy \quad \text{bzw.} \quad \pi \frac{J_\nu(t)}{t^\nu}$$

je nachdem $0 < \varrho < 1$ bzw. $1 < \varrho$.

Hierbei ist $\Re(\nu) > -\frac{1}{2}$ und $t$ beliebig reell.

Aus der Formel [$\Re(\mu+\nu) > -1$, $z$ beliebig][59])

(11) $$J_{\mu+\xi}(z)\, J_{\nu-\xi}(z) = \frac{1}{2\pi} \int_{-\pi}^{\pi} J_{\mu+\nu}\left(2z \cos\frac{Q}{2}\right) e\left(\overline{\nu-\mu}\,\frac{Q}{2}\right) e(-\xi Q)\,dQ$$

erhält man durch Inversion den Wert von

(12) $$\int J_{\mu+\xi}(z)\, J_{\nu-\xi}(z)\, e(t\xi)\,d\xi.$$

Er beträgt

$$J_{\mu+\nu}\left(2z\cos\frac{t}{2}\right) e\left(\overline{\nu-\mu}\,\frac{t}{2}\right)$$

für $|t| < \pi$ und 0 für $|t| > \pi$. Insbesondere ist[60])

(13) $$\int J_{\mu+\xi}(x)\, J_{\nu-\xi}(x)\,d\xi = J_{\mu+\nu}(2x).$$

Für die Hankelsche Funktion $H_\nu^{(1)}(x)$ bestehen zwei Integrale [$-\frac{1}{2} < \Re(\nu) < \frac{1}{2}$, $x > 0$][61])

(14) $$H_\nu^{(1)}(x) = \frac{\Gamma\left(\frac{1}{2}-\nu\right) \cdot \left(\frac{x}{2}\right)^\nu}{i\sqrt{\pi^3}} [1 + e(-2\nu\pi)] \int_1 (t^2-1)^{\nu-\frac{1}{2}} e(xt)\,dt$$

(15) $$H_\nu^{(1)}(x) = \frac{2\left(\frac{x}{2}\right)^{-\nu}}{i\sqrt{\pi}\,\Gamma\left(\frac{1}{2}-\nu\right)} \int_1 \frac{e(xt)}{(t^2-1)^{\nu+\frac{1}{2}}}\,dt.$$

Die entsprechenden Integrale für $H^{(2)}(x)$ gehen dadurch hervor, daß man $i$ in $-i$ vertauscht.

Auf Grund dessen erhält man[61])

(16)
$$J_\nu(x) = \frac{2\left(\frac{x}{2}\right)^{-\nu}}{\sqrt{\pi}\,\Gamma\left(\frac{1}{2}-\nu\right)} \int\limits_1^{\infty} \frac{\sin xt}{(t^2-1)^{\nu+\frac{1}{2}}}\,dt$$

(17)
$$Y_\nu(x) = -\frac{2\left(\frac{x}{2}\right)^{-\nu}}{\sqrt{\pi}\,\Gamma\left(\frac{1}{2}-\nu\right)} \int\limits_1^{\infty} \frac{\cos xt}{(t^2-1)^{\nu+\frac{1}{2}}}\,dt.$$

Für die Funktion
$$K_\nu(z) = \frac{1}{2}\pi i e\left(\frac{\nu\pi}{2}\right)\cdot H_\nu^{(1)}(iz)$$
besteht die Beziehung $[\Re(\nu) > -\frac{1}{2}]$[62])

(18)
$$K_\nu(x) = \frac{2^\nu\,\Gamma\left(\nu+\frac{1}{2}\right)}{\sqrt{\pi}\,x^\nu} \int\limits_0^{\infty} \frac{\cos xu}{(u^2+1)^{\nu+\frac{1}{2}}}\,du.$$

Durch Inversion ergibt sich z. B.[63])

(19)
$$\int\limits_0^{\infty} K_0(t)\cos at\,dt = \frac{\pi}{2\sqrt{1+a^2}}.$$

Daneben besteht die Formel

(20)
$$\int\limits_0^{\infty} K_0(t)\sin at\,dt = \frac{\operatorname{arc\,sinh} a}{\sqrt{1+a^2}}.$$

## § 17. Auswertung gewisser mehrfacher Integrale.

Gegeben sei eine Funktion $\Phi(xyz)$, welche im ganzen $(xyz)$-Raume definiert und absolut integrierbar ist. Die Funktion

(1)
$$E(\alpha) = \int\int\int \Phi(xyz)\,e[\alpha(x+y+z)]\,dx\,dy\,dz$$

sei eine Funktion aus $\mathfrak{T}_0$, und zwar die Transformierte einer Funktion $\Psi(\xi)$ aus $\mathfrak{F}_0$. Weiterhin sei in einem Intervall $\lambda \leq \xi \leq \mu$ eine Funktion $D(\xi)$ gegeben, welche daselbst zweimal differenzierbar ist, und an den Intervallenenden mitsamt ihrer ersten Ableitung verschwindet,

(2)
$$D(\lambda) = D'(\lambda) = D(\mu) = D'(\mu) = 0.$$

Wir ergänzen sie außerhalb von $(\lambda, \mu)$ durch Nullwerte und bezeichnen die neue Funktion mit $F(\xi)$. Ihre Transformierte heiße $E_0(\alpha)$. Durch zweimalige partielle Integration von
$$\frac{1}{2\pi}\int F(\xi)\;e(-\alpha\xi)\,d\xi = \frac{1}{2\pi}\int\limits_\lambda^\mu F(\xi)\,e(-\alpha\xi)\,d\xi$$
folgt $E_0(\alpha) = O(|\alpha|^{-2})$ und daher ist $E_0(\alpha)$ absolut integrierbar in $[-\infty, \infty]$.

Nunmehr wollen wir das Integral

(3) $$J = \iiint \Phi(xyz)\, F(x+y+z)\, dx\, dy\, dz$$

berechnen. Wir substituieren

(4) $$F(x+y+z) = \int E_0(\alpha)\, e[\alpha(x+y+z)]\, d\alpha,$$

und da sowohl $\Phi(xyz)$ als auch $E_0(\alpha)$ absolut integrierbar sind, kann man die Reihenfolge der Integrationen vertauschen, und man erhält

(5) $$J = \int E_0(\alpha)\, E(\alpha)\, d\alpha.$$

Nach Satz 15 ist daher

$$J = \frac{1}{2\pi}\int F(y)\, \Psi(-y)\, dy.$$

**Satz 16**[64]). *Die Funktion $\Phi(xyz)$ sei im ganzen $(xyz)$-Raume definiert und absolut integrierbar, und die Funktion*

$$E(\alpha) = \iiint \Phi(xyz)\, e[\alpha(x+y+z)]\, dx\, dy\, dz$$

*sei die Transformierte einer absolut integrierbaren Funktion $\Psi(\xi)$, d. h.*

$$E(\alpha) = \frac{1}{2\pi}\int \Psi(\xi)\, e(-\alpha\xi)\, d\xi, \qquad \Psi(\xi) = \int E(\alpha)\, e(\xi\alpha)\, d\alpha.$$

*Für jede Funktion $D(\xi)$, welche in einem Intervall $\lambda \leqq \xi \leqq \mu$ definiert und beschränkt ist, besteht die Gleichheit*

(6) $$\iiint\limits_{\lambda < x+y+z < \mu} \Phi(xyz)\, D(x+y+z)\, dx\, dy\, dz = \frac{1}{2\pi}\int_\lambda^\mu \Psi(-y)\, D(y)\, dy.$$

*Setzt man insbesondere $D(\xi) = 1$, so erhält man*

(7) $$\iiint\limits_{\lambda < x+y+z < \mu} \Phi(xyz)\, dx\, dy\, dz = \frac{1}{2\pi}\int_\lambda^\mu \Psi(-y)\, dy.$$

Beweis. Wir haben oben den Satz für den Fall bewiesen, daß $D(\xi)$ in $(\lambda, \mu)$ zweimal differenzierbar ist, und daß die Randbedingungen (2) bestehen. Wenn $D(\xi)$ eine in $(\lambda, \mu)$ beschränkte Funktion ist, so kann man eine Folge von Funktionen angeben, welche die obige spezielle Struktur haben, gleichartig beschränkt sind, $|D_n(\xi)| \leqq G$, und für fast alle $\xi$ aus $(\lambda, \mu)$ gegen $D(\xi)$ konvergieren. Auf den Beweis gehen wir nicht ein. Die Relation (6) besteht für jede Funktion $D_n(\xi)$. Nach einem allgemeinen Konvergenzsatz [Anhang 7,8)] kann man dann auf beiden Seiten dieser Relation den Grenzübergang $n \to \infty$ unter dem Integralzeichen vornehmen. Sie gilt demnach auch für die Grenzfunktion $D(\xi)$, w. z. b. w.

Beispiele. In den nachfolgenden Beispielen ist das räumliche Integral über die Parallelschicht

$$\lambda < x+y+z < \mu$$

zu erstrecken.

1. Es sei [$a > 0$, $b > 0$, $c > 0$, oder allgemeiner $\Re(a) > 0$, $\Re(b) > 0$, $\Re(c) > 0$]

$$\Phi(xyz) = \left\{(a^2 + x^2)(b^2 + y^2)(c^2 + z^2)\right\}^{-1}.$$

Dann ist nach § 13, (27)

$$E(\alpha) = \int \frac{e(\alpha x)\,dx}{a^2 + x^2} \int \frac{e(\alpha y)\,dy}{b^2 + y^2} \int \frac{e(\alpha z)\,dz}{c^2 + z^2} = \frac{\pi^3}{abc} e^{-|\alpha|(a+b+c)},$$

und daher

$$\Psi(-y) = \frac{\pi^3}{abc} \int e^{-|\alpha|(a+b+c)} e(-y\alpha)\,d\alpha = \frac{2\pi^3}{abc} \frac{a+b+c}{(a+b+c)^2 + y^2}.$$

Also ist

$$\iiint\limits_{\lambda < x+y+z < \mu} \frac{dx\,dy\,dz}{(a^2 + x^2)(b^2 + y^2)(c^2 + z^2)} = \frac{\pi^2}{abc} \left\{\operatorname{arctg} \frac{\mu}{a+b+c} - \operatorname{arctg} \frac{\lambda}{a+b+c}\right\}$$

$$\iiint\limits_{\lambda < x+y+z < \mu} \frac{(a+b+c)^2 + (x+y+z)^2}{(a^2 + x^2)(b^2 + y^2)(c^2 + z^2)}\,dx\,dy\,dz = \frac{\pi^2}{abc}(a+b+c)(\mu - \lambda).$$

2. Es sei [$a > 0$, $b > 0$, $c > 0$]

$$\Phi(x\,y\,z) = e^{-a^2x^2 - b^2y^2 - c^2z^2}$$

Dies gibt nach § 15, (9)

$$\iiint\limits_{\lambda < x+y+z < \mu} e^{-a^2x^2 - b^2y^2 - c^2z^2} D(x+y+z)\,dx\,dy\,dz = \frac{\pi\varrho}{abc} \int\limits_{\lambda}^{\mu} e^{-\varrho^2 y^2} D(y)\,dy.$$

Hierin ist

$$\frac{1}{\varrho^2} = \frac{1}{a^2} + \frac{1}{b^2} + \frac{1}{c^2}.$$

3. Es sei [$k > 0$, $a > 0$, $b > 0$, $c > 0$]

$$\begin{aligned} \Phi(xyz) &= e^{-k(x+y+z)} x^{a-1} y^{b-1} z^{c-1} && \text{für } x > 0,\ y > 0,\ z > 0 \\ &= 0 && \text{für sonstige Werte.} \end{aligned}$$

Dies gibt für $\mu > \lambda \geqq 0$

$$\iiint\limits_{\lambda < x+y+z < \mu} e^{-k(x+y+z)} x^{a-1} y^{b-1} z^{c-1} D(x+y+z)\,dx\,dy\,dz$$
$$= \frac{\Gamma(a)\,\Gamma(b)\,\Gamma(c)}{\Gamma(a+b+c)} \int\limits_{\lambda}^{\mu} e^{-ky} y^{a+b+c-1} D(y)\,dy.$$

Da das tatsächliche Integrationsgebiet auch links eine beschränkte Punktmenge ist, so kann man den Grenzübergang $k \to 0$ vornehmen, und man erhält

$$\iiint\limits_{\lambda < x+y+z < \mu} x^{a-1} y^{b-1} z^{c-1} D(x+y+z)\,dx\,dy\,dz = \frac{\Gamma(a)\,\Gamma(b)\,\Gamma(c)}{\Gamma(a+b+c)} \int\limits_{\lambda}^{\mu} y^{a+b+c-1} D(y)\,dy.$$

VIERTES KAPITEL.

# Stieltjessche Integrale.

## § 18. Die Funktionenklasse $\mathfrak{P}$.

1. Wir erinnern an den Begriff des Stieltjesschen Integrals[65]). Gegeben seien auf einem endlichen Intervall $a \leqq \alpha \leqq b$ eine stetige Funktion $\chi(\alpha)$ und eine monoton wachsende Funktion $\psi(\alpha)$. Die letztere braucht nicht etwa stetig zu sein, sie soll nur in jedem Punkte einen wohlbestimmten Wert haben. Man nehme irgendwelche Zahlen

$$a = \alpha_0 < \alpha_1 < \alpha_2 < \cdots < \alpha_{n-1} < \alpha_n = b$$

und bilde die Summe

$$\sum_{\nu=0}^{n-1} \chi(\beta_\nu)\,[\psi(\alpha_{\nu+1}) - \psi(\alpha_\nu)] \qquad \alpha_\nu \leqq \beta_\nu \leqq \alpha_{\nu+1}.$$

Wenn die Intervalle $(\alpha_\nu, \alpha_{\nu+1})$ genügend klein werden, so unterscheidet sich diese Summe beliebig wenig von einem ganz bestimmten Grenzwert, den man als das Stieltjessche Integral

$$\int_a^b \chi(\alpha)\, d\psi(\alpha) \tag{1}$$

bezeichnet. Für differenzierbares $\psi(\alpha)$ gilt

$$\int_a^b \chi(\alpha)\, d\psi(\alpha) = \int_a^b \chi(\alpha)\, \psi'(\alpha)\, d\alpha, \tag{2}$$

und falls $\psi_1(\alpha)$ und $\psi_2(\alpha)$ sich nur um eine Konstante unterscheiden, ist

$$\int_a^b \chi(\alpha)\, d\psi_1(\alpha) = \int_a^b \chi(\alpha)\, d\psi_2(\alpha). \tag{3}$$

Es gelten die üblichen Rechenregeln, insbesondere ist

$$\int_a^b d\psi(\alpha) = \psi(b) - \psi(a),$$

$$\left|\int_a^b \chi(\alpha)\, d\psi(\alpha)\right| \leqq \int_a^b |\chi(\alpha)|\, d\psi(\alpha) \leqq \operatorname{Max} |\chi(\alpha)| \cdot [\psi(b) - \psi(a)]. \tag{4}$$

Ist $\chi(\alpha)$ differenzierbar, so kann man partiell integrieren:

$$\int_a^b \chi(\alpha)\, d\psi(\alpha) = \chi(b)\, \psi(b) - \chi(a)\, \psi(a) - \int_a^b \chi'(\alpha)\, \psi(\alpha)\, d\alpha. \tag{5}$$

Falls $\chi(\xi, \alpha)$ im Rechteck $a \leqq \alpha \leqq b$, $\xi_0 \leqq \xi \leqq \xi_1$ stetig ist, so gilt, wie man unschwer zeigt, die Regel

$$\int_{\xi_0}^{\xi_1} d\xi \int_a^b \chi(\xi, \alpha)\, d\psi(\alpha) = \int_a^b \left[\int_{\xi_0}^{\xi_1} \chi(\xi, \alpha)\, d\xi\right] d\psi(\alpha). \tag{6}$$

Sie besagt, daß man die Reihenfolge der Integrationen nach $\alpha$ und $\xi$ vertauschen kann.

2. Weiterhin definieren wir:

(7) $$\int_a^{\infty} \chi(\alpha)\, d\psi(\alpha) = \lim_{b \to \infty} \int_a^b \chi(\alpha)\, d\psi(\alpha),$$

sofern der Limes rechter Hand existiert, und analog auch für die untere Grenze $-\infty$. Die Rechenregeln übertragen sich sinngemäß auf uneigentliche Integrale, und die Formel der partiellen Integration gilt im Falle, daß $\chi(\alpha)\psi(\alpha)$ für $\alpha \to \infty$ bzw. $\alpha \to -\infty$ einem Grenzwert zustrebt. Für die Existenz des Integrals (7) ist es hinreichend, daß $\chi(\alpha)$ und $\psi(\alpha)$ beschränkt sind. Wenn nämlich $\psi(\alpha)$ monoton und beschränkt ist, so ist der Grenzwert

$$\psi(\infty) = \lim_{\alpha \to \infty} \psi(\alpha)$$

vorhanden, und nach (4) hat man für $B > A$

(8) $$\left| \int_A^B \chi(\alpha)\, d\psi(\alpha) \right| \leq G\,[\psi(\infty) - \psi(A)],$$

wo $G$ eine Schranke von $\chi(\alpha)$ bedeutet. Hinterher kann man in (8) $B$ auch durch $+\infty$ ersetzen.

3. Falls zwei Funktionen $\psi_1(\alpha)$ und $\psi_2(\alpha)$ in $[-\infty, \infty]$ definiert sind und nur in Unstetigkeitspunkten voneinander abweichen, so ist das Integral

(9) $$\int \chi(\alpha)\, d\psi(\alpha),$$

wenn es für $\psi(\alpha) = \psi_1(\alpha)$ konvergiert, auch für $\psi(\alpha) = \psi_2(\alpha)$ konvergent, und hat beidemal denselben Wert. Wir können daher in einem Integral (9) von der Belegungsfunktion $\psi(\alpha)$ immer voraussetzen, daß ihr Wert in jedem Punkt durch die Relation

$$\psi(\alpha) = \tfrac{1}{2}\,[\psi(\alpha+0) + \psi(\alpha-0)]$$

normiert ist.

4. *Unter einer Verteilungsfunktion $V(\alpha)$ verstehen wir eine in $[-\infty, \infty]$ definierte Funktion, welche beschränkt und monoton wachsend ist, und für welche überall**)

$$V(\alpha) = \tfrac{1}{2}\,[V(\alpha+0) + V(\alpha-0)].$$

Zwei Verteilungsfunktionen $V_1(\alpha)$ und $V_2(\alpha)$ nennen wir *äquivalent*, und wir schreiben

$$V_1(\alpha) \asymp V_2(\alpha),$$

---

*) Dagegen machen wir nicht die übliche Voraussetzung

$$V(\infty) - V(-\infty) = 1,$$

weil wir sie zu nichts gebrauchen könnten.

falls diese Funktionen sich nur um eine Konstante unterscheiden,

$$V_1(\alpha) = V_2(\alpha) + c.$$

Wir werden öfters die Abschätzung

$$(10)\quad \left|\int_b e(x\alpha)\,dV(\alpha)\right| \leq V(\infty) - V(b), \quad \left|\int^a e(x\alpha)\,dV(\alpha)\right| \leq V(a) - V(-\infty)$$

benutzen.

Für jede Verteilungsfunktion $V(\alpha)$ existiert für alle $x$ das Integral

$$(11)\qquad f(x) = \int e(x\alpha)\,dV(\alpha).$$

Zwei äquivalente $V(\alpha)$ ergeben dieselbe Funktion $f(x)$. *Die Gesamtheit der so definierten Funktionen* (11) *werden wir als die Funktionsklasse* $\mathfrak{P}$ *bezeichnen.* Eine „direkte" Charakterisierung dieser Funktionen werden wir in § 21 geben.

Sind $f_1$ und $f_2$ Funktionen aus $\mathfrak{P}$ und sind $c_1$ und $c_2$ positive Konstanten, so ist auch $c_1 f_1 + c_2 f_2$ eine Funktion aus $\mathfrak{P}$. Zu $\mathfrak{P}$ gehört jede Funktion aus $\mathfrak{F}_0$, deren Transformierte $E(\alpha)$ positiv (genauer: nichtnegativ) und absolut integrierbar ist. Man braucht dann nämlich nur zu setzen

$$V(\alpha) = \int^{\alpha} E(\beta)\,d\beta.$$

Jede Funktion aus $\mathfrak{P}$ ist beschränkt,

$$(12)\qquad |f(x)| \leq f(0) = V(\infty) - V(-\infty),$$

und „hermitesch", d. h.

$$(13)\qquad \overline{f(-x)} = f(x).$$

Wenn $V(\alpha)$ in einer gewissen Normierung der additiven Konstanten ungerade ist, so ist

$$\int e(x\alpha)\,dV(\alpha) = \int \cos(x\alpha)\,dV(\alpha),$$

also $f(x)$ eine reelle gerade Funktion, und es ist

$$(14)\qquad f(0) = 2V(\infty).$$

Wenn umgekehrt $f(x)$ reell ist, so findet man aus der weiter unten bewiesenen Formel (18), daß in der Normierung $V(0) = 0$ die Funktion $V(\alpha)$ ungerade ist und daher insbesondere (14) befriedigt.

5. Setzt man

$$(15)\qquad f_n(x) = \int_{-n}^{n} e(x\alpha)\,dV(\alpha),$$

so ist

$$|f(x) - f_n(x)| \leq [V(\infty) - V(n)] + [V(-n) - V(-\infty)],$$

und daher ist die Folge (15) für $n \to \infty$ gleichmäßig in $[-\infty, \infty]$ gegen $f(x)$ konvergent. Da nun $f_n(x)$, wie leicht zu sehen ist, gleichmäßig stetig ist, so ist auch $f(x)$ gleichmäßig stetig.

6. Es sei $g(\xi)$ eine stetige Funktion aus $\mathfrak{F}_0$. Setzt man

$$R(\alpha, \varrho) = \int_{-\varrho}^{\varrho} g(\xi)\, e(\xi\alpha)\, d\xi,$$

so gilt nach (6) für die Funktionen (15)

$$\int_{-\varrho}^{\varrho} g(\xi)\, f_n(\xi)\, d\xi = \int_{-n}^{n} R(\alpha, \varrho)\, dV(\alpha).$$

Da $f_n(x)$ gleichmäßig gegen $f(x)$ konvergiert und da $R(\alpha, \varrho)$ beschränkt ist,

$$|R(\alpha, \varrho)| \leqq \int |g(\xi)|\, d\xi = C,$$

so kann man $n$ gegen $\infty$ gehen lassen,

$$\int_{-\varrho}^{\varrho} g(\xi)\, f(\xi)\, d\xi = \int R(\alpha, \varrho)\, dV(\alpha).$$

Für $\varrho \to \infty$ konvergiert $R(\alpha, \varrho)$ gleichmäßig auf jedem endlichen $\alpha$-Intervall gegen

$$\int g(\xi)\, e(\xi\alpha)\, d\xi.$$

Hieraus findet man leicht für jedes $a > 0$

$$\int_{-a}^{a} R(\alpha, \varrho)\, dV(\alpha) \to \int_{-a}^{a} \left[\int g(\xi)\, e(\xi\alpha)\, d\xi\right] dV(\alpha).$$

Andererseits folgt aus (8)

$$\left| \int^{-a} + \int_{a} R(\alpha, \varrho)\, dV(\alpha) \right| \leqq C\{[V(\infty) - V(a)] + [V(-a) - V(-\infty)]\},$$

und die rechte Seite wird für genügend große $a$ beliebig klein. Aus alledem folgt

$$(16) \qquad \int g(\xi)\, f(\xi)\, d\xi = \int \left[\int g(\xi)\, e(\xi\alpha)\, d\xi\right] dV(\alpha).$$

Wenn man noch hierin $g(\xi)$ durch $g(x - \xi)$ ersetzt und die Transformierte von $g(\xi)$ mit $\Phi(\alpha)$ bezeichnet,

$$g(\xi) \sim \int e(\xi\alpha)\, \Phi(\alpha)\, d\alpha,$$

so erhält man die Faltungsregel

$$(17) \qquad \frac{1}{2\pi} \int g(x - \xi)\, f(\xi)\, d\xi = \int e(x\alpha)\, \Phi(\alpha)\, dV(\alpha).$$

7. **Satz 17**[66]). *Zu* (11) *besteht die Umkehrungsformel*

$$(18) \qquad V(\varrho) - V(0) = \lim_{\omega \to \infty} \frac{1}{2\pi} \int_{-\omega}^{\omega} f(x)\, \frac{e(-\varrho x) - 1}{-ix}\, dx.$$

Beweis. Wir setzen bei festem $\varrho$

$$(19) \qquad Q(\alpha) = V(\alpha + \varrho) - V(\alpha).$$

Da $V(\alpha)$ für $\alpha \to \pm\infty$ Grenzwerten zustrebt, so ist

$$(20) \qquad Q(\alpha) \to 0 \text{ für } \alpha \to \pm\infty.$$

Weiterhin ist $Q(\alpha)$ absolut integrierbar. Denn das Integral

$$\int_a^b |Q(\alpha)|\, d\alpha$$

hat den Wert

$$\int_a^b Q(\alpha)\, d\alpha = \int_0^\varrho [V(b+\alpha) - V(a+\alpha)]\, d\alpha$$

und ist daher, wenn $a$ und $b$ beide gegen $+\infty$ (oder $-\infty$) gehen, gegen Null konvergent.

Es ist

$$\begin{aligned}[e(-\varrho x) - 1]\, f(x) &= \int e[(\alpha-\varrho)\, x]\, dV(\alpha) - \int e(\alpha x)\, dV(\alpha) \\ &= \int e(\alpha x)\, dV(\alpha+\varrho) - \int e(\alpha x)\, dV(\alpha) \\ &= \lim_{n\to\infty}\left[e(nx) Q(n) - e(-nx) Q(-n) - \int_{-n}^{n} ix\, e(\alpha x) Q(\alpha)\, d\alpha\right],\end{aligned}$$

und daher

$$f_\varrho(x) \equiv f(x)\frac{e(-\varrho x)-1}{-ix} = \int e(\alpha x) Q(\alpha)\, d\alpha. \tag{21}$$

Nach Satz 11b ist nun

$$Q(0) = V(\varrho) - V(0) = \lim_{\omega\to\infty}\frac{1}{2\pi}\int_{-\omega}^{\omega} f_\varrho(x)$$

w. z. b. w.

Aus Satz 17 folgt unmittelbar der wichtige

**Satz 18.** *Zwei Funktionen aus $\mathfrak{P}$ sind (dann und) nur dann identisch, wenn ihre Verteilungsfunktionen äquivalent sind.*

8. Bemerkenswert ist der folgende

**Satz 19.** *Es seien*

$$f(x) = \int e(x\alpha)\, dV(\alpha) \quad \text{und} \quad g(x) = \int e(x\alpha)\, dW(\alpha)$$

*Funktionen aus $\mathfrak{P}$ und $V(\alpha)$ sei stetig. Das Stieltjessche Integral*

$$U(\beta) = \int V(\beta - \alpha)\, dW(\alpha) \tag{22}$$

*ist eine stetige Verteilungsfunktion und die dazugehörige Funktion $F(x)$ aus $\mathfrak{P}$ hat den Wert $f(x)\, g(x)$.*

Beweis. Das Integral (22) ist nach 2. für alle $\beta$ konvergent und beschränkt. Für $\beta_2 > \beta_1$ ist $V(\beta_2 - \alpha) \geqq V(\beta_1 - \alpha)$ und daher ist $U(\beta)$ monoton wachsend. Die Stetigkeit von $U(\beta)$ folgt leicht daraus, daß $V(\gamma)$ stetig ist, und daß die Limesrelation

$$U(\beta) = \lim_{a\to\infty}\int_{-a}^{a} V(\beta-\alpha)\, dW(\alpha)$$

gleichmäßig in jedem $\beta$-Intervall statthat.

Nunmehr betrachten wir neben den Funktionen (19) und (21) die entsprechenden Funktionen

(23) $$P(\beta) = U(\beta + \varrho) - U(\beta) = \int Q(\beta - \alpha)\, dW(\alpha),$$

(24) $$F_\varrho(x) \equiv F(x)\frac{e(-\varrho x)-1}{-ix} = \int e(\beta x)\, P(\beta)\, d\beta.$$

Wenn man in (24) für $P(\beta)$ das Integral (23) einsetzt und dann die Reihenfolge der Integrationen nach $\alpha$ und $\beta$ vertauscht (diese Vertauschung der Integrationsfolge läßt sich nach demselben Vorgang wie bei der Formel (16), und zwar jetzt auf Grund der Stetigkeit und absoluten Integrierbarkeit von $Q(\gamma)$, rechtfertigen), so erhält man

$$F_\varrho(x) = \int [\int e(x\beta) Q(\beta - \alpha)\, d\beta]\, dW(\alpha) = \int e(x\alpha) f_\varrho(x)\, dW(\alpha) = f_\varrho(x) g(x).$$

Wenn man auf die Definition von $f_\varrho$ und $F_\varrho$ zurückgeht, ergibt sich

(25) $$F(x) = f(x)\, g(x).$$

9. Wenn man die Voraussetzung, daß $V(\alpha)$ stetig ist, fallen läßt, so bleibt zwar der Satz 19 und sein Beweis bestehen, aber es bedarf einer Ausdehnung des Begriffs des Stieltjesschen Integrals (1) für den Fall, daß auch $\chi(\alpha)$ unstetig ist. Dies wollen wir nicht durchführen. Wir werden aber in § 19, 5 auf anderem Wege beweisen, daß das Produkt irgend zweier Funktionen aus $\mathfrak{P}$ wiederum zu $\mathfrak{P}$ gehört.

10. Die Definition und die Eigenschaften des Stieltjesschen Integrals (1) übertragen sich unmittelbar auf den Fall, daß $\psi(\alpha)$ nicht monoton, sondern allgemeiner von beschränkter Variation ist. Und wir könnten auch in Verallgemeinerung der Funktionsklasse $\mathfrak{P}$ solche Funktionen

$$f(x) = \int e(x\alpha)\, d\Phi(\alpha)$$

untersuchen, deren „Belegung" $\Phi(\alpha)$ sich als Differenz zweier Verteilungsfunktionen auffassen läßt. Viele Eigenschaften der Funktionen aus $\mathfrak{P}$ würden erhalten bleiben, so z. B. die Sätze 17–19. Aber die Untersuchungen der nachfolgenden Paragraphen sind im wesentlichen auf die Funktionen aus $\mathfrak{P}$ zugeschnitten, so daß wir auch weiterhin nur an solche Funktionen denken wollen.

## § 19. Folgen von Funktionen aus $\mathfrak{P}$.

1. Von einer Folge von Verteilungsfunktionen

(1) $$V_1(\alpha),\ V_2(\alpha),\ V_3(\alpha), \ldots$$

sei bekannt, daß sie auf einer überall dicht liegenden Punktfolge

(2) $$\alpha_1,\ \alpha_2,\ \alpha_3, \ldots$$

konvergent ist,

$$\lim_{n\to\infty} V_n(\alpha_\nu) = \tau_\nu \qquad (\nu = 1, 2, 3, \ldots),$$

und daß sie gleichartig beschränkt ist,

(3) $$|V_n(\alpha)| \leqq M \qquad (n = 1, 2, 3, \ldots).$$

Die Wertegesamtheit $\tau_\nu$ ist von selbst auch monoton wachsend, d. h. aus $\alpha_\mu < \alpha_\nu$ folgt $\tau_\mu \leqq \tau_\nu$. Da nach Voraussetzung die $\alpha_\nu$ überall dicht liegen, so wird, wie man unschwer findet, durch die $\tau_\nu$ in eindeutiger Weise eine Verteilungsfunktion $V(\alpha)$ bestimmt, welche die folgende Eigenschaft hat. Für jedes $\alpha$ ist $V(\alpha + 0)$ die untere Grenze der Zahlen $\tau_\nu$ für diejenigen $\nu$, für welche $\alpha_\nu$ größer als $\alpha$ ist; und entsprechend ist $V(\alpha - 0)$ die obere Grenze der Zahlen $\tau_\nu$ für diejenigen $\nu$, für welche $\alpha_\nu$ kleiner als $\alpha$ ist. Offenbar ist auch

(4) $$|V(\alpha)| \leqq M.$$

Wir wollen zeigen, daß in allen Stetigkeitspunkten von $V(\alpha)$ die Relation

(5) $$V(\alpha) = \lim_{n\to\infty} V_n(\alpha)$$

besteht. Es sei $\alpha$ beliebig. Für $\alpha < \alpha_\nu$ ist

$$V_n(\alpha) \leqq V_n(\alpha_\nu)$$

also

$$\overline{\lim_{n\to\infty}}\, V_n(\alpha) \leqq \overline{\lim_{n\to\infty}}\, V_n(\alpha_\nu) = \tau_\nu.$$

Die linke Seite der Ungleichung ist von $\nu$ unabhängig, rechts kann irgendein $\tau_\nu$ stehen, für welches $\alpha < \alpha_\nu$. Da aber $V(\alpha + 0)$ die untere Grenze solcher $\tau_\nu$ ist, so haben wir

$$\overline{\lim_{n\to\infty}}\, V_n(\alpha) \leqq V(\alpha + 0).$$

Ebenso erhält man

$$V(\alpha - 0) \leqq \underline{\lim_{n\to\infty}}\, V_n(\alpha).$$

Daher ist

$$V(\alpha - 0) \leqq \underline{\lim_{n\to\infty}}\, V_n(\alpha) \leqq \overline{\lim_{n\to\infty}}\, V_n(\alpha) \leqq V(\alpha + 0).$$

In einem Stetigkeitspunkte $\alpha$ ist aber $V(\alpha - 0) = V(\alpha + 0)$, daher sind alle vier Glieder der Ungleichheit einander gleich, was gleichbedeutend mit (5) ist.

*Wenn für Verteilungsfunktionen* $V_n(\alpha)$, $n = 1, 2, \ldots,$ *und* $V(\alpha)$ *in allen Stetigkeitspunkten von* $V(\alpha)$ *die Relation* (5) *besteht, so nennen wir die Folge* $V_n(\alpha)$ *gegen* $V(\alpha)$ *konvergent.* Da zwei Verteilungsfunktionen, die in ihren gemeinsamen Stetigkeitspunkten übereinstimmen, auch in den übrigen Punkten übereinstimmen, so ist die Limesfunktion $V(\alpha)$ einer konvergenten Folge $V_n(\alpha)$ eindeutig.

**Satz 20.** *Falls die Verteilungsfunktionen* $V_n(\alpha)$, $n = 1, 2, 3, \ldots$, *gegen eine Verteilungsfunktion* $V_0(\alpha)$ *konvergieren, und falls*

(6) $$\lim_{n\to\infty} V_n(\pm\infty) = V_0(\pm\infty),$$

*so sind die dazugehörigen Funktionen* $f_n(x)$ *aus* $\mathfrak{P}$ *in jedem Punkte* $x$ *gegen die zu* $V_0(\alpha)$ *gehörige Funktion* $f_0(x)$ *aus* $\mathfrak{P}$ *konvergent*[67]).

Beweis. Wir setzen bei festem $a > 0$ für $n = 0, 1, 2, \ldots$

$$f_n(x) = \int_{-a}^{a} e(x\alpha)\,dV_n(\alpha) + \int^{-a} + \int_{a} = f_n(x, a) + Q_n(x, a) + P_n(x, a),$$

wobei $a$ so gewählt ist, daß $V_0(\alpha)$ in $\alpha = +a$ und $\alpha = -a$ stetig ist; demzufolge ist

(7) $$\lim_{n\to\infty} V_n(a) = V_0(a),\quad \lim_{n\to\infty} V_n(-a) = V_0(-a).$$

Dann ist für $n \to \infty$

$$\overline{\lim}\,|f_0(x) - f_n(x)| \leq A(x, a) + B(x, a) + C(x, a),$$

wobei

$$A(x, a) = \overline{\lim}\,|f_0(x, a) - f_n(x, a)|,$$

$$B(x, a) = \overline{\lim}\,|P_0 - P_n|,\quad C(x, a) = \overline{\lim}\,|Q_0 - Q_n|.$$

Einerseits gilt

$$f_n(x, a) = e(xa)V_n(a) - e(-xa)V_n(-a) - ix\int_{-a}^{a} e(x\alpha)V_n(\alpha)\,d\alpha,$$

und wegen (7) und der Konvergenz der $V_n(\alpha)$ gegen $V_0(\alpha)$ folgt hieraus (vgl. Anhang 7, 8))

$$A(x, a) = 0.$$

Andererseits gilt

$$|B(x, a)| \leq |P_0| + \overline{\lim}\,|P_n| \leq V_0(\infty) - V_0(a) + \overline{\lim}\,[V_n(\infty) - V_n(a)],$$

und wegen (6) und (7) folgt hieraus

$$|B(x, a)| \leq 2[V_0(\infty) - V_0(a)].$$

Bei gegebenem $\varepsilon > 0$ kann man daher $a$ so groß wählen, daß $|B(x,a)| \leq \varepsilon$. Entsprechendes gilt für $C(x, a)$. Daher ist für jedes $\varepsilon$

$$\overline{\lim}\,|f_0(x) - f_n(x)| \leq 2\varepsilon,$$

und daraus folgt

$$f_0(x) = \lim_{n\to\infty} f_n(x),$$

w. z. b. w.

2. Aus der Voraussetzung (6) folgt sehr leicht, daß die $V_n(\alpha)$ gleichartig beschränkt sind,

(8) $$|V_n(\alpha)| \leq M \qquad (n = 1, 2, 3, \ldots).$$

Aber man darf nicht in Satz 20 die Voraussetzung (6) durch die schwächere Voraussetzung (8) ersetzen. Gegenbeispiel: $V_n(\alpha) = 0$ für $\alpha < n$ und $= 1$ für $\alpha > n$. Es ist $f_n(x) = e(nx)$, $V_0(\alpha) \equiv 0$ und daher $f_0(x) \equiv 0$. An diesem Beispiel fällt auf, daß die $f_n(x)$ nicht nur nicht gegen $f_0(x)$, sondern überhaupt nicht konvergieren. Dies ist kein Zufall, es gilt vielmehr folgendes.

3. Wenn die $V_n(\alpha)$ gleichartig beschränkt sind und gegen ein $V_0(\alpha)$ konvergieren und wenn die $f_n(x)$ gegen eine stetige Funktion $F(x)$ konvergieren, dann ist

$$F(x) = f_0(x).$$

Das wollen wir beweisen. Nach § 18, 7 ist für festes $\varrho$

$$f_n(x)\frac{e(-\varrho x)-1}{-ix} = \int e(x\alpha)\, dW_n(\alpha), \qquad (n = 0, 1, 2, \ldots),$$

wobei die Funktionen

$$W_n(\alpha) = \int_0^\alpha [V_n(\beta + \varrho) - V_n(\beta)]\, d\beta$$

wiederum Verteilungsfunktionen sind. Durch „Iterierung" findet man für die Funktionen

$$g_n(x) = f_n(x)\left(\frac{e(-\varrho x)-1}{-ix}\right)^2$$

die Beziehung

(9) $$g_n(x) = \int e(x\alpha)\, E_n(\alpha)\, d\alpha,$$

wobei die Funktionen

$$E_n(\alpha) = W_n(\alpha + \varrho) - W_n(\alpha)$$

absolut integrierbar sind. Aus (8) folgt, vgl. § 18, (12),

(10) $$|f_n(x)| \leq 2M.$$

Daher sind die Funktionen $g_n(x)$ in $\mathfrak{F}_0$ gelegen und da auch die $E_n(\alpha)$ absolut integrierbar sind, so besagt (9), vgl. § 13, 9, daß $E_n(\alpha)$ die Transformierte von $g_n(x)$ ist. Aus der Konvergenz der $f_n(x)$ gegen $F(x)$ folgt die Konvergenz der $g_n(x)$ gegen

$$G(x) = F(x)\left(\frac{e(-\varrho x)-1}{-ix}\right)^2;$$

und da wegen (10) die $g_n(x)$ gleichartig beschränkt sind, so ist (vgl. Anhang 10) für $a > 0$

$$\int_{-a}^{a} |g_n(x) - G(x)|\, dx \to 0.$$

Wegen

$$|g_n(x)| \leq \frac{4M}{x^2}, \quad |G(x)| \leq \frac{4M}{x^2}$$

findet man leicht, daß auch

$$\int |g_n(x) - G(x)|\, dx \to 0.$$

Für die Transformierte $\Phi(\alpha)$ von $G(x)$ gilt daher

$$\Phi(\alpha) = \lim_{n\to\infty} E_n(\alpha).$$

Aus der Konvergenz der $V_n(\alpha)$ gegen $V_0(\alpha)$ und ihrer gleichartigen Beschränktheit folgt aber

$$E_0(\alpha) = \lim_{n\to\infty} E_n(\alpha).$$

Daraus folgt sukzessive: $E_0(\alpha) = \Phi(\alpha)$, $g_0(x) = G(x)$, $f_0(x) = F(x)$.

4. **Satz 21**[68]). *Wenn die Funktionen* $f_n(x)$, $n = 1, 2, 3, \ldots$, *aus* $\mathfrak{P}$ *gleichartig beschränkt sind,*

(11) $$|f_n(x)| \leq M,$$

*und für alle* $x$ *gegen eine stetige Grenzfunktion* $f(x)$ *konvergieren, so gelten die folgenden Behauptungen:*

1) *Die Funktion* $f(x)$ *gehört gleichfalls zu* $\mathfrak{P}$. — *Auf Grund von* (11) *kann man nach* § 18, (12) *in den Verteilungsfunktionen* $V_n(\alpha)$ *der* $f_n(x)$ *die additiven Konstanten derart normieren, daß auch die* $V_n(\alpha)$ *gleichartig beschränkt sind,*

(12) $$|V_n(\alpha)| \leq N.$$

2) *Es gibt nun mindestens eine derartige Normierung, in welcher die* $V_n(\alpha)$ *konvergent sind; und*

3) *Wenn in irgendeiner derartigen Normierung die* $V_n(\alpha)$ *konvergieren, so ist ihre Grenzfunktion mit der Verteilungsfunktion von* $f(x)$ *äquivalent.*

Beweis. Ad 1) Gegeben seien die $V_n(\alpha)$ in einer Normierung (12). Wir nehmen auf der $\alpha$-Achse irgendeine Folge von überall dicht liegenden Zahlen (2) und bestimmen nach dem bekannten Auswahlverfahren eine Teilfolge

(13) $$V_{n_1}(\alpha),\ V_{n_2}(\alpha),\ V_{n_3}(\alpha), \ldots,$$

welche auf allen diesen Punkten konvergiert. Nach 1. gibt es eine Verteilungsfunktion $V(\alpha)$, so daß

(14) $$V(\alpha) = \lim_{k\to\infty} V_{n_k}(\alpha),$$

und da nach Voraussetzung die Folge $f_{n_k}(x)$, als Teilfolge von $f_n(x)$, gegen $f(x)$ konvergiert, so ist nach dem in 3. Bewiesenen $f(x)$ eine Funktion aus $\mathfrak{P}$ und $V(\alpha)$ ihre Verteilungsfunktion.

Ad 2) Wir nehmen einen festen Punkt $\alpha_0$, in welchem $V(\alpha)$ stetig ist. Wie sehr leicht zu sehen ist, kann man den $V_n(\alpha)$ solche Konstanten $a_n$ zufügen, daß sie gleichartig beschränkt bleiben, und daß

$$V(\alpha_0) = \lim_{n\to\infty} V_n(\alpha_0). \tag{15}$$

In der so korrigierten Normierung sind die $V_n(\alpha)$ gegen $V(\alpha)$ konvergent. Andernfalls gäbe es einen Stetigkeitspunkt $\alpha = \beta$ von $V(\alpha)$, so daß die Folge $V_n(\beta)$ nicht gegen $V(\beta)$ konvergieren würde. Dann könnte man, nach den ad 1) angestellten Überlegungen, eine Teilfolge

$$V_{m_1}(\alpha),\ V_{m_2}(\alpha),\ V_{m_3}(\alpha), \ldots \tag{16}$$

angeben, welche gegen eine Verteilungsfunktion $U(\alpha)$ konvergieren würde, aber an der Stelle $\alpha = \beta$ nicht gegen $V(\beta)$ konvergent wäre. Nach den Betrachtungen ad 1) wäre $U(\alpha)$ eine Verteilungsfunktion von $f(x)$, daher gäbe es eine Konstante $c$, so daß

$$U(\alpha) = V(\alpha) + c. \tag{17}$$

$U(\alpha)$ wäre also in $\alpha = \alpha_0$ stetig, und demnach wäre

$$U(\alpha_0) = \lim_{k\to\infty} V_{m_k}(\alpha_0). \tag{18}$$

Nach (15) und (18) wäre $U(\alpha_0) = V(\alpha_0)$, andererseits nach (17):

$$U(\alpha_0) = V(\alpha_0) + c,$$

also wäre $c = 0$, d. h. $U(\alpha) = V(\alpha)$. Weiterhin wäre $U(\alpha)$ auch für $\alpha = \beta$ stetig, demnach wäre die Folge (16) für $\alpha = \beta$ gegen $U(\beta)$ konvergent. Wegen $U(\beta) = V(\beta)$ wäre dies ein Widerspruch gegen die oben gesperrt gedruckte Eigenschaft der Folge (16).

Ad 3) Folgt sofort aus 3.

5. **Satz 22.** *Das Produkt zweier Funktionen aus $\mathfrak{P}$ ist wieder eine Funktion aus $\mathfrak{P}$.*

Beweis. Es seien $f(x)$ und $g(x)$ zwei beliebige Funktionen aus $\mathfrak{P}$. Falls $\varphi(x)$ eine weitere Funktion aus $\mathfrak{P}$ ist, welche eine stetige Verteilungsfunktion hat, so ist nach Satz 19 auch $\varphi(x)\,f(x)$ eine Funktion aus $\mathfrak{P}$ mit stetiger Verteilungsfunktion. Nochmalige Anwendung von Satz 19 ergibt, daß auch

$$\varphi(x)\,f(x)\,g(x)$$

zu $\mathfrak{P}$ gehört. Nun ist nach § 15, (4)

$$e^{-\frac{x^2}{4n^2}} = \int e(x\alpha)\,dV(\alpha),$$

wobei

$$V(\alpha) = \frac{n}{\sqrt{\pi}} \int_0^{\alpha} e^{-\frac{\beta^2}{n^2}}\,d\beta,$$

also ist die Funktion

$$e^{-\frac{x^2}{4n^2}} f(x)\, g(x)$$

in $\mathfrak{P}$ enthalten. Nun betrachten wir diese Funktion für variable Werte von $n$. Für $n \to \infty$ ist diese Folge gegen $f(x)\, g(x)$ konvergent, außerdem ist sie gleichartig beschränkt, daher ist nach Satz 21 auch $f(x)\, g(x)$ eine Funktion aus $\mathfrak{P}$.

## § 20. Positiv-definite Funktionen.

1. Wir nennen eine Funktion $f(x)$ *positiv-definit*[69]), falls sie: 1) im Endlichen stetig und in $[-\infty, \infty]$ beschränkt ist, 2) „hermitesch" ist, d. h.

$$\overline{f(-x)} = f(x), \tag{1}$$

und 3) die folgende Bedingung erfüllt: *Für irgendwelche Punkte* $x_1$, $x_2, \ldots, x_m$, $(m = 1, 2, 3, \ldots)$, *und irgendwelche Zahlen* $\varrho_1, \varrho_2, \ldots, \varrho_m$ *ist*

$$\sum_{\mu=1}^{m} \sum_{\nu=1}^{m} f(x_\mu - x_\nu)\, \varrho_\mu \overline{\varrho_\nu} \geqq 0. \tag{2}$$

2. Jede Funktion aus $\mathfrak{P}$ ist positiv-definit. Denn die Eigenschaft 1) ist uns bekannt, und 2) ist leicht zu verifizieren. Was 3) anbetrifft, so hat die linke Seite von (2) den Wert

$$\int \mathfrak{P}(\alpha)\, dV(\alpha),$$

wobei

$$\mathfrak{P}(\alpha) = \sum_{\mu=1}^{m} \sum_{\nu=1}^{m} e((x_\mu - x_\nu)\alpha)\, \varrho_\mu \overline{\varrho_\nu} = \left| \sum_{\mu=1}^{m} e(x_\mu \alpha)\, \varrho_\mu \right|^2 \geqq 0,$$

und ist daher tatsächlich $\geqq 0$.

3. Wir wollen nun umgekehrt zeigen, daß jede positiv-definite Funktion $f(x)$ zu $\mathfrak{P}$ gehört. Zuerst werden wir dies von einer jeden solchen positiv-definiten Funktion $f(x)$ nachweisen, von welcher bekannt ist, daß sie zu $\mathfrak{F}_0$ gehört,

$$f(x) \sim \int e(x\alpha)\, E(\alpha)\, d\alpha.$$

Gegeben sei in $[-\infty, \infty]$ neben $f(\xi)$ eine stetige Funktion $g(\xi)$. Für jedes $A > 0$ ist der Ausdruck

$$\int_{-A}^{A} \int_{-A}^{A} f(x-y)\, g(-x)\, \overline{g(-y)}\, dx\, dy$$

nicht negativ. Denn nach Definition des Riemannschen Integrals ist er der Limes für $n \to \infty$ von

$$h^2 \sum_{\mu=-n}^{n-1} \sum_{\nu=-n}^{n-1} f(\mu h - \nu h)\, g(-\mu h)\, \overline{g(-\nu h)} \qquad \left(h = \frac{A}{n}\right),$$

und diese Doppelsumme ist, wegen der Voraussetzung der Positiv-Definitheit von $f(\xi)$, $\geqq 0$. Wenn nun auch $g(\xi)$ absolut integrierbar ist,

$$g(\xi) \sim \int e(x\alpha)\, \Gamma(\alpha)\, d\alpha,$$

so entsteht durch den Grenzübergang $A \to \infty$

(3) $$\int \int f(x-y)\, g(-x)\, \overline{g(-y)}\, dx\, dy \geqq 0.$$

Wenn man die Faltung der Funktionen $f(\xi)$, $g(\xi)$ und $\overline{g(-\xi)}$, die alle drei zu $\mathfrak{F}_0$ gehören, mit $F(\xi)$ bezeichnet, so ist

$$\begin{aligned}(2\pi)^2 F(\xi) &= \int \int f(\xi - x - y)\, g(x)\, \overline{g(-y)}\, dx\, dy \\ &= \int \int f(\xi + x - y)\, g(-x)\, \overline{g(-y)}\, dx\, dy.\end{aligned}$$

Die Transformierte von $F(\xi)$ hat den Wert $|\Gamma(\alpha)|^2 E(\alpha)$. Wenn nun auch $\Gamma(\alpha)$ absolut integrierbar ist, so ist nach Satz 15, da $F(\xi)$ eine stetige Funktion ist,

$$F(\xi) = \int e(\xi\alpha)\, |\Gamma(\alpha)|^2 E(\alpha)\, d\alpha,$$

und insbesondere

$$F(0) = \int |\Gamma(\alpha)|^2 E(\alpha)\, d\alpha.$$

Da aber, wegen (3), $F(0) \geqq 0$, so haben wir folgendes Resultat. Die Transformierte $E(\alpha)$ von $f(x)$ ist so beschaffen, daß für jede absolut integrierbare Funktion $\Gamma(\alpha)$ aus $\mathfrak{T}_0$

(4) $$\int |\Gamma(\alpha)|^2 E(\alpha)\, d\alpha \geqq 0.$$

Die Transformierte von $\overline{f(-x)}$ beträgt $\overline{E(\alpha)}$. Wegen $\overline{f(-x)} = f(x)$ ist $\overline{E(\alpha)} = E(\alpha)$ und demnach ist $E(\alpha)$ reell. Aus (4) folgt nunmehr, daß $E(\alpha) \geqq 0$ für alle $x$. Sonst gäbe es ein Intervall $\alpha_0 > \alpha > \alpha_1$, in welchem $E(\alpha) < 0$ wäre. Eine zweimal differenzierbare Funktion $\gamma(\alpha)$, welche außerhalb von $(\alpha_0, \alpha_1)$ verschwindet, ist eine Funktion aus $\mathfrak{T}_0$; für ein solches $\gamma(\alpha)$ wäre aber

$$\int |\gamma(\alpha)|^2 E(\alpha) < 0,$$

im Widerspruch zu (4). — Jetzt wollen wir zeigen, daß $E(\alpha)$ absolut integrierbar ist. Wir betrachten die Funktionen

$$f_n(x) = \frac{1}{\pi n} \int f(\xi) \left(\frac{\sin n(x-\xi)}{x-\xi}\right)^2 d\xi = \int_{-2n}^{2n} e(x\alpha) \left(1 - \frac{|\alpha|}{2n}\right) E(\alpha)\, d\alpha.$$

Wegen der Beschränktheit von $f(\xi)$ gibt es eine Konstante $A$, so daß $|f_n(0)| \leqq A$. Hieraus folgt, wegen $E(\alpha) \geqq 0$, für $2n > a$

$$\int_{-a}^{a} \left(1 - \frac{|\alpha|}{2n}\right) E(\alpha)\, d\alpha \leqq A,$$

und durch den Grenzübergang $n \to \infty$

$$\int_{-a}^{a} E(\alpha)\, d\alpha \leq A.$$

Jetzt kann man $a$ durch $\infty$ ersetzen, w. z. b. w. Wenn aber die Transformierte $E(\alpha)$ von $f(x)$ positiv und absolut integrierbar ist, so ist $f(x)$ eine Funktion aus $\mathfrak{P}$, vgl. § 18, 4.

4. Nun sei $f(x)$ eine beliebige positiv-definite Funktion. Es sei $\gamma(\alpha)$ positiv und absolut integrierbar, und wir betrachten das Produkt

$$F(x) = f(x) \int e(x\alpha)\, \gamma(\alpha)\, d\alpha.$$

$F(x)$ ist gleichfalls positiv-definit. Denn die Beschränktheit und Stetigkeit von $F(x)$ und die Relation $\overline{F(-x)} = F(x)$ sind sofort zu verifizieren. Außerdem ist

$$\sum_{\mu,\nu=1}^{n} F(x_\mu - x_\nu)\, \varrho_\mu \overline{\varrho_\nu} = \int \Big[\sum_{\mu,\nu} f(x_\mu - x_\nu)\, e(x_\mu \alpha)\, \varrho_\mu \cdot \overline{e(x_\nu \alpha) \varrho_\nu}\Big]\, \gamma(\alpha)\, d\alpha,$$

und da die eckige Klammer $\geq 0$ ist, ist auch der ganze Ausdruck $\geq 0$. Zu den Funktionen $F(x)$ gehören insbesondere die Funktionen

$$f_n(x) = f(x)\, e^{-\frac{x^2}{n}} \qquad (n > 0).$$

Letztere Funktionen sind demnach positiv-definit, und da sie zu $\mathfrak{F}_0$ gehören, sind sie, nach bereits Bewiesenem, Funktionen aus $\mathfrak{P}$. Weiterhin sind sie gleichartig beschränkt und für $n \to \infty$ gegen $f(x)$ konvergent. Nach Satz 21 ist daher auch $f(x)$ eine Funktion aus $\mathfrak{P}$. Wir haben also bewiesen den

**Satz 23**[69]). *Damit eine Funktion zur Klasse $\mathfrak{P}$ gehört, ist notwendig und hinreichend, daß sie positiv-definit ist.*

5. Von den Funktionen

$$(5) \qquad f_\varrho(x) = e^{-|x|^\varrho} \qquad (0 < \varrho < \infty)$$

kann man genau angeben, für welche $\varrho$ sie zu $\mathfrak{P}$ gehören und für welche nicht. Für $\varrho = 1$ und $\varrho = 2$ sind die Transformierten von (5) positiv und absolut integrierbar, also die Funktionen selber in $\mathfrak{P}$ enthalten. Wir wollen noch zeigen, daß sie für $0 < \varrho < 1$ zu $\mathfrak{P}$ gehören[70]), für $2 < \varrho < \infty$ aber nicht[71]). Im Falle $1 < \varrho < 2$ sind sie auch positiv definit, aber wir werden den Beweis nicht bringen, da er etwas umständlich ist[72]).

Die Transformierte von (5) bezeichnen wir mit $E_\varrho(\alpha)$. Es ist

$$\pi\, E_\varrho(\alpha) = \tfrac{1}{2} \int e(-x\alpha)\, f_\varrho(x)\, dx = \int_0 \cos(x\alpha) \cdot e^{-x^\varrho}\, dx.$$

Für $0 < \varrho < 1$ erhält man durch partielle Integration

$$\pi\alpha\, E_\varrho(\alpha) = \int_0 \sin(x\alpha) \cdot [\varrho x^{\varrho-1}\, e^{-x^\varrho}]\, dx.$$

Der Faktor von sin $x\alpha$ ist positiv und monoton abnehmend. Wegen

$$\int\limits_0 \sin(x\alpha)\cdot g(x)\,dx = \sum_{n=0}^{\infty}\int\limits_0^{\frac{\pi}{\alpha}} \sin(x\alpha)\cdot\left[g\left(\frac{2n\pi}{\alpha}+x\right)-g\left(\frac{(2n+1)\pi}{\alpha}+x\right)\right]dx$$

folgt hieraus für $\alpha > 0$, daß $E_\varrho(\alpha)$ nicht negativ ist. Die absolute Integrierbarkeit von $E_\varrho(\alpha)$ folgt nunmehr, wie in 3. aus der Beschränktheit und Stetigkeit von $f(x)$. Also ist $f_\varrho(x)$ für $0 < \varrho < 1$ eine Funktion aus $\mathfrak{P}$.

Wenn eine Funktion $f(x)$ aus $\mathfrak{F}_0$, deren Transformierte wir mit $E(\alpha)$ bezeichnen, $p$-mal differenzierbar ist, und wenn auch die Ableitungen bis zur $p$-ten Ordnung zu $\mathfrak{F}_0$ gehören, so hat $f^{(p)}(x)$ die Transformierte $(i\alpha)^p E(\alpha)$. Daraus erkennt man folgendes. Wenn eine Funktion $f(x)$ aus $\mathfrak{F}_0$ $2n$ absolut integrierbare Ableitungen besitzt und wenn die Funktion $f^{(2n)}(x)$ stetig und beschränkt ist, so ist die Funktion $f(x)$ dann und nur dann positiv-definit, wenn es auch die Funktion $(-1)^n f^{(2n)}(x)$ ist. Für $\varrho > 2$ hat (5) zwei Ableitungen, welche absolut integrierbar, stetig und beschränkt sind. Nun ist aber $f_\varrho''(0) = 0$, daher ist $-f_\varrho''(x)$ keine Funktion aus $\mathfrak{P}$, weil eine solche Funktion für $x = 0$ einen Wert $> 0$ hat, es sei denn, daß sie identisch verschwindet. Also ist (5) für $\varrho > 2$ keine Funktion aus $\mathfrak{P}$.

## § 21. Spektralzerlegung positiv-definiter Funktionen. Eine Anwendung auf fastperiodische Funktionen.

1. Eine Verteilungsfunktion $V(\alpha)$ hat höchstens abzählbar viele Unstetigkeitsstellen; sie können sich aber in beliebiger Weise auf der $\alpha$-Achse häufen. Wir bezeichnen sie in irgendeiner Reihenfolge mit

(1) $$\lambda_0, \lambda_1, \lambda_2, \ldots,$$

und die dazugehörigen Funktionssprünge mit $a_\nu$, also

(2) $$a_\nu = V(\lambda_\nu + 0) - V(\lambda_\nu - 0).$$

Es ist

(3) $$\sum_\nu a_\nu \leqq V(\infty) - V(-\infty).$$

Man kann $V(\alpha)$ als die Summe zweier Verteilungsfunktionen schreiben,

(4) $$V(\alpha) = S(\alpha) + D(\alpha),$$

so daß $S(\alpha)$ stetig ist und $D(\alpha)$ nur aus den Sprüngen von $V(\alpha)$ besteht. Und zwar ist die Funktion $D(\alpha)$ in eindeutiger Weise durch die Eigenschaft definiert, daß sie in jedem Stetigkeitspunkte $\alpha$ von $V(\alpha)$ der Summe der links von $\alpha$ liegenden Sprünge von $V(\alpha)$ gleicht,

(5) $$D(\alpha) = \sum_{\lambda_\nu < \alpha} a_\nu.$$

Demzufolge ist

$$D(\lambda_\nu + 0) - D(\lambda_\nu - 0) = V(\lambda_\nu + 0) - V(\lambda_\nu - 0).$$

Wenn $V(\alpha)$ stetig ist, so ist $D(\alpha) \equiv 0$; der andere Extremfall ist $S(\alpha) \equiv$ const.

2. Wir schreiben die Funktion

$$f(x) = \int e(x\alpha)\, dV(\alpha)$$

in der Form

$$f(x) = g(x) + h(x),$$

wobei

(6) $$g(x) = \int e(x\alpha)\, dD(\alpha)$$

und

(7) $$h(x) = \int e(x\alpha)\, dS(\alpha).$$

Die Summanden $g(x)$ und $h(x)$ sind selber Funktionen aus $\mathfrak{P}$. Für eine jede stetige und beschränkte Funktion $\chi(\alpha)$ ist

$$\int \chi(\alpha)\, dD(\alpha) = \sum_\nu \chi(\lambda_\nu)\, a_\nu.$$

Daher ist insbesondere

(8) $$g(x) = \sum_\nu a_\nu e(\lambda_\nu x).$$

Umgekehrt ist jede Exponentialreihe der Gestalt (8), in welcher die $\lambda_\nu$ reelle Zahlen und die $a_\nu$ positive Zahlen mit konvergenter Summe

$$\sum_\nu a_\nu$$

sind, eine Funktion der Gestalt (6). Man braucht nur $D(\alpha)$ folgendermaßen zu bestimmen. Ist $\alpha$ von allen $\lambda_\nu$ verschieden, so gilt (5); in den restlichen Punkten ist

$$D(\alpha) = \tfrac{1}{2}\,[D(\alpha + 0) + D(\alpha - 0)].$$

3. Falls $S(\alpha)$ außerhalb eines endlichen Intervalles konstant ist, so ist nach § 18, (6)

$$\frac{1}{2\omega} \int_{-\omega}^{\omega} h(x)\, dx = \int \frac{\sin \alpha\omega}{\alpha\omega}\, dS(\alpha).$$

Für $a < 0$ und $b > 0$ ist nach § 18, (8)

$$\left| \int^{a} + \int_{b} \frac{\sin \alpha\omega}{\alpha\omega}\, dS(\alpha) \right| \leq \frac{S(\infty) - S(b)}{b\omega} + \frac{S(a) - S(-\infty)}{-a\omega}$$

und nach § 18, (4)

$$\left| \int_a^b \frac{\sin \alpha\omega}{\alpha\omega}\, dS(\alpha) \right| \leq S(b) - S(a) \leq \varepsilon(b, a),$$

wo $\varepsilon(b, a)$ wegen der Stetigkeit von $S(\alpha)$ durch passende Wahl von $b$ und $a$ beliebig klein gemacht werden kann. Daraus findet man

$$\lim_{\omega\to\infty} \frac{1}{2\omega}\int_{-\omega}^{\omega} h(x)\,dx = 0,$$

oder, in der Bezeichnung von § 9, 2

$$\mathfrak{M}\{h(x)\} = 0. \tag{9}$$

Wenn aber $S(\alpha)$ nicht außerhalb eines endlichen Intervalls verschwindet, so betrachte man die Funktionen

$$h_n(x) = \int_{-n}^{n} e(x\alpha)\,dS(\alpha).$$

Nach eben Bewiesenem ist

$$\mathfrak{M}\{h_n(x)\} = 0.$$

Wenn eine Folge von Funktionen, von denen jede einen „Mittelwert" hat, gleichmäßig in $[-\infty, \infty]$ konvergiert, so hat auch die Grenzfunktion einen „Mittelwert", und man kann ihn durch einen Grenzübergang berechnen. Daher gilt (9) für die allgemeinste Funktion (7). Da $h(x)\,e(-\lambda x)$ die stetige Verteilungsfunktion $S(\alpha+\lambda)$ besitzt, so gilt auch

$$\mathfrak{M}\{h(x)\,e(-\lambda x)\} = 0. \tag{10}$$

Andererseits ist

$$\mathfrak{M}\{e(0x)\} = \mathfrak{M}\{1\} = 1$$
$$\mathfrak{M}\{e(\varrho x)\} = 0 \qquad \varrho \neq 0.$$

Für die Funktionen

$$g_n(x) = \sum_{0}^{n} a_\nu e(\lambda_\nu x) \tag{11}$$

gilt daher $\mathfrak{M}\{g_n(x)\,e(-\lambda x)\} = 0$ für $\lambda \neq \lambda_\nu$, $\nu = 0, 1, \ldots, n$, und $= a_\nu$ für $\lambda = \lambda_\nu$. Da die Funktionen (11) für $n \to \infty$ gegen (8) gleichmäßig in $[-\infty, \infty]$ konvergieren, so ist

$$\mathfrak{M}\{g(x)\,e(-\lambda x)\} = \begin{cases} 0 \text{ für } \lambda \neq \lambda_\nu, \ \nu = 0, 1, 2, \ldots \\ a_\nu \text{ für } \lambda = \lambda_\nu. \end{cases} \tag{12}$$

Aus (10) und (12) erhält man folgenden

**Satz 24.** *Für jede Funktion*

$$f(x) = \int e(x\alpha)\,dV(\alpha)$$

*besteht für alle reellen $\lambda$ die Beziehung*

$$\mathfrak{M}\{f(x)\,e(-\lambda x)\} = V(\lambda+0) - V(\lambda-0).$$

4. Mit $f(x)$ ist auch $\overline{f(x)}$ positiv-definit. Nach Satz 19 ist das Produkt $h(x)\overline{h(x)}$ eine Funktion aus $\mathfrak{P}$, deren Verteilungsfunktion wiederum stetig ist. Aus (9) folgt daher

$$\mathfrak{M}\left\{|h(x)|^2\right\} = 0. \tag{13}$$

5. Gegeben sei eine stetige und in $[-\infty, \infty]$ beschränkte Funktion $\varphi(t)$, von der Eigenschaft, daß gleichmäßig in jedem endlichen $x$-Intervall der Grenzwert

$$f(x) = \lim_{T\to\infty} \frac{1}{2T}\int_{-T}^{T} \varphi(t)\overline{\varphi(t-x)}\,dt = \mathfrak{M}_t\left\{\varphi(t)\overline{\varphi(t-x)}\right\} \tag{14}$$

vorhanden ist. Man findet leicht, daß $f(x)$ beschränkt und stetig ist, und daß für jedes $c$

$$\mathfrak{M}_t\left\{\varphi(t)\overline{\varphi(t-x)}\right\} = \mathfrak{M}_t\left\{\varphi(t+c)\overline{\varphi(t+c-x)}\right\}. \tag{15}$$

Aus letzterem folgt, für $c = x$,

$$\overline{f(-x)} = \mathfrak{M}_t\left\{\overline{\varphi(t)}\varphi(t+x)\right\} = \mathfrak{M}_t\left\{\varphi(t)\overline{\varphi(t-x)}\right\} = f(x).$$

Überdies ist, wenn man in (15) $x$ durch $x_\mu - x_\nu$ und $c$ durch $x_\mu$ ersetzt, und über $\mu$ und $\nu$ summiert

$$\sum_{\mu,\nu=1}^{m} f(x_\mu - x_\nu)\,\varrho_\mu\overline{\varrho_\nu} = \mathfrak{M}_t\left\{\left|\sum_{\mu=1}^{m}\varphi(t+x_\mu)\,\varrho_\mu\right|^2\right\} \geqq 0.$$

Also ist $f(x)$ positiv-definit.

Wir setzen wie oben

$$f(x) = g(x) + h(x). \tag{16}$$

und wir wollen

$$a(\lambda) = \mathfrak{M}_u\left\{g(u)\,e(-\lambda u)\right\} = \mathfrak{M}_u\left\{f(u)\,e(-\lambda u)\right\}$$

berechnen. Es ist

$$a(\lambda) = \lim_{\omega\to\infty}\frac{1}{2\omega}\int_{-\omega}^{\omega}\left[\lim_{T\to\infty}\frac{1}{2T}\int_{-T}^{T}\varphi(t)\overline{\varphi(t-u)}\,e(-\lambda u)\,dt\right]du.$$

Da der innere Limes in jedem Intervall $-\omega \leqq u \leqq \omega$ ein gleichmäßiger ist, kann man den Limes nach $T$ mit der Integration nach $u$ vertauschen,

$$a(\lambda) = \lim_{\omega\to\infty}\lim_{T\to\infty}\frac{1}{2T}\int_{-T}^{T}\varphi(t)\left[\frac{1}{2\omega}\int_{-\omega}^{\omega}\overline{\varphi(t-u)}\,e(-\lambda u)\,du\right]dt. \tag{17}$$

Nun machen wir über $\varphi(t)$ die weitere Annahme, daß für jedes $\lambda$ der Grenzwert

$$c(\lambda) = \lim_{\omega\to\infty}\frac{1}{2\omega}\int_{-\omega+t}^{\omega+t}\varphi(\xi)\,e(-\lambda\xi)\,d\xi \equiv \mathfrak{M}\left\{\varphi(\xi)\,e(-\lambda\xi)\right\}$$

gleichmäßig in bezug auf alle $t$ aus $[-\infty, \infty]$ vorhanden ist. Wenn man zum Konjugiert-Komplexen übergeht und $\xi$ durch $-u$ ersetzt, entsteht

$$\lim_{\omega \to \infty} \frac{1}{2\omega} \int_{-\omega}^{\omega} \overline{\varphi(t-u)}\, e(-\lambda u)\, du = e(-\lambda t)\, \overline{c(\lambda)}.$$

Demnach ist

$$\frac{1}{2\omega} \int_{-\omega}^{\omega} \overline{\varphi(t-u)}\, e(-\lambda u)\, du = e(-\lambda t)\, \overline{c(\lambda)} + \varepsilon(t, \omega),$$

wobei das Fehlerglied $\varepsilon(t, \omega)$ für $\omega \to \infty$ gleichmäßig in allen $t$ aus $[-\infty, \infty]$ gegen Null geht. Wenn man dies in (17) einsetzt, entsteht

$$a(\lambda) = \overline{c(\lambda)} \cdot \lim_{T \to \infty} \frac{1}{2T} \int_{-T}^{T} \varphi(t)\, e(-\lambda t)\, dt = |c(\lambda)|^2.$$

Diejenigen Werte $\lambda$, für welche $a(\lambda)$ bzw. $c(\lambda)$ verschwindet, sind die „Eigenschwingungen" der Funktion $f(x)$ bzw. $\varphi(t)$. Aus dem eben Bewiesenen folgt, daß die beiden Funktionen dieselben „Eigenwerte" $\lambda_\nu$ haben, und daß die dazugehörigen Amplitudengrößen $a_\nu = a(\lambda_\nu)$ und $c_\nu = c(\lambda_\nu)$ in der Beziehung

$$a_\nu = |c_\nu|^2$$

zueinander stehen. Wenn man nun (16) für den Spezialwert $x = 0$ nimmt, und auf die Definition von $f(x)$ und $g(x)$ zurückgeht, so erhält man

$$\mathfrak{M}\{|\varphi(t)|^2\} = \sum_\nu |c_\nu|^2 + h(0).$$

Wegen $h(0) \geq 0$ besteht demnach für die Funktion $\varphi(t)$ die Besselsche Ungleichung

$$\sum_\nu |c_\nu|^2 \leq \mathfrak{M}\{|\varphi(t)|^2\}.$$

Zur Herleitung dieser Ungleichung hätte es nicht des langen Weges bedurft, das ginge direkt sehr viel einfacher. Aber unsere Herleitung gibt eine Handhabe zur Entscheidung der Frage, für welche Funktionen $\varphi(t)$ die Parsevalsche Gleichung

$$\sum_\nu |c_\nu|^2 = \mathfrak{M}\{|\varphi(t)|^2\}$$

besteht. Unser Kriterium lautet: $h(0) = 0$, und da $h(x)$ positiv-definit ist, so folgt daraus nach § 18, (12)

$$h(x) \equiv 0.$$

Hiervon wollen wir eine Anwendung machen.

Bekanntlich gilt die Parsevalsche Gleichung für periodische Funktionen. Allgemeiner gilt sie für die fastperiodischen Funktionen von H. Bohr. Dies wollen wir beweisen. Die Definition der fastperiodischen

Funktionen ist so angelegt[73]), daß sich auf relativ einfache Weise die folgenden Eigenschaften ergeben, die wir als bekannt annehmen werden: 1) Ist die Funktion $\varphi(t)$ fastperiodisch, so erfüllt sie alle obigen Bedingungen, und die durch (14) definierte Funktion $f(x)$ ist gleichfalls fastperiodisch. 2) Summe, Produkt und ein, in $[-\infty, \infty]$ gleichmäßiger, Limes von fastperiodischen Funktionen sind wieder fastperiodisch. 3) Wenn für eine fastperiodische Funktion $F(x)$ der Mittelwert

$$\mathfrak{M}\{|F(x)|^2\}$$

verschwindet, so ist $F(x) \equiv 0$.

Nunmehr schließen wir wie folgt[74]). Da die Funktion $e(\lambda x)$ für reelles $\lambda$ fastperiodisch ist, so ist nach 1) und 2) auch die Funktion

$$h(x) = f(x) - g(x) = f(x) - \sum_\nu a_\nu e(\lambda_\nu x)$$

fastperiodisch. Nach (13) ist der „Mittelwert" von $|h(x)|^2$ Null, daher ist auf Grund von 3)

$$h(x) \equiv 0,$$

w. z. b. w.

FÜNFTES KAPITEL.

# Das Operieren mit den Funktionen der Klasse $\mathfrak{F}_0$.

## § 22. Die Fragestellung[75]).

1. Wir betrachten für beliebige reelle Zahlen $\delta_\sigma$ und beliebige (komplexe) Konstanten $a_{\varrho\sigma}$ die Differenzen-Differentialgleichung*)

$$\text{(A)} \qquad \sum_{\varrho=0}^{r} \sum_{\sigma=0}^{s} a_{\varrho\sigma} y^{(\varrho)}(x+\delta_\sigma) = f(x).$$

Sind alle $\delta_\sigma$ einander gleich (d. h. $s = 0$), etwa alle Null, so entsteht die reine Differentialgleichung:

$$\text{(B)} \qquad c_r y^{(r)}(x) + c_{r-1} y^{(r-1)}(x) + \cdots + c_0 y(x) = f(x).$$

Ist andererseits $r = 0$, so erhält man die reine Differenzengleichung

$$\text{(C)} \qquad a_0 y(x+\delta_0) + a_1 y(x+\delta_1) + \cdots + a_s y(x+\delta_s) = f(x).$$

Der geläufigste Fall (C) ist der, daß die Spannen $\delta_\sigma$ eine arithmetische Reihe bilden, etwa die einfachste: $\delta_\sigma = \sigma$; man hat es dann mit der Gleichung

---

*) Wir erinnern, daß wir unter der nullten Ableitung einer Funktion die Funktion selbst verstehen, also $y^{(0)}(x) \equiv y(x)$.

Weiterhin vergleiche man die Betrachtungen aus § 13.

(D) $$a_0 y(x) + a_1 y(x+1) + \cdots + a_s y(x+s) = f(x)$$
zu tun.

Ein bemerkenswerter Spezialfall von (A), welcher (B) umfaßt, ist

(E) $$y^{(r)}(x) + \sum_{\varrho=0}^{r-1} \sum_{\sigma=0}^{s} a_{\varrho\sigma} y^{(\varrho)}(x + \delta_\sigma) = f(x) \qquad (r \geqq 1).$$

(C) ist nicht Spezialfall von (E); und wir werden sehen, daß die Gleichung (E) sogar für beliebig große $r$ und beliebige $\delta_\sigma$ einfacher als (D) ist.

Wir werden manchmal irgendeine unter unseren Gleichungen zur Abkürzung mit

(1) $$\Lambda y = f(x)$$

bezeichnen, und demnach unter dem Funktional $\Lambda y$ die linke Seite der jeweils betrachteten Gleichung verstehen.

2. *Wir nennen eine Funktion $y(x)$ $r$-mal in $\mathfrak{F}_0$ differenzierbar, falls sie in $[-\infty, \infty]$ definiert ist und Ableitungen bis (mindestens) $r$-ter Ordnung besitzt und mitsamt den ersten $r$ Ableitungen absolut integrierbar ist.* Wenn man die Transformierte von $y(x)$ mit $\varphi(\alpha)$ bezeichnet, so hat nach § 3, 4 die Transformierte von $y^{(\varrho)}(x)$, $\varrho = 0, 1, \ldots, r$, den Wert $(i\alpha)^\varrho \varphi(\alpha)$. Anders ausgedrückt, wenn man die Darstellung

(2) $$y(x) \sim \int \varphi(\alpha)\, e(x\alpha)\, d\alpha$$

$\varrho$-mal formal differenziert, so entsteht die „richtige" Darstellung

$$y^{(\varrho)}(x) \sim \int (i\alpha)^\varrho \varphi(\alpha)\, e(x\alpha)\, d\alpha.$$

Hieraus folgt, vgl. § 13, 4,

(3) $$y^{(\varrho)}(x+\delta) \sim \int (i\alpha)^\varrho e(\delta\alpha)\, \varphi(\alpha)\, e(x\alpha)\, d\alpha,$$

und daher erhält man endgültig für jede $r$-mal in $\mathfrak{F}_0$ differenzierbare Funktion $y(x)$

(4) $$\Lambda y \sim \int G(\alpha)\, \varphi(\alpha)\, e(x\alpha)\, d\alpha,$$

wobei unter $G(\alpha)$ die Funktion

(5) $$\sum_{\varrho=0}^{r} \sum_{\sigma=0}^{s} a_{\varrho\sigma} (i\alpha)^\varrho e(\delta_\sigma \alpha)$$

zu verstehen ist. Die Funktion $G(\alpha)$ werden wir, wenn das Gegenteil nicht ausdrücklich hervorgehoben sein wird, nur für die reellen Werte $-\infty < \alpha < \infty$ betrachten. Wir nennen sie *die charakteristische Funktion* der Gleichung (A). Man kann auch die Funktion $G(\alpha)$ als den zur Operation $\Lambda y$ gehörigen „Operator" auffassen: wenn man innerhalb der Funktionenklasse $\mathfrak{F}_0$ von einer $r$-mal in $\mathfrak{F}_0$ differenzierbaren Funktion $y(x)$ zur Funktion $\Lambda y$ übergeht, so entspricht diesem Übergang in der Funktionenklasse $\mathfrak{T}_0$ eine sehr einfache Operation, nämlich die Multiplikation von $\varphi(\alpha)$ mit $G(\alpha)$. Wir werden daher auch sagen, daß

$\Lambda y$ aus $y(x)$ durch „Multiplikation" mit dem „Multiplikator" $G(\alpha)$ hervorgegangen ist, vgl. § 23, 1.

Es gibt noch andere, zum Teil allgemeinere Operationen $\Lambda y$, denen im $\mathfrak{T}_0$-Bereiche die Multiplikation mit einem passenden Operator $G(\alpha)$ entspricht. Es sei z. B.

$$\text{(F)} \qquad \Lambda y \equiv \lambda y(x) - \frac{1}{2\pi}\int y(\xi)\, K(x-\xi)\, d\xi,$$

wo $\lambda$ eine Konstante und $K(\xi)$ eine feste in $[-\infty, \infty]$ absolut integrierbare Funktion ist. Bezeichnet man die Transformierte von $K(\xi)$ mit $\gamma(\alpha)$, so gehört zu jeder Funktion (2) die Relation (4) mit

$$\text{(6)} \qquad G(\alpha) = \lambda - \gamma(\alpha).$$

Alle bisherigen Typen von Operationen sind in der allgemeinen Operation

$$\Lambda y \equiv \sum_{\varrho=0}^{r} \sum_{\sigma=0}^{s} a_{\varrho\sigma} y^{(\varrho)}(x+\delta_\sigma) + \frac{1}{2\pi} \sum_{\mu=0}^{m} \sum_{\nu=0}^{n} b_{\mu\nu} \int y^{(\mu)}(\xi+\omega_\nu) K_{\mu\nu}(x-\xi)\, d\xi$$

enthalten, wobei die $a_{\varrho\sigma}$ und $b_{\mu\nu}$ beliebige Konstanten, die $\delta_\sigma$ und $\omega_\nu$ reelle Konstanten und die $K_{\mu\nu}(\xi)$ absolut integrierbare Funktionen sind. Bezeichnet man die Transformierten der letzteren mit $\gamma_{\mu\nu}(\alpha)$, so lautet der dazugehörige Operator

$$\sum_{\varrho=0}^{r} \sum_{\sigma=0}^{s} a_{\varrho\sigma} (i\alpha)^{\varrho} e(\delta_\sigma \alpha) + \sum_{\mu=0}^{m} \sum_{\nu=0}^{n} b_{\mu\nu} (i\alpha)^{\mu} e(\omega_\nu \alpha)\, \gamma_{\mu\nu}(\alpha).$$

Doch werden wir diese und ähnlich allgemeine Operationen nicht in Betracht ziehen. Denn unsere Absicht ist es, zu zeigen, wie man die Gl. (1) auf Grund der Relation (4) bei gegebener Funktion $f(x)$ aus $\mathfrak{F}_0$ nach $y(x)$ auflösen kann; und die Gleichungen (A) bis (F) werden reichlich Gelegenheit geben, die Vorteile dieser Auflösungsmethode in Spezialfällen zu schildern.

2. *Unter einer Lösung von* (1) *verstehen wir im vorliegenden Kapitel eine r-mal in* $\mathfrak{F}_0$ *differenzierbare Funktion* $y(x)$, [*r ist die Ordnung der höchsten in* $\Lambda y$ *effektiv vorkommenden Ableitung von* $y(x)$], *welche der Relation* (1) *in* $[-\infty, \infty]$ *genügt.* Ist

$$\text{(7)} \qquad f(x) \sim \int E(\alpha)\, e(x\alpha)\, d\alpha,$$

und ist (2) eine Lösung von (1), so besteht nach (4) die Relation

$$\text{(8)} \qquad G(\alpha)\, \varphi(\alpha) = E(\alpha).$$

Die Frage, ob mindestens eine Lösung von (1) vorhanden ist, kann von der Frage, wieviele Lösungen vorhanden sind, getrennt werden. Denn die Operation $\Lambda y$ ist additiv:

$$\Lambda(c_1 y_1 + c_2 y_2) = c_1 \Lambda y_1 + c_2 \Lambda y_2;$$

man erhält demnach aus einer speziellen Lösung von (1) die allgemeine, wenn man eine willkürliche Lösung der homogenen Gleichung

(9) $$\Lambda y = 0$$

hinzufügt.

3. Die homogene Gleichung ist sofort zu erledigen. Ihr entspricht die Relation

(10) $$G(\alpha)\,\varphi(\alpha) = 0.$$

Wenn nun $G(\alpha)$ in $[-\infty, \infty]$ von Null verschieden ist, so folgt hieraus

(11) $$\varphi(\alpha) = 0.$$

D. h., (9) besitzt nur die triviale Lösung

$$y(x) = 0.$$

Dasselbe tritt ein, wenn die Nullstellen von $G(\alpha)$, — d. h. die Werte $\alpha$, für welche $G(\alpha) = 0$ —, nirgends dicht liegen, was z. B. dann eintritt, wenn die Nullstellen von $G(\alpha)$ isoliert liegen. Denn dann gilt (11) für überall dicht liegende Werte von $\alpha$, und da $\varphi(\alpha)$, als Funktion aus $\mathfrak{T}_0$, stetig ist, so gilt (11) überall. — Die Funktion (5) ist eine analytische Funktion von $\alpha$. Ihre Nullstellen sind also isoliert, und daher besitzt die allgemeine Gleichung (A) im homogenen Falle keine Lösung (in unserem Sinne). Wohl besitzt etwa die homogene Gleichung (B) „Lösungen", — sind die (komplexen) Nullstellen $\lambda_\varrho$ des Polynoms

$$c_r(i\tau)^r + c_{r-1}(i\tau)^{r-1} + \cdots + c_0 = 0$$

alle einfach, so besteht die Gesamtheit der „Lösungen" aus den Ausdrücken

$$C_1\,e(\lambda_1 x) + C_2\,e(\lambda_2 x) + \cdots + C_r e(\lambda_r x)$$

mit beliebigen Konstanten $C_\varrho$ —, aber nach eben Bewiesenem können diese „Lösungen" nicht die Eigenschaft haben, daß sie $r$-mal in $\mathfrak{F}_0$ differenzierbar sind. Anders aber im Falle (F). Hier kann $G(\alpha)$ in Intervallen konstant sein; und wenn dies eintritt, so gibt es tatsächlich Lösungen der homogenen Gleichung. Wir kommen hierauf noch zurück, vgl. § 26.

4. Betrachten wir die inhomogene Gleichung (A). Es kann höchstens *eine* Lösung existieren. Damit nun eine Lösung existiert, müssen auf Grund von (8) die folgenden zwei Bedingungen erfüllt sein:

1) die Funktion

$$\varphi(\alpha) = G(\alpha)^{-1}\,E(\alpha)$$

ist eine Funktion aus $\mathfrak{T}_0$, d. h. $f(x)$ läßt sich mit $G(\alpha)^{-1}$ „multiplizieren" (vgl. den nächsten Paragraphen).

2) Falls $r > 0$, so ist die zu $\varphi(\alpha)$ gehörige Funktion $y(x)$ aus $\mathfrak{F}_0$ $r$-mal in $\mathfrak{F}_0$ differenzierbar.

Diese Bedingungen sind nicht nur notwendig, sondern auch hinreichend. Denn sind sie erfüllt, so ist die Funktion

$$y(x) \sim \int G(\alpha)^{-1} E(\alpha)\, e(x\alpha)\, d\alpha$$

eine Lösung von (A), wie man durch Einsetzen verifiziert. Wir haben daher die Aufgabe, Kriterien für das Erfülltsein dieser Bedingungen anzugeben.

## § 23. Multiplikatoren.

1. Gegeben sei eine Funktion

(1) $$f(x) \sim \int E(\alpha)\, e(x\alpha)\, d\alpha.$$

Unter einem *Multiplikator* von $E(\alpha)$ bzw. von $f(x)$ verstehen wir eine in $-\infty < \alpha < \infty$ definierte stetige Funktion $\Gamma(\alpha)$, die so beschaffen ist, daß die Funktion $\Gamma(\alpha)\, E(\alpha)$ wiederum zu $\mathfrak{T}_0$ gehört. Die Funktion

(2) $$\int \Gamma(\alpha)\, E(\alpha)\, e(x\alpha)\, d\alpha$$

werden wir auch mit

$$\Gamma[f]$$

bezeichnen. Wir werden auch sagen, daß wir $f(x)$ mit $\Gamma(\alpha)$ „multipliziert" haben, und wenn $\Gamma(\alpha)$ sich in der Gestalt $G(\alpha)^{-1}$ schreiben läßt, so werden wir auch die Funktion $G(\alpha)$ einen „Divisor" von $f(x)$ nennen.

Ist $\Gamma(\alpha)$ Multiplikator für alle Funktionen aus $\mathfrak{T}_0$, so nennen wir $\Gamma(\alpha)$ einen (allgemeinen) Multiplikator (der Klasse $\mathfrak{T}_0$ bzw. $\mathfrak{F}_0$).

2. Sind $\Gamma_1$ und $\Gamma_2$ Multiplikatoren und $c_1$ und $c_2$ Konstanten, so ist auch $\Gamma = c_1\Gamma_1 + c_2\Gamma_2$ ein Multiplikator:

$$\Gamma[f] = c_1\Gamma_1[f] + c_2\Gamma_2[f].$$

Außerdem ist das Produkt $\Gamma = \Gamma_1\Gamma_2$ zweier allgemeinen Multiplikatoren wiederum ein solcher Multiplikator, es ist nämlich

$$\Gamma[f] = \Gamma_1(\Gamma_2[f]) = \Gamma_2(\Gamma_1[f]).$$

3. Zu den allgemeinen Multiplikatoren gehört insbesondere

$$\Gamma(\alpha) = c;\ \Gamma[f] = cf(x),$$

und für reelles $\lambda$ die Funktion $\Gamma(\alpha) = e(\lambda\alpha) : \Gamma[f] = f(x+\lambda)$. Ist eine unendliche Reihe

(3) $$c_1 e(\mu_1\alpha) + c_2 e(\mu_2\alpha) + \cdots + c_n e(\mu_n\alpha) + \cdots$$

gegeben, in welcher die $\mu_n$ beliebige reelle Zahlen und die $c_n$ beliebige komplexe Zahlen sind, so ist für jedes $n$ die Partialsumme

(4) $$H_n(\alpha) = \sum_{\nu=1}^{n} c_\nu e(\mu_\nu \alpha)$$

ein (allgemeiner) Multiplikator:

(5) $$H_n[f] = \sum_{\nu=1}^{n} c_\nu f(x + \mu_\nu).$$

Wenn die Reihe

$$\sum_{\nu=0}^{\infty} |c_\nu|$$

konvergiert, so ist einerseits die Reihe (3) absolut und gleichmäßig konvergent — ihre Summe bezeichnen wir mit $H(\alpha)$ —, und andererseits folgt aus

$$\int |H_{n+p}[f] - H_n[f]|\, dx \leqq \sum_{\nu=n+1}^{n+p} |c_\nu| \int |f(x + \mu_\nu)| dx \leqq \sum_{\nu=n+1}^{n+p} |c_\nu| \cdot \int |f(x)| dx,$$

daß die Folge (5) im integrierten Mittel konvergiert (vgl. § 13, 2). Ihre Limesfunktion $F(x)$ gehört wiederum zu $\mathfrak{F}_0$. Die Transformierte von $F(x)$ gleicht dem Grenzwert der Transformierten von (5). Die Transformierte von (5) beträgt $H_n(\alpha) E(\alpha)$, und da $H_n(\alpha)$ gegen $H(\alpha)$ konvergiert, so ist $H(\alpha)\, E(\alpha)$ die Transformierte von $F(x)$. Nun konnte aber $f(x)$ eine beliebige Funktion aus $\mathfrak{F}_0$ sein. Wir haben also das Resultat, daß die Summe $H(\alpha)$ einer absolut konvergenten Reihe (3) ein allgemeiner Multiplikator ist, und zwar ist

$$H[f] = F(x).$$

Wenn [für eine Funktion $f(x)$ aus $\mathfrak{F}_0$] die Reihe

$$\sum_{\nu=0}^{\infty} c_\nu f(x + \mu_\nu)$$

für fast alle $x$ konvergiert, was z. B. für eine beschränkte Funktion $f(x)$ der Fall ist, so ist ihre Summe mit $F(x)$ und demnach mit $H[f]$ identisch (vgl. Anhang 11).

4. Gegeben sei ein Exponentialpolynom

(6) $$G(\alpha) = \sum_{\sigma=0}^{s} a_\sigma e(\delta_\sigma \alpha)$$

für beliebige reelle $\delta_\sigma$ und komplexe $a_\sigma$. Unter einer genau angebbaren Bedingung ist die Funktion $G(\alpha)^{-1}$ in eine absolut konvergente Reihe der Gestalt (3) entwickelbar. Die Bedingung lautet, daß $G(\alpha)$ wesentlich von Null verschieden sein soll, d. h. daß eine Konstante $S > 0$ vorhanden sein soll, derart, daß

(7) $$|G(\alpha)| \geqq S > 0 \qquad (-\infty < \alpha < \infty).$$

Daß diese Bedingung notwendig ist, folgt unmittelbar daraus, daß wegen der Abschätzung

$$|H(\alpha)| \leqq \sum_{0}^{\infty} |c_\nu|$$

die Funktion $H(\alpha)$ beschränkt ist. Daß die Bedingung auch hinreichend ist, ist nicht schwer zu beweisen, wir wollen aber, um Weitläufigkeiten zu vermeiden, hier nur den Sonderfall kurz erörtern, daß $G(\alpha)$ in der Gestalt

$$G(\alpha) = a_s \prod_{\varkappa=1}^{k} [e(\omega_\varkappa \alpha) - \lambda_\varkappa] \tag{8}$$

mit reellen $\omega_\varkappa \neq 0$ und komplexen $\lambda_\varkappa$ geschrieben werden kann[76]). Dieser Sonderfall tritt insbesondere ein, wenn in $G(\alpha)$ die Spannen $\delta_\sigma$ eine arithmetische Progression bilden, etwa $\delta_\sigma = \sigma\delta$; man kann dann setzen: $k = s$, $\omega_\varkappa = \delta$ und für die $\lambda_\varkappa$ die (nicht notwendig zu je zwei verschiedenen) komplexen Nullstellen des Polynoms

$$\sum_{\sigma=0}^{s} a_\sigma \lambda^\sigma.$$

Hat ein $\lambda_\varkappa$ den Absolutbetrag 1, so ist, für ein passendes reelles $\beta$, $\lambda_\varkappa = e(\omega_\varkappa \beta)$, und dann ist die Zahl $\alpha = \beta$ eine Nullstelle von $G(\alpha)$. Wenn aber

$$|\lambda_\varkappa| \neq 1 \quad \text{für } \varkappa = 1, 2, \ldots, k, \tag{9}$$

so ist jeder einzelne Faktor von (8) wesentlich von Null verschieden und daher ist auch $G(\alpha)$ wesentlich von Null verschieden. Im Falle (8) ist daher die Bedingung (7) mit der Bedingung (9) äquivalent. Ist $|\lambda| \neq 1$, so besitzt die Funktion

$$[e(\omega\alpha) - \lambda]^{-1}$$

die absolut konvergente Entwicklung

$$\sum_{n=0}^{\infty} \lambda^n e(-(1+n)\omega\alpha) \qquad \text{bzw.} \qquad -\sum_{n=0}^{\infty} \lambda^{-1-n} e(n\omega\alpha),$$

je nachdem $|\lambda| < 1$ oder $|\lambda| > 1$. Nun ist das Produkt zweier (und daher auch mehrerer) absolut konvergenter Reihen der Gestalt (3) wiederum eine absolut konvergente Reihe dieser Gestalt. Man erhält die Produktreihe, wenn man die Faktorreihen Glied für Glied ausmultipliziert und dann solche Glieder, welche einen Exponentialfaktor $e(\mu\alpha)$ mit demselben $\mu$ enthalten, zusammenzieht. Demnach ist unter der Voraussetzung (9), d. h. unter der Voraussetzung (7), die Reziproke der Funktion (8) tatsächlich in eine absolut konvergente Reihe (3) entwickelbar.

5. Das Produkt zweier Funktionen aus $\mathfrak{T}_0$ ist nach Satz 13 wieder eine Funktion aus $\mathfrak{T}_0$. Daher ist jede Funktion $\Gamma(\alpha)$ aus $\mathfrak{T}_0$ ein Multiplikator. Wir erinnern an die Betrachtungen in § 13, 9. Ist $K_\Gamma(x)$ die zu $\Gamma(\alpha)$ gehörende Funktion aus $\mathfrak{F}_0$, so gilt für die in 1. definierte Funktion

$$\Gamma[f] \sim \int E(\alpha)\, \Gamma(\alpha)\, e(x\alpha)\, dx$$

nach der Faltungsregel aus § 13, 4

$$\Gamma[f] = \frac{1}{2\pi}\int f(\xi)\, K_\Gamma(x-\xi)\, d\xi.$$

6. Die Funktion

$$\gamma(\alpha) = \frac{1}{\alpha - i}$$

ist die Transformierte der Funktion

$$K_\gamma(x) = \begin{cases} 2\pi i\, e^{-x} & x > 0 \\ 0 & x < 0. \end{cases}$$

Insbesondere ist

$$K_\gamma(x) = O(|x|^{-r}) \qquad (r > 0).$$

Dieselbe Abschätzung gilt vom Kern, welcher zu $(\alpha + i)^{-1}$ gehört.

7. Eine Funktion $\Gamma(\alpha)$ sei $r$-mal differenzierbar, $r \geqq 2$, und für eine passende Konstante $c$ sei außerhalb eines Intervalles $-A \leqq \alpha \leqq A$

$$\Gamma(\alpha) = \frac{c}{\alpha} + H(\alpha),$$

wo die Funktion $H(\alpha)$ mitsamt ihren ersten $r$ Ableitungen absolut integrierbar ist. Die Funktion

$$\Gamma(\alpha) - \frac{c}{\alpha - i}$$

ist $r$-mal differenzierbar und da sie außerhalb von $[-A, A]$ die Gestalt

$$\frac{-ci}{\alpha(\alpha - i)} + H(\alpha)$$

hat, so ist sie mitsamt den $r$ ersten Ableitungen absolut integrierbar. Sie ist daher eine Funktion aus $\mathfrak{T}_0$*) und der zugeordnete Kern hat die Größenordnung $O(|x|^{-r})$. Daher ist auch die Funktion $\Gamma(\alpha)$ selber eine Funktion aus $\mathfrak{T}_0$, also ein Multiplikator, und vom zugehörigen Kern gilt:

$$K_\Gamma(x) = O(|x|^{-r}). \tag{10}$$

8. Fürs Weitere brauchen wir folgenden Hilfssatz. In einem Intervall $(\alpha_1, \alpha_2)$ sei eine $r$-mal differenzierbare Funktion $\Gamma(\alpha)$ gegeben. Man kann eine Funktion $\Gamma^*(\alpha)$ konstruieren, welche in $[-\infty, \infty]$ definiert und $r$-mal differenzierbar ist, in $(\alpha_1, \alpha_2)$ mit $\Gamma(\alpha)$ übereinstimmt und außerhalb eines gewissen endlichen Intervalls $(\alpha_1', \alpha_2')$, — natürlich mit $\alpha_1' < \alpha_1$ und $\alpha_2 < \alpha_2'$ —, verschwindet (Anhang 14). Diese Erweiterung von $\Gamma(\alpha)$ zu $\Gamma^*(\alpha)$ geschieht durch die Anhängung von je einem „glocken-

*) Für die Zwecke des vorliegenden Kapitels kommt es uns hauptsächlich auf diese Tatsache an. Wir hätten demnach von vornherein voraussetzen können, daß $\Gamma(\alpha)$ zweimal differenzierbar ist, anstatt die scheinbar umständlichere Voraussetzung zu machen, daß es eine Zahl $r \geqq 2$ gibt, derart, daß $\Gamma(\alpha)$ $r$-mal differenzierbar ist. Durch die Einführung des Buchstabens $r$ ergeben sich aber gewisse präzise Relationen, wie z. B. die gleich folgende Relation (10), die wir zwar nicht im gegenwärtigen, aber doch im nächsten Kapitel benötigen werden.

förmigen" Übergangsstück an den linken Endpunkt $\alpha_1$ bzw. den rechten Endpunkt $\alpha_2$ von $\Gamma(\alpha)$. Man kann sogar die Zahlen $\alpha_1'$ und $\alpha_2'$ beliebig nahe an $\alpha_1$ bzw. $\alpha_2$ vorschreiben, d. h. man kann die Übergangsstücke beliebig schmal machen.

9. Gegeben sei die Funktion (1) und ein Intervall $(\alpha_1, \alpha_2)$. Diejenige Funktion in $\alpha$, welche in $(\alpha_1, \alpha_2)$ mit $E(\alpha)$ übereinstimmt und sonst verschwindet, ist im allgemeinen keine Funktion aus $\mathfrak{T}_0$. Denn sie ist im allgemeinen keine stetige Funktion*). Wenn man also aus einer Funktion aus $\mathfrak{T}_0$ (d. h. aus der Menge der Schwingungen einer Funktion aus $\mathfrak{F}_0$) ein zusammenhängendes Stück herausschneidet, so braucht dieses Stück nicht wieder eine Funktion aus $\mathfrak{T}_0$ zu sein (d. h. nicht wieder die Schwingungsmenge einer Funktion aus $\mathfrak{F}_0$ zu bilden). Nun ist es aber für viele Aufgaben wichtig, ein endliches Stück einer Funktion $E(\alpha)$ „isolieren" zu können. Die „Isolierung" gelingt, wenn man die Schnitte an den beiden Intervallenden $\alpha_1$ und $\alpha_2$ nicht zu scharf ausführt. Denn wie nahe auch $\alpha_1'$ links von $\alpha_1$ und $\alpha_2'$ rechts von $\alpha_2$ gelegen ist, so gibt es eine Funktion $\Gamma(\alpha)$ welche in $(\alpha_1, \alpha_2)$ den Wert 1 hat, außerhalb von $(\alpha_1', \alpha_2')$ verschwindet und in $[-\infty, \infty]$ Ableitungen bis zu einer vorgegebenen Ordnung $r \geqq 2$ besitzt. Das Produkt $\Gamma(\alpha)\, E(\alpha)$ ist eine Funktion aus $\mathfrak{T}_0$, welche in $(\alpha_1, \alpha_2)$ mit $E(\alpha)$ übereinstimmt und außerhalb des Intervalls $(\alpha_1', \alpha_2')$ verschwindet. Für die dazugehörige Funktion aus $\mathfrak{F}_0$ gilt

$$\Gamma[f] = \frac{1}{2\pi}\int K_\Gamma(\xi)\, f(x-\xi)\, d\xi, \tag{11}$$

wo $K_\Gamma(\xi)$ die Größenordnung $O(|x|^{-r})$ besitzt. Man kann sogar die Funktion $\Gamma(\alpha)$ derart konstruieren, daß sie Ableitungen beliebig hoher Ordnung besitzt (Anhang 15). Dann ist

$$K_\Gamma(x) = O(|x|^{-r}) \qquad (r = 1, 2, 3, \ldots), \tag{12}$$

und auf Grund der Darstellung (11) übertragen sich dann etwaige „Regularitätseigenschaften" der Funktion $f(x)$ auf die aus ihr abgeleitete Funktion $\Gamma[f]$, vgl. z. B. § 24, 1.

10. Gegeben seien endlich viele untereinander verschiedene reelle Zahlen

$$\tau_1, \tau_2, \ldots, \tau_\varkappa, \ldots \tag{13}$$

Für jeden Wert $\varkappa$ kann man einen beliebig oft differenzierbaren Multiplikator $\Gamma_\varkappa(\alpha)$ angeben, welcher in einer gewissen (genügend kleinen) Umgebung von $\tau_\varkappa$ den Wert 1 hat und außerhalb eines (etwas größeren) endlichen Intervalls, welches keinen der übrigen Punkte (13) enthält,

*) Und für jede Funktion aus $\mathfrak{T}_0$ ist die Stetigkeit eine notwendige Bedingung.

verschwindet. Der Multiplikator

$$\Gamma_0(\alpha) = 1 - \sum_{\varkappa} \Gamma_{\varkappa}(\alpha)$$

ist beliebig oft differenzierbar und hat die Eigenschaft, daß er in einer gewissen Umgebung eines jeden Punktes (13) verschwindet, und außerhalb eines (genügend großen) endlichen Intervalls den Wert 1 hat.

11. Gegeben sei eine Funktion (1). Zwei stetige Funktionen $\Gamma_1(\alpha)$ und $\Gamma_2(\alpha)$, welche nur für solche Punkte $\alpha$ voneinander verschieden sind, in denen $E(\alpha) = 0$ ist, sind entweder alle beide Multiplikatoren von (1), oder keine von beiden. Wir nennen sie „gleichwertig" in bezug auf (1).

12. Wenn die Transformierte von (1) außerhalb eines endlichen Intervalles $(a, b)$ verschwindet, so ist nach Satz 12

$$f(x) = \int_a^b E(\alpha)\, e(x\alpha)\, d\alpha. \tag{14}$$

Ist $\Gamma(\alpha)$ eine in $(a, b)$ definierte und $r$-mal ($r \geq 2$) differenzierbare Funktion, so ist

$$\int_a^b \Gamma(\alpha)\, E(\alpha)\, e(x\alpha)\, d\alpha \tag{15}$$

wieder eine Funktion aus $\mathfrak{F}_0$. Denn wenn man $\Gamma(\alpha)$ zu einer in $[-\infty, \infty]$ definierten und $r$-mal differenzierbaren Funktion $\Gamma^*(\alpha)$ erweitert, welche außerhalb eines endlichen Intervalls verschwindet, so sind $\Gamma(\alpha)$ und $\Gamma^*(\alpha)$ in bezug auf (14) äquivalent, und (15) ist dann die Funktion $\Gamma^*[f]$. Man kann auch $\Gamma^*[f]$ in der Gestalt (11) schreiben, wobei $K_{\Gamma^*}(\alpha) = O(|x|^{-r})$.

## § 24. Differentiation und Integration.

1. Falls $K(x)$ $r$-mal in $\mathfrak{F}_0$ differenzierbar ist und $f(x)$ zu $\mathfrak{F}_0$ gehört, so ist die Funktion

$$g(x) = \frac{1}{2\pi} \int K(\xi)\, f(x - \xi)\, d\xi$$

auch $r$-mal in $\mathfrak{F}_0$ differenzierbar, und zwar ist

$$g^{(\varrho)}(x) = \frac{1}{2\pi} \int K^{(\varrho)}(\xi)\, f(x - \xi)\, d\xi \qquad 0 \leq \varrho \leq r.$$

Man sieht leicht, daß es genügt, diese Behauptung für den Fall $r = 1$ zu beweisen. Die Funktion

$$h(x) = \frac{1}{2\pi} \int K'(\xi) f(x - \xi)\, d\xi = \frac{1}{2\pi} \int f(\eta) K'(x - \eta)\, d\eta$$

ist nach § 13, 3 eine Funktion aus $\mathfrak{F}_0$. Wie wir schon beim Beweis zu Satz 15, 2. gezeigt haben, ist

$$\int_{x_0}^{x} h(x)\,dx = g(x) - g(x_0),$$

und demnach ist $h(x) = g'(x)$, w. z. b. w.

2. Zu jeder Funktion $f(x)$ gibt es bei jedem ganzzahligen $r > 0$ ein $r$-tes Integral, d. h. eine Funktion $F_r(x)$, so daß $F_r^{(r)}(x) = f(x)$. Die Funktion $F_r(x)$ ist nur bis auf ein willkürliches additives Polynom $(r-1)$-ten Grades in $x$ eindeutig. *Eine Funktion $f(x)$ nennen wir $r$-mal in $\mathfrak{F}_0$ integrierbar, falls $f(x)$ zu $\mathfrak{F}_0$ gehört, und das additive Polynom in $F_r(x)$ so gewählt werden kann, daß $F_r(x)$ mitsamt den Ableitungen $F_r^{(\varrho)}(x)$, $0 \leq \varrho \leq r$, zu $\mathfrak{F}_0$ gehört, d. h., daß $F_r(x)$ $r$-mal in $\mathfrak{F}_0$ differenzierbar ist.* In § 3, 4 haben wir folgendes gezeigt. Wenn $f(x)$ 1-mal in $\mathfrak{F}_0$ integrierbar ist, so ist das Integral $F_1(x)$ eindeutig und hat den Wert

$$\int^{x} f(x)\,dx = -\int_{x} f(x)\,dx. \tag{1}$$

Allgemeiner gilt folgendes. Wenn $f(x)$ $r$-mal in $\mathfrak{F}_0$ integrierbar ist, so ist $F_r(x)$ eindeutig und hat den Wert

$$\int^{x} dx_1 \int^{x_1} dx_2 \ldots dx_{r-1} \int^{x_{r-1}} f(x_r)\,dx_r = (-1)^r \int_{x} dx_1 \int_{x_1} dx_2 \ldots dx_{r-1} \int_{x_{r-1}} f(x_r)\,dx_r.$$

Der Nachweis ist sehr einfach. Wir führen ihn etwa für $r = 2$. Da nach Voraussetzung $F_2'(x)$ zu $\mathfrak{F}_0$ gehört und das Integral der Funktion $F_2''(x) = f(x)$ ist, so ist $F_2'(x)$ eindeutig und hat den Wert (1). Nun ist $F_2(x)$ als Integral von $F_2'(x)$ wiederum eindeutig und entsteht aus $F_2'(x)$ in derselben Weise wie $F_2'(x)$ aus $f(x)$. Also ist

$$F_2(x) = \int^{x} dx_1 \int^{x_1} f(x_2)\,dx_2 = (-1)^2 \int_{x} dx_1 \int_{x_1} f(x_2)\,dx_2,$$

w. z. b. w.

**Satz 25.** *Falls die Funktion*

$$f(x) \sim \int E(\alpha)\, e(x\alpha)\, d\alpha \tag{2}$$

*$r$-mal in $\mathfrak{F}_0$ differenzierbar ist, so ist*

$$f^{(\varrho)}(x) \sim \int (i\alpha)^{\varrho} E(\alpha)\, e(x\alpha)\, d\alpha \qquad \varrho = 0, 1, \ldots, r. \tag{3}$$

*Wenn umgekehrt eine Funktion*

$$\varphi(x) \sim \int (i\alpha)^{r} E(\alpha)\, e(x\alpha)\, d\alpha \tag{4}$$

*existiert (d. h. wenn $(i\alpha)^r$ ein Multiplikator von $E(\alpha)$ ist), so ist $f(x)$ $r$-mal in $\mathfrak{F}_0$ differenzierbar (und es ist $f^{(r)}(x) = \varphi(x)$).*

Beweis. Den ersten Teil des Satzes haben wir schon in § 3, 4 bewiesen und bereits mehrfach benutzt. Schwieriger ist der zweite Teil. Wir benötigen zwei Hilfssätze, die auch an sich brauchbar sind.

**Satz 26.** *Falls $E(\alpha)$ außerhalb eines endlichen Intervalles $(A, B)$ verschwindet, so ist $f(x)$ beliebig oft in $\mathfrak{F}_0$ differenzierbar.*

Beweis. Daß $f(x)$ beliebig oft differenzierbar ist, folgt nach § 4, 2, c), und zwar ist

$$f^{(\varrho)}(x) = \int_A^B (i\alpha)^\varrho E(\alpha)\, e(x\alpha)\, d\alpha \qquad \varrho = 0, 1, 2, \ldots$$

Und daß diese Ableitungen zu $\mathfrak{F}_0$ gehören, folgt aus § 23, 12.

**Satz 27.** *Falls $E(\alpha)$ in einem Intervall $[A, B]$, welches den Punkt $\alpha = 0$ enthält ($A < 0 < B$), verschwindet, so ist $f(x)$ beliebig oft in $\mathfrak{F}_0$ integrierbar, und das $\varrho$-te Integral $F_\varrho(x)$ hat die Darstellung*

$$(5) \qquad F_\varrho(x) \sim \int \frac{E(\alpha)}{(i\alpha)^\varrho}\, e(x\alpha)\, d\alpha.$$

Beweis. Da zugleich mit $E(\alpha)$ auch $(i\alpha)^{-1} E(\alpha)$ in $[A, B]$ verschwindet, so genügt es nachzuweisen, daß $f(x)$ 1-mal in $\mathfrak{F}_0$ integrierbar ist, und daß das Integral den Wert

$$(6) \qquad g(x) \sim \int \frac{E(\alpha)}{i\alpha}\, e(x\alpha)\, d\alpha$$

hat.

Die Funktion $(i\alpha)^{-1}$ ist außerhalb von $[A, B]$ regulär. Man kann daher (vgl. Anhang 16) in $[-\infty, \infty]$ eine Funktion $\Gamma(\alpha)$ finden, welche zweimal differenzierbar ist und außerhalb von $[A, B]$ mit $(i\alpha)^{-1}$ übereinstimmt. Diese Funktion ist nach § 23, 7 ein Multiplikator und da sie in bezug auf $E(\alpha)$ mit $(i\alpha)^{-1}$ „gleichwertig" ist, vgl. § 23, 11, so ist jedenfalls die Funktion (6) vorhanden, und zwar ist $g(x) = \Gamma[f]$. Von dieser Funktion brauchen wir nur noch nachzuweisen, daß sie 1-mal in $\mathfrak{F}_0$ differenzierbar ist. Denn wenn sie es ist, so hat ihre Ableitung nach dem ersten Teil von Satz 25 die Transformierte $(i\alpha)\,\Gamma(\alpha)\, E(\alpha) = E(\alpha)$, woraus dann $g'(x) = f(x)$ folgt. Wir setzen

$$\Gamma_1(\alpha) = \frac{1}{2i(\alpha - i)}, \quad \Gamma_2(\alpha) = \frac{1}{2i(\alpha + i)}$$

und schreiben

$$\Gamma(\alpha) = \Gamma_1(\alpha) + \Gamma_2(\alpha) + \Gamma_3(\alpha).$$

Entsprechend ist dann

$$g(x) = \Gamma_1[f] + \Gamma_2[f] + \Gamma_3[f] = g_1 + g_2 + g_3.$$

Außerhalb von $[A, B]$ ist

$$\Gamma_3(\alpha) = \Gamma(\alpha) - \Gamma_1(\alpha) - \Gamma_2(\alpha) = \frac{1}{i\alpha(\alpha^2 + 1)},$$

daher ist nach § 13, 9 der zugeordnete Kern $K_3(x)$ 1-mal in $\mathfrak{F}_0$ differenzierbar, und demnach ist nach 1. auch $g_3(x)$ 1-mal in $\mathfrak{F}_0$ differenzierbar.

Weiterhin ist nach § 23, 6

$$2g_1(x) = \int\limits_0 e^{-\xi} f(x-\xi)\, d\xi = e^{-x} \int\limits_{-x} e^{-\eta} f(-\eta)\, d\eta.$$

Daraus folgt durch Differentiation (Anhang 8)

$$2g_1'(x) = -e^{-x} \int\limits_{-x} e^{-\eta} f(-\eta)\, d\eta + e^{-x} e^{x} f(x) = -2g_1(x) + f(x),$$

und daher ist $g_1'(x)$ eine Funktion aus $\mathfrak{F}_0$. Das Analoge gilt auch von $g_2'(x)$, und damit ist Satz 27 bewiesen.

Jetzt können wir den Satz 25 zu Ende beweisen. Wir ordnen gemäß § 23, 10 dem einzigen Punkte $\tau_1 = 0$ die Multiplikatoren $\Gamma_1(\alpha)$ und $\Gamma_0(\alpha) = 1 - \Gamma_1(\alpha)$ zu und setzen

$$f_\varkappa = \Gamma_\varkappa[f], \qquad \varphi_\varkappa = \Gamma_\varkappa[\varphi] \qquad (\varkappa = 0, 1).$$

Dann ist $f = f_0 + f_1$, $\varphi = \varphi_0 + \varphi_1$. Nach Satz 26 ist $f_1(x)$ beliebig oft in $\mathfrak{F}_0$ differenzierbar und es gilt:

$$f_1^{(r)}(x) = \varphi_1(x). \tag{7}$$

Nach Satz 27 gibt es eine Funktion $F_0(x)$ aus $\mathfrak{F}_0$, so daß

$$F_0^{(r)}(x) = \varphi_0(x). \tag{8}$$

Durch Vergleich von (7) und (8) ergibt sich, daß $\varphi(x)$ die $r$-te Ableitung einer gewissen $r$-mal in $\mathfrak{F}_0$ differenzierbaren Funktion $g(x)$ ist, nämlich $g(x) = f_1(x) + F_0(x)$. Es ist noch zu zeigen, daß $g(x) = f(x)$. Bezeichnet man die Transformierte von $g(x)$ mit $F(\alpha)$, so ist nach dem bereits Bewiesenen $(i\alpha)^r F(\alpha)$ die Transformierte von $\varphi(x)$. Durch Vergleich mit (4) ergibt sich tatsächlich $F(\alpha) = E(\alpha)$.

3. Man kann den eigentlichen Inhalt des Satzes 25 folgendermaßen aussprechen. Damit die Funktion (2) $r$-mal in $\mathfrak{F}_0$ differenzierbar ist, ist notwendig und hinreichend, daß $(i\alpha)^r E(\alpha)$ zu $\mathfrak{T}_0$ gehört. Wenn man die Rollen von $f(x)$ und $\varphi(x)$ vertauscht, hat man auch die folgende Aussage. Damit (2) $r$-mal in $\mathfrak{F}_0$ integrierbar ist, ist notwendig und hinreichend, daß $(i\alpha)^{-r} E(\alpha)$ zu $\mathfrak{T}_0$ gehört, d. h., daß eine Funktion $\Phi(\alpha)$ aus $\mathfrak{T}_0$ existiert, für welche

$$E(\alpha) = (i\alpha)^r \Phi(\alpha) \tag{9}$$

ist. Da $E(\alpha)$ und $\Phi(\alpha)$ als Funktionen von $\mathfrak{T}_0$ stetig sind, so ist bei gegebenem $E(\alpha)$ für das Vorhandensein einer Funktion $\Phi(\alpha)$ notwendig, daß $E(0) = 0$. Aber dies ist nicht hinreichend. Hinreichend ist beispielsweise nach Satz 27, daß $E(\alpha)$ in einer ganzen Umgebung von $\alpha = 0$ verschwindet.

4. Die Funktion

$$e(-\lambda x)\, f(x) \qquad (\lambda \text{ reell}) \tag{10}$$

hat die Transformierte $E(\alpha+\lambda)$. Wenn (10) $r$-mal in $\mathfrak{F}_0$ differenzierbar ist, so hat die $r$-te Ableitung die Darstellung

$$\int (i\alpha)^r E(\alpha+\lambda)\, e(x\alpha)\, d\alpha.$$

Das Produkt der $r$-ten Ableitung mit $e(\lambda x)$ hat dann die Darstellung

$$\int \{i(\alpha-\lambda)\}^r E(\alpha)\, e(x\alpha)\, d\alpha, \tag{11}$$

es existiert demnach eine Funktion der Darstellung (11). Auf umgekehrtem Wege findet man: wenn eine Funktion (11) existiert, so ist (10) $r$-mal in $\mathfrak{F}_0$ differenzierbar. Ähnliches gilt für Integration. Wir haben daher folgenden

**Satz 28.** *Gegeben sei eine Funktion*

$$f(x) \sim \int E(\alpha)\, e(x\alpha)\, d\alpha.$$

*Damit eine Funktion der Darstellung*

$$\int \{i(\alpha-\lambda)\}^r E(\alpha)\, e(x\alpha)\, d\alpha$$

*bzw.*

$$\int \{i(\alpha-\lambda)\}^{-r} E(\alpha)\, e(x\alpha)\, d\alpha$$

*vorhanden ist, ist notwendig und hinreichend, daß die Funktion $e(-\lambda x)\, f(x)$ $r$-mal in $\mathfrak{F}_0$ differenzierbar bzw. integrierbar ist.*

5. Von zwei Funktionen $f_1(x), f_2(x)$ aus $\mathfrak{F}_0$ sei bekannt, daß ihre Transformierten in der Umgebung eines Punktes $\alpha=\lambda$ übereinstimmen. Für die Funktion

$$e(-\lambda x)\, f_1(x) - e(-\lambda x)\, f_2(x) \tag{12}$$

verschwindet die Transformierte in der Umgebung von $\alpha = 0$. Nach Satz 27 ist daher (12) beliebig oft in $\mathfrak{F}_0$ integrierbar. Daraus folgt leicht folgendes:

Wenn die Transformierten $E_1(\alpha), E_2(\alpha)$ zweier Funktionen $f_1(x), f_2(x)$ in der Umgebung eines Punktes $\alpha = \lambda$ übereinstimmen,

$$E_1(\alpha) = E_2(\alpha) \qquad [(A < \alpha \leqq \lambda),\ (\lambda \leqq \alpha < B)],$$

und wenn eine Funktion mit der Darstellung

$$\int \{i(\alpha-\lambda)\}^{-r} E_1(\alpha)\, e(x\alpha)\, d\alpha$$

vorhanden ist, so gibt es auch eine Funktion mit der Darstellung

$$\int \{i(\alpha-\lambda)\}^{-r} E_2(\alpha)\, e(x\alpha)\, d\alpha.$$

## § 25. Die Differenzen-Differentialgleichungen.

1. Die charakteristische Funktion $G(\alpha)$ der allgemeinen Gleichung (A) vgl. § 22, 1, kann endlich oder abzählbar unendlich viele Nullstellen haben. Sind Nullstellen vorhanden, so bezeichnen wir sie in irgendeiner Reihenfolge mit

$$\tau_1, \tau_2, \ldots, \tau_\varkappa, \ldots, \tag{1}$$

und ihre Vielfachheiten mit

(2) $$l_1, l_2, \ldots, l_\varkappa, \ldots.$$

Die Vielfachheiten der Nullstellen werden auf folgende Weise in unsere Betrachtungen eingehen. In einer jeden Umgebung $(A_\varkappa, B_\varkappa)$ von $\tau_\varkappa$, welche keine sonstige Nullstelle enthält, ist

(3) $$G(\alpha) = \{ i(\alpha - \tau_\varkappa)\}^{l_\varkappa} G_*(\alpha),$$

wobei $G_*(\alpha)$ in $(A_\varkappa, B_\varkappa)$ von Null verschieden und beliebig oft differenzierbar ist. Wir werden von den Differenzierbarkeitseigenschaften von $G_*(\alpha)$ nur benutzen, daß für eine gewisse Zahl $r \geqq 2$ Ableitungen bis zur $r$-ten Ordnung vorhanden sind.

**Satz 29.** *Damit die Gleichung* (A) *eine Lösung besitzt, ist notwendig, daß für alle $\varkappa$ die Funktion*

(4) $$e(-\tau_\varkappa x)\, f(x)$$

*$l_\varkappa$-mal in $\mathfrak{F}_0$ integrierbar ist, d. h., daß sämtliche Funktionen*

(5) $$\{i(\alpha - \tau_\varkappa)\}^{-l_\varkappa} E(\alpha)$$

*zu $\mathfrak{T}_0$ gehören.*

Bemerkung. Die angegebene notwendige Bedingung ist z. B. dann erfüllt, wenn $E(\alpha)$ in einer Umgebung einer jeden Nullstelle $\tau_\varkappa$ verschwindet, vgl. Satz 27 und § 24, 4.

Beweis. Wenn (A) lösbar ist, so existiert eine Funktion $\varphi(\alpha)$ aus $\mathfrak{T}_0$, für welche

(6) $$G(\alpha)\, \varphi(\alpha) = E(\alpha).$$

Wir greifen eine Nullstelle $\tau_\varkappa$ heraus und betrachten einen Multiplikator $\Gamma_\varkappa(\alpha)$, welcher außerhalb von $(A_\varkappa, B_\varkappa)$ verschwindet und in einer kleineren Umgebung von $\tau_\varkappa$ den Wert 1 hat. Dann ist, vgl. (3),

(7) $$\{i(\alpha - \tau_\varkappa)\}^{l_\varkappa} G_*(\alpha)\, \Gamma_\varkappa(\alpha)\, \varphi(\alpha) = \Gamma_\varkappa(\alpha)\, E(\alpha).$$

Die Funktionen

(8) $$\Gamma_\varkappa(\alpha)\, E(\alpha)$$

und

$$G_*(\alpha) \cdot [\Gamma_\varkappa(\alpha)\, \varphi(\alpha)]$$

gehören beide zu $\mathfrak{T}_0$, die letztere nach § 23, 12. Die Relation (7) besagt demnach, daß (8) den Divisor $\{i(\alpha - \tau_\varkappa)\}^{l_\varkappa}$ besitzt, und da (8) nach Konstruktion von $\Gamma_\varkappa(\alpha)$ in einer gewissen Umgebung von $\tau_\varkappa$ mit $E(\alpha)$ übereinstimmt, so muß nach § 24, 5 auch $E(\alpha)$ notwendigerweise diesen Divisor besitzen, w. z. b. w.

2. Um auch hinreichende Bedingungen für die Lösbarkeit von (A) zu erhalten, bemerken wir, daß nach § 22, 4 in Verbindung mit Satz 25

für die Lösbarkeit von (A) notwendig und hinreichend ist, daß die Funktionen

$$(ia)^{\varrho} G(a)^{-1} E(a) \tag{9}$$

für $\varrho = 0, 1, \ldots, r$ zu $\mathfrak{T}_0$ gehören.

3. Fürs Weitere schicken wir einen Hilfssatz voraus.

Hilfssatz. Voraussetzung: Es sei $p \geqq 0$, $q \geqq p + 2$, $m$ eine ganze Zahl $\geqq 0$ und $\alpha_0 > 0$. In $\alpha_0 \leqq \alpha < \infty$ seien zwei Funktionen $g(\alpha)$, $h(\alpha)$ gegeben, welche $m$-mal stetig differenzierbar und mitsamt den ersten $m$ Ableitungen beschränkt sind,

$$|g^{(\mu)}(\alpha)| \leqq M, \qquad |h^{(\mu)}(\alpha)| \leqq M \qquad 0 \leqq \mu \leqq m.$$

Außerdem sei für eine Konstante $A \neq 0$ die Funktion

$$A\alpha^q + \alpha^{q-1} g(\alpha)$$

in $(\alpha_0, \infty]$ von Null verschieden.

Behauptung: Die Funktion

$$\Gamma(\alpha) = \frac{\alpha^p h(\alpha)}{A\alpha^q + \alpha^{q-1} g(\alpha)} \tag{10}$$

ist mitsamt ihren ersten $m$ Ableitungen in $[\alpha_0, \infty]$ absolut integrierbar.

Beweis. Wir schreiben

$$\Gamma(\alpha) = \frac{1}{\alpha^{q-p}} \frac{h(\alpha)}{A + \alpha^{-1} g(\alpha)} = \frac{1}{\alpha^{q-p}} k(\alpha).$$

Auf Grund der Voraussetzung ist $k(\alpha)$ eine beschränkte stetige Funktion. Wegen $q - p \geqq 2$ ist daher $\Gamma(\alpha)$ in $[\alpha_0, \infty]$ absolut integrierbar. Für $m = 0$ ist damit der Beweis zu Ende. Für $m \geqq 1$ kann man $\Gamma(\alpha)$ differenzieren. Für die Ableitung kann man setzen

$$\Gamma'(\alpha) = \frac{\alpha^{p_1} h_1(\alpha)}{A_1 \alpha^{q_1} + \alpha^{q_1 - 1} g_1(\alpha)}, \tag{11}$$

wobei $p_1 = p + q$, $q_1 = 2q$, $A_1 = A^2$ und $h_1(\alpha)$ und $g_1(\alpha)$ gewisse umständliche Ausdrücke sind, denen man leicht ansehen kann, daß diese Funktionen $m - 1$ stetige und beschränkte Ableitungen haben und daß der Nenner von (11) in $(\alpha_0, \infty]$ von Null verschieden ist. Da $p_1 \geqq 0$ und $q_1 \geqq p_1 + 2$, so erfüllen die Größen $p_1$, $q_1$, $m_1 = m - 1$, $\alpha_0$, $g_1(\alpha)$, $h_1(\alpha)$, $A_1$ wiederum die Voraussetzungen unseres Satzes, und man findet daher, daß man den Beweis der Behauptung durch Schluß von $m - 1$ auf $m$ erbringen kann, w. z. b. w.

Wir behandeln nunmehr der Reihe nach die Gleichungen (E), (B), (C) und (A). Sie sind zwar alle Spezialfälle von (A), aber von den speziellen Gleichungen werden wir auch spezielle Aussagen machen können.

**4. Gleichung (E).**

Da die Exponentialfunktion $e(\delta\alpha)$ für reelles $\delta$ beschränkt ist, so ist für $\alpha \to \pm\infty$ die Größenordnung der charakteristischen Funktion

$$G(\alpha) = (i\alpha)^r + \sum_{\varrho=0}^{r-1} \sum_{\sigma=0}^{s} a_{\varrho\sigma}(i\alpha)^\varrho e(\delta_\sigma\alpha)$$

durch das höchste Glied $\alpha^r$ bestimmt. Es gibt also ein $\alpha_0$, so daß für $|\alpha| \geqq \alpha_0$

$$|G(\alpha)| \geqq M|\alpha|^r.$$

Insbesondere ist $G(\alpha) \neq 0$ in $|\alpha| \geqq \alpha_0$, und daher kann $G(\alpha)$ als analytische Funktion nur endlich viele Nullstellen haben*).

Nehmen wir vorerst an, daß überhaupt keine reellen Nullstellen vorhanden sind. Wir wollen nachweisen, daß in diesem Falle die Funktionen

(12) $$H_\varrho(\alpha) = (i\alpha)^\varrho G(\alpha)^{-1}$$

für $0 \leqq \varrho \leqq r$ allgemeine Multiplikatoren sind. Zum Nachweis unterscheiden wir die drei Fälle: 1. $0 \leqq \varrho \leqq r-2$, 2. $\varrho = r-1$ und 3. $\varrho = r$. Im Falle 1. können wir direkt den obigen Hilfssatz anwenden. Hierzu setzen wir $p = \varrho$, $q = r$, $A = i^r$, $h(\alpha) = i^\varrho$,

$$g(\alpha) = \frac{1}{\alpha^{r-1}} \sum_{\varrho=0}^{r-1} \sum_{\sigma=0}^{s} a_{\varrho\sigma}(i\alpha)^\varrho e(\delta_\sigma\alpha).$$

Die Ableitung jeder Ordnung von $g(\alpha)$ ist in $(0<)\,\alpha_0 \leqq \alpha < \infty$ beschränkt; dies folgt daraus, daß die Ableitung jeder Ordnung von $\alpha^{-\lambda}e(\delta\alpha)$, $\lambda \geqq 0$ daselbst beschränkt ist. Nach dem Hilfssatz ist daher $H_\varrho(\alpha)$ mitsamt allen Ableitungen, insbesondere mit den zwei ersten Ableitungen, in $[\alpha_0, \infty]$ absolut integrierbar. Ähnliches gilt auch für $\alpha \to -\infty$. Also ist $H_\varrho(\alpha)$ ein Multiplikator. Im Falle 2. kann man den Hilfssatz nicht unmittelbar anwenden. Aber man findet sehr leicht, daß er auf die Differenz

$$H_{r-1}(\alpha) - \frac{1}{i\alpha}$$

anwendbar ist, und jetzt braucht man nur § 23, 7 zu berücksichtigen. Im Falle 3. handelt es sich um die Funktion

$$H_r(\alpha) = \frac{(i\alpha)^r}{G(\alpha)} = 1 - \frac{G(\alpha) - (i\alpha)^r}{G(\alpha)}.$$

Man kann schreiben

$$H_r(\alpha) = 1 - \sum_{\varrho=0}^{r-1} \sum_{\sigma=0}^{s} a_{\varrho\sigma} H_\varrho(\alpha)\, e(\delta_\sigma\alpha),$$

*) Wir erinnern, daß wir im allgemeinen $G(\alpha)$ nur für die reellen Werte von $\alpha$ betrachten.

und da die $H_\varrho(\alpha)$ für $0 \leqq \varrho \leqq r-1$ schon als Multiplikatoren erkannt worden sind, so ist auch $H_r(\alpha)$ ein Multiplikator, vgl. § 23, 2.

**Satz 30.** *Für die Lösbarkeit der Gleichung* (E) *ist die in Satz 29 angegebene notwendige Bedingung auch hinreichend.*

*Falls insbesondere die charakteristische Funktion überhaupt keine Nullstellen besitzt, so ist immer eine Lösung vorhanden, und für die Lösung kann man schreiben*

(13) $$y(x) = \frac{1}{2\pi}\int K(\xi)\, f(x-\xi)\, d\xi,$$

*wobei*

$$K(\xi) = \int G(\alpha)^{-1}\, e(x\alpha)\, d\alpha.$$

5. Beweis. Der Sonderfall, daß überhaupt keine Nullstellen vorhanden sind, folgt sofort aus dem eben Bewiesenen. Die Formel (13) kann man noch folgendermaßen vervollständigen. Bezeichnet man die zu $H_\varrho(\alpha)$, $0 \leqq \varrho \leqq r-1$, gehörende Funktion aus $\mathfrak{F}_0$ mit $K_\varrho(x)$, so folgt aus unseren Betrachtungen

(14) $$y^{(\varrho)}(x) = \frac{1}{2\pi}\int K_\varrho(\xi)\, f(x-\xi)\, d\xi.$$

Wegen $H_\varrho(\alpha) = (i\alpha)^\varrho H_0(\alpha)$ ist aber $K_\varrho(\xi) = K^{(\varrho)}(\xi)$, und daher gilt nicht nur (13), sondern auch

$$y^{(\varrho)}(x) = \frac{1}{2\pi}\int K^{(\varrho)}(\xi)\, f(x-\xi)\, d\xi \qquad (0 \leqq \varrho \leqq r-1).$$

6. Wenn aber $G(\alpha)$ Nullstellen (1) besitzt, so sind nach Voraussetzung unseres Satzes die Funktionen

(15) $$\{i(\alpha-\tau_\varkappa)\}^{-l_\varkappa} E(\alpha)$$

in $\mathfrak{T}_0$ gelegen, und wir haben nachzuweisen, vgl. 2, daß auch die Funktionen

(16) $$(i\alpha)^\varrho G(\alpha)^{-1}\, E(\alpha) \qquad 0 \leqq \varrho \leqq r$$

zu $\mathfrak{T}_0$ gehören. Wir ordnen den Nullstellen (1), gemäß § 23, 10, Multiplikatoren $\Gamma_1(\alpha), \Gamma_2(\alpha), \ldots$ und $\Gamma_0(\alpha)$ zu, und setzen

(17) $$E_\varkappa(\alpha) = \Gamma_\varkappa(\alpha)\, E(\alpha) \qquad \varkappa = 0, 1, 2, \ldots$$

Da $E(\alpha) = E_0(\alpha) + E_1(\alpha) + \cdots$, wird es genügen, wenn wir nachweisen, daß die Funktionen

(18) $$(i\alpha)^\varrho G(\alpha)^{-1}\, E_\varkappa(\alpha) \qquad 0 \leqq \varrho \leqq r$$

für $\varkappa = 0, 1, 2, \ldots$ zu $\mathfrak{T}_0$ gehören. Für $\varkappa \geqq 1$ folgt dies sofort nach § 23, 12, wenn man für (18) schreibt

$$(i\alpha)^\varrho G_*(\alpha)^{-1} \cdot [\Gamma_\varkappa(\alpha)\{i(\alpha-\tau_\varkappa)\}^{-l_\varkappa} E(\alpha)].$$

Im Falle $\varkappa = 0$ benutzen wir, daß $E_0(\alpha)$ in der Umgebung einer jeden Nullstelle von $G(\alpha)$ verschwindet. Wir ändern $G(\alpha)$ in diesen Umgebungen derart ab, daß die neue Funktion, die wir $G_0(\alpha)$ nennen, nirgends verschwindet und zweimal differenzierbar ist. Wegen

$$(i\alpha)^\varrho G_0(\alpha)^{-1} E_0(\alpha) = (i\alpha)^\varrho G(\alpha)^{-1} E_0(\alpha) \qquad \varrho = 0, 1, \ldots, r$$

genügt es nachzuweisen, daß die Funktionen

$$H_\varrho(\alpha) = (i\alpha)^\varrho G_0(\alpha)^{-1} \qquad \varrho = 0, 1, \ldots, r$$

Multiplikatoren sind. Für $0 \leq \varrho \leq r-1$ geschieht der Nachweis ganz wie für die Funktionen (12), also wiederum durch Benutzung des Hilfssatzes aus 3, und unter Berücksichtigung des Umstandes, daß außerhalb eines gewissen endlichen Intervalls

$$G(\alpha) = G_0(\alpha)$$

ist. Was $H_r(\alpha)$ anbetrifft, so ist die Funktion

$$H_r(\alpha) + \sum_{\varrho=0}^{r-1} \sum_{\sigma=0}^{s} a_{\varrho\sigma} H_\varrho(\alpha)\, e(\delta_\sigma \alpha) - 1$$

außerhalb eines endlichen Intervalls null, also nach § 23, 5 ein Multiplikator, und infolgedessen ist auch $H_r(\alpha)$ ein Multiplikator, w. z. b. w.

7. Man betrachte z. B. die Gleichung

$$y(x) - \frac{c}{2}\,[y(x+1) + y(x-1)] - y''(x) = f(x).$$

Hier ist

$$G(\alpha) = 1 + \alpha^2 - c \cos \alpha.$$

Wenn z. B. $|c| < 1$, so hat $G(\alpha)$ keine Nullstellen, also gibt es zu jedem $f(x)$ aus $\mathfrak{F}_0$ eine Lösung, und zwar ist

$$y(x) = \frac{1}{2\pi} \int K(\xi) f(x-\xi)\, d\xi,$$

wobei

$$K(x) = \int \frac{e(x\alpha)\, d\alpha}{1 + \alpha^2 - c \cos \alpha}.$$

Im Falle $c = 1$ hingegen hat $G(\alpha)$ im Anfangspunkt eine Nullstelle von der Vielfachheit $l = 2$, also existiert eine Lösung dann und nur dann, wenn $f(x)$ (mindestens) zweimal in $\mathfrak{F}_0$ integrierbar ist.

8. **Gleichung (B).**

In diesem Spezialfall von (E) ist

$$G(\alpha) = \sum_{\varrho=0}^{r} c_\varrho (i\alpha)^\varrho.$$

Wir nehmen an, daß die komplexen Nullstellen dieses Polynoms alle einfach sind, und bezeichnen sie mit

$$\lambda_1, \ldots, \lambda_r.$$

Für das Vorhandensein einer Lösung von (B) ist nach Satz 30 notwendig und hinreichend, daß für jede reelle Nullstelle $\lambda_\varrho$, sofern solche überhaupt vorkommen, die Funktion

$$e(\lambda_\varrho x) \int^x e(-\lambda_\varrho \xi)\, f(\xi)\, d\xi \tag{19}$$

zu $\mathfrak{F}_0$ gehört. Wenn dies eintritt, so kann man für (19) auch schreiben, vgl. § 24, 2,

$$-e(\lambda_\varrho x) \int_x e(-\lambda_\varrho \xi) f(\xi)\, d\xi. \tag{20}$$

Für die effektive Aufstellung der Lösung betrachte man die Partialbruchzerlegung von $G(\alpha)^{-1}$,

$$\frac{1}{G(\alpha)} = \sum_{\varrho=1}^{r} \frac{A_\varrho}{i(\alpha-\lambda_\varrho)}. \tag{21}$$

Ihr entspricht die Aufspaltung

$$y(x) = \sum_{\varrho=0}^{r} A_\varrho y_\varrho(x),$$

wobei

$$y_\varrho(x) \sim \int \frac{E(\alpha)}{i(\alpha-\lambda_\varrho)} e(x\alpha)\, d\alpha.$$

Nach § 14, 3 hat $y_\varrho(x)$ den Wert (19) falls $\mathfrak{J}(\lambda_\varrho) > 0$, den Wert (20) falls $\mathfrak{J}(\lambda_\varrho) < 0$; falls $\mathfrak{J}(\lambda_\varrho) = 0$, hat $y_\varrho(x)$ den gemeinsamen Wert von (19) und (20).

Wenn unter den komplexen Nullstellen von $G(\alpha)$ mehrfache vorkommen, so tritt an Stelle der Partialbruchzerlegung (21) die allgemeinere

$$\sum_{\varrho, l} \frac{A_{\varrho l}}{\{i(\alpha-\lambda_\varrho)\}^l}.$$

Entsprechend kann man setzen, sofern nur eine Lösung vorhanden ist,

$$y(x) = \sum_{\varrho, l} A_{\varrho l} y_{\varrho l}(x),$$

wobei, nach § 14, 3 und § 24, 2 und 4, $y_{\varrho l}(x)$ für $\mathfrak{J}(\lambda_\varrho) \geqq 0$ den Wert (19) und für $\mathfrak{J}(\lambda_\varrho) \leqq 0$ den Wert (20) hat, wenn man in (19) und (20) das Integral nach $\xi$ als ein $l$-faches nimmt.

9. **Gleichung (C).**

Jetzt können auch unendliche viele Nullstellen von $G(\alpha)$ vorkommen. Damit eine Lösung vorhanden ist, muß für jede einzelne Nullstelle die in Satz 29 angegebene Bedingung erfüllt sein.

Z. B. im einfachsten Falle

$$\frac{y(x+\delta)-y(x)}{\delta} = f(x) \tag{22}$$

ist

$$G(\alpha) = \frac{e(\delta\alpha)-1}{\delta},$$

und diese Funktion hat die Nullstellen $\frac{2\pi}{\delta}\nu$, $\nu = 0, \pm 1, \pm 2, \ldots$. Damit eine Lösung von (22) vorhanden ist, müssen demnach in erster Linie die Funktionen

$$e\left(-\frac{2\pi}{\delta}\nu x\right) f(x), \qquad \nu = 0, \pm 1, \pm 2, \ldots,$$

sämtlich in $\mathfrak{F}_0$ integrierbar sein.

Aber im Gegensatz zur Gleichung (E) ist bei der Gleichung (C) die Bedingung des Satzes 29 nicht auch für die Lösbarkeit hinreichend. Man kann noch nicht einmal behaupten, daß die Gleichung immer dann lösbar ist, wenn $G(\alpha)$ überall von Null verschieden ist. Es ist nämlich

$$G(\alpha) = \sum_{\sigma=0}^{s} a_\sigma e(\delta_\sigma \alpha),$$

und wenn die $\delta_\sigma$ in irrationalen Verhältnissen zueinander stehen, so kann es vorkommen, daß $G(\alpha)$ zwar für $-\infty < \alpha < \infty$ nicht direkt null wird, aber doch „in fastperiodischen Abständen" beliebig klein wird. Wenn die Gleichung (C) immer, d. h. für beliebige $f(x)$, lösbar sein soll, so muß nach § 22, 4 die Funktion $G(\alpha)^{-1}$ ein allgemeiner Multiplikator sein. Falls aber $G(\alpha)$ beliebig klein, also $G(\alpha)^{-1}$ beliebig groß wird, d. h. in $[-\infty, \infty]$ nicht beschränkt bleibt, so ist auch $G(\alpha)^{-1}$ kein allgemeiner Multiplikator. Man kann nämlich unschwer zeigen, worauf wir uns aber nicht einlassen wollen, daß jeder allgemeine Multiplikator beschränkt sein muß.

Anders ist es aber, wenn $G(\alpha)$ wesentlich von Null verschieden ist. Auf Grund von § 23, 4 gilt nämlich der

**Satz 31.** *Für die Lösbarkeit von* (C) *ist es hinreichend, daß* $G(\alpha)$ *wesentlich von Null verschieden ist, d. h. einer Abschätzung*

$$|G(\alpha)| \geq S > 0 \qquad (-\infty < \alpha < \infty)$$

*genügt.*

10. **Gleichung (A).**

Von der Funktion

$$G(\alpha) = \sum_{\varrho=0}^{r} \sum_{\sigma=0}^{s} a_{\varrho\sigma} (i\alpha)^\varrho e(\delta_\sigma \alpha) \tag{23}$$

sei bekannt, daß der „*Hauptteil*"

$$\gamma(\alpha) = \sum_{\sigma=0}^{s} a_{r\sigma} e(\delta_\sigma \alpha) \tag{24}$$

einer Abschätzung

$$|\gamma(\alpha)| \geq S > 0 \qquad (-\infty < \alpha < \infty) \tag{25}$$

genügt. Dann kann man setzen

$$G(\alpha) = \gamma(\alpha) \left\{ (i\alpha)^r + \sum_{\varrho=0}^{r-1} \sum_{\sigma=0}^{s} a_{\varrho\sigma} (i\alpha)^\varrho \frac{e(\delta_\sigma \alpha)}{\gamma(\alpha)} \right\} = \gamma(\alpha)\, G_1(\alpha).$$

Eine jede Funktion

$$\frac{e(\delta_\sigma \alpha)}{\gamma(\alpha)}$$

ist, auf Grund von (25), mitsamt allen ihren Ableitungen beschränkt. Demzufolge hat $G_1(\alpha)$ höchstens endlich viele Nullstellen mit wohlbestimmten endlichen Vielfachheiten. Wenn gar keine Nullstellen vorhanden sind, so schließt man ganz ähnlich wie bei Gleichung (E), daß die Funktionen

$$(i\alpha)^\varrho G_1(\alpha)^{-1} \qquad 0 \leq \varrho \leq r$$

allgemeine Multiplikatoren sind, und da auch $\gamma(\alpha)^{-1}$ ein allgemeiner Multiplikator ist, so sind auch die Funktionen

$$(i\alpha)^\varrho G(\alpha)^{-1} = \gamma(\alpha)^{-1}(i\alpha)^\varrho G_1(\alpha)^{-1} \qquad 0 \leq \varrho \leq r$$

allgemeine Multiplikatoren. Auch der Fall, daß Nullstellen von $G_1(\alpha)$ vorkommen, läßt sich ganz analog wie bei Gleichung (E) behandeln, und wenn man berücksichtigt, daß $G(\alpha)$ dieselben Nullstellen mit denselben Vielfachheiten wie $G_1(\alpha)$ besitzt, so erhält man den folgenden

**Satz 32.** *Falls der „Hauptteil“* (24) *der charakteristischen Funktion* (23) *wesentlich von Null verschieden ist, so ist für die Lösbarkeit von* (A) *die in Satz* 29 *angegebene Bedingung auch hinreichend.*

11. Nun wollen wir noch eine Bemerkung über den Fall machen, daß die Voraussetzung (25) vollständig fallen gelassen wird.

**Satz 33.** *Wenn die gegebene Funktion $f(x)$ so beschaffen ist, daß ihre Transformierte $E(\alpha)$ außerhalb eines Intervalles $(a, b)$ verschwindet,*

$$f(x) = \int_a^b E(\alpha)\, e(x\alpha)\, d\alpha, \tag{26}$$

*so ist für die Lösbarkeit von* (A) *hinreichend, daß die Bedingung aus Satz 29 in bezug auf die ins Intervall $(a, b)$ fallenden Nullstellen von $G(\alpha)$ erfüllt ist.*

Bemerkung. In bezug auf die außerhalb von $(a, b)$ fallenden Nullstellen von $G(\alpha)$ ist nach der Bemerkung zu Satz 29 die im Satz 29 angegebene Bedingung für die Funktion (26) von selbst erfüllt.

Beweis. Wenn im Intervall $(a, b)$ überhaupt keine Nullstellen enthalten sind, so sind die Funktionen

$$(i\alpha)^\varrho G(\alpha)^{-1} E(\alpha) \qquad 0 \leq \varrho \leq r$$

nach § 23, 12 in $\mathfrak{T}_0$ gelegen, und demnach ist unsere Gleichung lösbar. Der Fall, daß Nullstellen vorhanden sind, erledigt sich mit demselben Kunstgriff wie in 6.

## § 26. Die Integralgleichung.

1. Wir betrachten die schon in § 22 eingeführte Integralgleichung (F):

$$\lambda y(x) - \frac{1}{2\pi}\int K(\xi)\, y(x-\xi)\, d\xi = f(x). \tag{1}$$

Es ist

$$G(\alpha) = \lambda - \gamma(\alpha), \tag{2}$$

wo $\gamma(\alpha)$ die Transformierte von $K(\xi)$ bezeichnet.

Im homogenen Falle, $f(x) \equiv 0$, ist nur dann eine nichttriviale Lösung vorhanden, wenn es ein ganzes $\alpha$-Intervall gibt, in welchem $G(\alpha)$ verschwindet. Und zwar genügt der Gleichung (1) jede Funktion

$$y(x) \sim \int \varphi(\alpha)\, e(x\alpha)\, d\alpha,$$

deren Transformierte überall dort verschwindet, wo $G(\alpha)$ von Null verschieden ist. Wenn also $G(\alpha)$ u. a. in einem Intervall $A \leqq \alpha \leqq B$ verschwindet, und wenn $\psi(\alpha)$ in diesem Intervall zweimal differenzierbar ist, und an den Intervallenden mitsamt der ersten Ableitung verschwindet, so ist die Funktion

$$\int_A^B \psi(\alpha)\, e(x\alpha)\, d\alpha$$

eine Lösung von (1).

Wenn man $\lambda$ als einen Parameter ansieht und diejenigen Werte von $\lambda$, für welche eine nichttriviale Lösung der homogenen Gleichung vorhanden ist, als Eigenwerte der Gleichung auffaßt, so besteht die Gesamtheit der Eigenwerte aus denjenigen Zahlen $\lambda$, für welche die Gleichung

$$\gamma(\alpha) = \lambda$$

in einem ganzen $\alpha$-Intervall besteht. Da eine jede Menge von punktfremden Intervallen auf der Geraden abzählbar ist, so gibt es höchstens abzählbar unendlich viele Eigenwerte. Es braucht aber überhaupt keinen Eigenwert zu geben, und gerade wenn $\gamma(\alpha)$ im wörtlichsten Sinne „regulär", nämlich analytisch ist, gibt es überhaupt keine Eigenwerte, weil dann $\gamma(\alpha)$ nicht in einem Intervall konstant sein kann.

2. Wir bemerken, daß $\gamma(\alpha)$ insbesondere dann analytisch ist, wenn es eine Konstante $a > 0$ gibt, so daß für $|x| \to \infty$

$$K(x) = O\,(e^{-a|x|}).$$

Es ist unschwer zu zeigen, worauf wir nicht eingehen, daß dann das Integral

$$\gamma(\alpha) = \frac{1}{2\pi}\int K(\xi)\, e(-\alpha\xi)\, d\xi$$

für alle komplexen Werte des Streifens

$$|\mathfrak{J}(\alpha)| < a$$

konvergiert, und daselbst eine analytische Funktion bildet, welche in jedem Teilstreifen $|\mathfrak{J}(\alpha)| \leqq a_0 < a$ mitsamt allen Ableitungen beschränkt ist.

3. Ist $K(\xi)$ „hermitesch", d. h. $\overline{K(-\xi)} = K(\xi)$, so ist $\gamma(\alpha)$ reell und dann kommen nur reelle Eigenwerte in Frage.

4. Nun betrachten wir die inhomogene Gleichung (1). Bei gegebenem $\lambda \neq 0$ ist $G(\alpha)$ entweder nirgends null, wie z. B. im Falle $|\lambda| > \operatorname{Max}|\gamma(\alpha)|$, oder aber die Nullstellen liegen alle in einem endlichen Intervall, da ja wegen $\gamma(\alpha) \to 0$ für $|\alpha| \to \infty$

$$\lim_{|\alpha| \to \infty} [\lambda - \gamma(\alpha)] = \lambda \neq 0.$$

**Satz 34.** *Für die Lösbarkeit von (1) bei gegebenem $\lambda \neq 0$ ist es hinreichend, daß $\gamma(\alpha)$ zweimal differenzierbar und mitsamt den ersten zwei Ableitungen absolut integrierbar ist, und daß eine der drei nachfolgenden Bedingungen erfüllt ist.*

1) *$G(\alpha)$ ist nirgends null.*

2) *$G(\alpha)$ hat (was für analytische $\gamma(\alpha)$ immer von selbst der Fall ist) nur endlich viele Nullstellen $\tau_\varkappa$ mit wohlbestimmten endlichen Vielfachheiten $l_\varkappa$, und für jede Nullstelle $\tau_\varkappa$ ist die Funktion*

$$e(-\tau_\varkappa x) f(x)$$

*$l_\varkappa$-mal in $\mathfrak{F}_0$ integrierbar.*

3) *Man kann endlich viele endliche Intervalle $A_\varkappa \leqq \alpha \leqq B_\varkappa$ von der folgenden Beschaffenheit angeben. Jede Nullstelle von $G(\alpha)$ ist im Innern eines der Intervalle enthalten, und die Transformierte $E(\alpha)$ von $f(x)$ verschwindet in diesen Intervallen.*

Bemerkung zur Voraussetzung 2. Daß in jedem der endlich vielen Punkte $\tau_\varkappa$, in welchen $G(\alpha)$ verschwindet, eine Nullstelle mit einer Vielfachheit $l_\varkappa$ vorliegt, ist so gemeint, daß man in einer gewissen Umgebung von $\tau_\varkappa$ setzen kann

$$G(\alpha) = \{i(\alpha - \tau_\varkappa)\}^{l_\varkappa} G_*(\alpha),$$

wo $G_*(\alpha)$ von Null verschieden und zweimal differenzierbar ist.

Beweis. Ad 1) Da $\gamma(\alpha)$ stetig ist, ist $G(\alpha)$ wesentlich von Null verschieden. Setzt man

$$G^{-1} = \frac{1}{\lambda - \gamma(\alpha)} = \frac{1}{\lambda} + \frac{\gamma(\alpha)}{\lambda[\lambda - \gamma(\alpha)]} = \frac{1}{\lambda} + \gamma_\lambda(\alpha),$$

so ergibt sich, daß $\gamma_\lambda(\alpha)$ mitsamt den ersten zwei Ableitungen nach $\alpha$ absolut integrierbar, also ein Multiplikator ist. Setzt man

$$K_\lambda(\xi) = \int \frac{\gamma(\alpha)}{\lambda[\lambda - \gamma(\alpha)]} e(\xi\alpha)\, d\alpha,$$

so ist

$$y(x) = \frac{1}{\lambda} f(x) + \frac{1}{2\pi} \int K_\lambda(\xi) f(x - \xi)\, d\xi.$$

Den lösenden Kern $K_\lambda(\xi)$ kann man auf die übliche Art für kleine Werte von $\lambda^{-1}$ in eine Potenzreihe entwickeln.

Ad 2) Die Berücksichtigung von endlich vielen Nullstellen mit endlichen Vielfachheiten geschieht so wie in § 25, 5.

Ad 3) Dieser Fall ist noch einfacher als 2). Man ändere die Funktion $G(\alpha)$ in den Intervallen $(A_\varkappa, B_\varkappa)$ zu einer zweimal differenzierbaren Funktion $G_0(\alpha)$ ab, welche nirgends verschwindet (vgl. Anhang 16). Dann ist $G_0(\alpha)^{-1}$ ein Multiplikator, und da $G(\alpha)$ und $G_0(\alpha)$ in bezug auf $f(x)$ „gleichwertig" sind, vgl. § 23, 11, so ist

$$y(x) \sim \int G_0(\alpha)^{-1} E(\alpha)\, e(x\alpha)\, d\alpha$$

eine Lösung unserer Gleichung, w. z. b. w.

5. Von sonstigen Integralgleichungen, die nicht unter (1) fallen, wollen wir noch eine ganz spezielle, in der Literatur vorkommende, betrachten, nämlich die Gleichung[77])

(3) $$y'(x) = \frac{1}{2} \int\limits_0 \frac{J_1(t)}{t} \{y(x+t) - y(x-t)\} dt,$$

wo $J_1(t)$ die Besselsche Funktion erster Ordnung bedeutet. Schreibt man für die rechte Seite

$$\frac{1}{2} \int^0 \frac{J_1(-t)}{-t}\, y(x-t)\, dt - \frac{1}{2} \int\limits_0 \frac{J_1(t)}{t}\, y(x-t)\, dt,$$

so sieht man, daß sie aus zwei Faltungen von $y(x)$ mit Funktionen aus $\mathfrak{F}_0$ besteht. Macht man den Ansatz

$$y(x) \sim \int \varphi(\alpha)\, e(x\alpha)\, d\alpha,$$

so entsteht die „Darstellung" der Gleichung (3), wenn man rechts die Substitution

$$y(x \pm t) = \int \varphi(\alpha)\, e(\pm t\alpha)\, e(x\alpha)\, d\alpha$$

vornimmt, und die Integrationen nach $t$ und $\alpha$ vertauscht. Daß man diese Vertauschung ausführen kann, wurde beim Beweis des Satzes 13 festgestellt, und der Inhalt des Satzes 13 ist im wesentlichen mit der Aussage identisch, daß diese Vertauschung zulässig ist. Man erhält auf diese Weise die Beziehung

(4) $$\int i\alpha\, \varphi(\alpha)\, e(x\alpha)\, d\alpha \sim \int \gamma(\alpha)\, \varphi(\alpha)\, e(x\alpha)\, d\alpha,$$

wobei

$$\gamma(\alpha) = \frac{1}{2} \int\limits_0 \frac{J_1(t)}{t} [e(\alpha t) - e(-\alpha t)]\, dt = i \int\limits_0 \frac{J_1(t)}{t} \sin \alpha t\, dt.$$

Aus § 16, (5) ergibt sich, wenn man dort $\nu = 1$ setzt,

$$\gamma(\alpha) = \begin{cases} i\alpha & \text{für } 0 \leqq \alpha < 1 \\ \dfrac{i}{\alpha + \sqrt{\alpha^2 - 1}} & \text{für } 1 \leqq \alpha < \infty \end{cases}$$

und weiterhin ist

$$\gamma(-\alpha) = -\gamma(\alpha).$$

Aus (4) folgt

$$[i\alpha - \gamma(\alpha)]\,\varphi(\alpha) = 0.$$

Der Faktor von $\varphi(\alpha)$ verschwindet für $-1 \leqq \alpha \leqq 1$ und ist für die anderen Werte von $\alpha$ von Null verschieden. Daraus findet man sehr leicht, daß die Gesamtheit der Lösungen von (3) aus genau denjenigen Funktionen aus $\mathfrak{F}_0$ besteht, deren Transformierten für $|\alpha| > 1$ verschwinden.

## § 27. Systeme von Gleichungen.

1. Wir betrachten das System von Differentialgleichungen

$$(1) \qquad y'_\mu(x) = \sum_{\nu=1}^{m} a_{\mu\nu} y_\nu(x) + f_\mu(x) \qquad \mu = 1, 2, \ldots, m.$$

Die Funktionen $f_\mu(x)$ sollen Funktionen aus $\mathfrak{F}_0$ sein. Unter einer „*Lösung*" verstehen wir ein System von Funktionen $y_1(x), \ldots, y_m(x)$, welche 1-mal in $\mathfrak{F}_0$ differenzierbar sind, und das Gleichungssystem in $[-\infty, \infty]$ erfüllen*). Für die Frage der Lösbarkeit spielt wieder eine charakteristische Funktion $G(\alpha)$ eine Rolle, und zwar das Polynom $m$-ten Grades

$$(2) \qquad G(\alpha) = \begin{vmatrix} i\alpha - a_{11} & -a_{12} & \ldots & -a_{1m} \\ -a_{21} & i\alpha - a_{22} & \ldots & -a_{2m} \\ \vdots & \vdots & \ddots & \\ -a_{m1} & -a_{m2} & & i\alpha - a_{mm} \end{vmatrix}$$

**Satz 35.** *Damit das System* (1) *eine Lösung besitzt, ist eine der folgenden Bedingungen hinreichend.*

1. *Die charakteristische Funktion $G(\alpha)$ hat keine Nullstellen.*

2. *Zu jeder Nullstelle $\tau_\varkappa$ von $G(\alpha)$ mit der Vielfachheit $l_\varkappa$ sind die Funktionen*

$$e(-\tau_\varkappa x)\, f_\mu(x) \qquad \mu = 1, 2, \ldots, m$$

*$l_\varkappa$-mal in $\mathfrak{F}_0$ integrierbar.*

*Es gibt immer höchstens eine Lösung.*

---

*) Es würde vorauszusetzen genügen, daß die $y_\mu(x)$ zu $\mathfrak{F}_0$ gehören, differenzierbar sind und das Gleichungssystem erfüllen. Die Ableitungen $y'_\mu(x)$ sind dann auf Grund der Gl. (1) von selbst Funktionen aus $\mathfrak{F}_0$.

Bemerkung. Im Falle 2. ist im Gegensatz zur Gleichung (A), vgl. Satz 29, die angegebene Bedingung nicht notwendig. Das kann man an einem Beispiel sehen. Man betrachte z. B. die Gleichungen

$$y_1'(x) = i[y_1(x) + y_2(x)] + f_1(x)$$
$$y_2'(x) = -i[y_1(x) + y_2(x)] + f_2(x).$$

Hier ist

$$G(\alpha) = \begin{vmatrix} i\alpha - i & -i \\ i & i\alpha + i \end{vmatrix} = -\alpha^2,$$

also hat $G(\alpha)$ im Punkte $\alpha = 0$ eine zweifache Nullstelle. Wenn aber $p(x)$ zweimal und $q(x)$ einmal in $\mathfrak{F}_0$ differenzierbar ist, so ist für die Funktionen

$$f_1(x) = p''(x) + q'(x), \qquad f_2(x) = p''(x) - q'(x)$$

das Gleichungssystem lösbar, nämlich

$$y_1(x) = 2i\,p(x) + p'(x) + q(x)$$
$$y_2(x) = -2i\,p(x) + p'(x) - q(x).$$

Die Funktionen $f_1(x)$ und $f_2(x)$ sind aber nur dann zweimal in $\mathfrak{F}_0$ integrierbar, wenn $q(x)$ einmal in $\mathfrak{F}_0$ integrierbar ist; dies trifft jedoch etwa für

$$q(x) = \left(\frac{\sin x}{x}\right)^2$$

nicht zu, weil

$$\int q(x)\,dx \neq 0,$$

vgl. § 3, 4.

Beweis. Wir setzen für $\mu = 1, 2, \ldots, m$

(3) $$f_\mu(x) \sim \int E_\mu(\alpha)\, e(x\alpha)\, d\alpha$$

(4) $$y_\mu(x) \sim \int \varphi_\mu(\alpha)\, e(x\alpha)\, d\alpha.$$

Durch Einsetzen in (1) erhält man die Gleichungen

(5) $$i\alpha\,\varphi_\mu(\alpha) - \sum_{\nu=1}^{m} a_{\mu\nu}\varphi_\nu(\alpha) = E_\mu(\alpha) \qquad \mu = 1, 2, \ldots, m.$$

Bezeichnet man die algebraischen Komplemente der Determinante (2) mit $G_{\mu\nu}(\alpha)$, so folgt aus (5)

(6) $$G(\alpha)\,\varphi_\nu(\alpha) = \sum_{\mu=1}^{m} G_{\mu\nu}(\alpha)\, E_\mu(\alpha) \qquad \nu = 1, 2, \ldots, m.$$

Daher ist für alle $\alpha$, abgesehen von den (isolierten) Nullstellen von $G(\alpha)$,

(7) $$\varphi_\nu(\alpha) = \sum_{\mu=1}^{m} \frac{G_{\mu\nu}(\alpha)}{G(\alpha)}\, E_\mu(\alpha) \qquad \nu = 1, 2, \ldots, m.$$

Daher kann es nur höchstens eine Lösung geben.

Nun seien die Voraussetzungen unseres Satzes erfüllt. Nach § 25, 4–6 sind dann für $0 \leq \varrho \leq m$ die Funktionen

$$\frac{(i\alpha)^{\varrho}}{G(\alpha)} E_{\mu}(\alpha)$$

zu $\mathfrak{T}_0$ gehörig. Da aber die Polynome $G_{\mu\nu}(\alpha)$ von höchstens $(m-1)$-ten Grade sind, so folgt hieraus, daß die Summe rechts in (7) eine Funktion aus $\mathfrak{T}_0$ ist, und daß die dazugehörige Funktion $y_{\nu}(x)$ aus $\mathfrak{F}_0$ in $\mathfrak{F}_0$ differenzierbar ist. Man verifiziert sofort durch Einsetzen, daß die so erhaltenen $y_{\nu}(x)$ tatsächlich eine Lösung bilden, w. z. b. w.

2. Man kann das eben geschilderte Verfahren zur Auflösung sehr allgemeiner Systeme von Funktionalgleichungen verwenden. Wir wollen noch eines in extenso behandeln, und zwar das System der Differenzengleichungen

$$(8) \qquad y_{\mu}(x+\delta_{\mu}) = \sum_{\nu=1}^{m} a_{\mu\nu} y_{\nu}(x) + f_{\mu}(x) \qquad \mu = 1, 2, \ldots, m.$$

mit willkürlichen reellen Differenzen $\delta_{\mu}$. Die charakteristische Funktion lautet

$$(9) \qquad G(\alpha) = \begin{vmatrix} e(\delta_1\alpha) - a_{11} & -a_{12} \ldots & -a_{1m} \\ -a_{21} & e(\delta_2\alpha) - a_{22} \ldots & -a_{2m} \\ \vdots & \vdots \ \ddots & \\ -a_{m1} & -a_{m2} & e(\delta_m\alpha) - a_{mm} \end{vmatrix}$$

Sie ist nach Ausrechnung ein Ausdruck der Gestalt

$$(10) \qquad \sum_{\sigma=0}^{m} a_{\sigma}\, e(\omega_{\sigma}\alpha)$$

mit reellen Exponenten $a_{\sigma}$. Wir machen noch die Voraussetzung, daß dieser Ausdruck nicht identisch verschwindet, was z. B. immer dann eintritt, wenn alle $\delta_{\mu}$ einerlei Vorzeichen haben, etwa $\delta_{\mu} > 0$.

**Satz 36.** *Wenn die charakteristische Funktion* $G(\alpha)$ *wesentlich von Null verschieden ist,*

$$(11) \qquad |G(\alpha)| \geq S > 0 \qquad (-\infty < \alpha < \infty),$$

*so gibt es eine Lösung des Systems* (8).

Beweis. Der Ansatz (3) und (4) gibt

$$e(\delta_{\mu}\alpha)\,\varphi_{\mu}(\alpha) - \sum_{\nu=1}^{m} a_{\mu\nu}\varphi_{\nu}(\alpha) = E_{\mu}(\alpha),$$

und hieraus folgen wiederum, wenn man unter $G_{\mu\nu}$ die algebraischen Komplemente von (9) versteht, die Gleichungen (6) und (7). Da, auch wenn (11) nicht erfüllt ist, $G(\alpha)$ nur isolierte Nullstellen hat, so gibt es ebenfalls nur eine Lösung. Wenn die Voraussetzung (11) zutrifft, so ist $G(\alpha)^{-1}$ ein Multiplikator, und da die $G_{\mu\nu}(\alpha)$ als Exponentialpolynome der Gestalt (10) Multiplikatoren sind, so sind die Funktionen (7), in der jetzigen Bedeutung der dort vorkommenden Buchstaben, in $\mathfrak{T}_0$ enthalten, und die dazugehörigen Funktionen aus $\mathfrak{F}_0$ bilden eine Lösung von (8).

3. Wenn die Voraussetzung (11) fallen gelassen wird, so kann man, wie in § 25, 11, eine hinreichende Bedingung für die Lösbarkeit angeben, sofern die Transformierten $E_\mu(\alpha)$ sämtlich außerhalb eines Intervalls $A \leq \alpha \leq B$ verschwinden. Sie lautet dahin, daß zu jeder in $(A, B)$ gelegenen Nullstelle $\tau_\varkappa$ von $G(\alpha)$ mit der Vielfachheit $l_\varkappa$, die Funktionen $e(-\tau_\varkappa x) f_\mu(x)$, $\mu = 1, 2, \ldots, m$, $l_\varkappa$-mal in $\mathfrak{F}_0$ integrierbar sein sollen.

SECHSTES KAPITEL.

# Verallgemeinerte trigonometrische Integrale.

## § 28. Definition der verallgemeinerten trigonometrischen Integrale.

1. Im vorigen Kapitel mußten wir uns auf solche „Lösungen" der betrachteten Funktionalgleichungen beschränken, welche mitsamt den erforderlichen Ableitungen für $x \to \pm\infty$ absolut integrierbar sind. Wir wollen nunmehr Funktionen von allgemeinerem Verhalten im Unendlichen in Betracht ziehen.

*Es sei $k = 0, 1, 2 \ldots$. Als Funktionenklasse $\mathfrak{F}_k$ bezeichnen wir die Gesamtheit der Funktionen $f(x)$, welche im Endlichen integrierbar sind und für $x \to \pm\infty$ nach Division durch $x^k$ absolut integrierbar sind, d. h. für welche*

$$(1) \qquad \int_{-1}^{+1} |f(x)|\, dx + \int^{-1} \left|\frac{f(x)}{x^k}\right| dx + \int_1 \left|\frac{f(x)}{x^k}\right| dx$$

*endlich ist.* Offenbar ist $\mathfrak{F}_k$ in $\mathfrak{F}_{k+1}$ enthalten und jede Funktion, welche für $x \to \pm\infty$ nicht stärker als eine Potenz $|x|^l$ anwächst $(l = 0, 1, 2, \ldots)$ in $\mathfrak{F}_{l+2}$ enthalten. Da

$$\frac{1}{2} \leq \frac{1}{1+|x|^k} \leq 1 \quad \text{für } |x| \leq 1,$$

$$\frac{1}{2|x|^k} \leq \frac{1}{1+|x|^k} \leq \frac{1}{|x|^k} \text{ für } |x| \geq 1,$$

so ist die Forderung, daß (1) endlich ist, mit der Forderung äquivalent, daß

$$\int |f(x)|\, p_k(x)\, dx$$

endlich ist, wobei wir zur Abkürzung setzen:

$$p_k(x) = \frac{1}{1+|x|^k}. \tag{2}$$

Hieraus erkennt man sofort, daß die Funktionenklasse $\mathfrak{F}_k$ additiv ist. Wir werden öfters benutzen, daß zugleich mit $f(x)$ auch $f(x+\lambda)$ zu $\mathfrak{F}_k$ gehört, und ebenso $f(x)\,g(x)$, falls $g(x)$ beschränkt (und im Endlichen integrierbar) ist.

2. Der Buchstabe $k$ wird im folgenden nur zur Bezeichnung des Klassenindex Verwendung finden. Wo im folgenden die Betrachtungen explizite nur auf die Werte $k = 1, 2, 3, \ldots$, bzw. $k = 2, 3, \ldots$ zugeschnitten sein werden, läßt sich der Fall $k = 0$ bzw. $k = 0, 1$ leicht ergänzen, und diese Ergänzung wird dann dem Leser überlassen.

3. Gegeben seien zwei stetige Funktionen $\varphi(\alpha), \psi(\alpha)$ auf einem endlichen oder unendlichen Intervall $[A, B]$. Wir nennen $\varphi(\alpha)$ und $\psi(\alpha)$ in dem betrachteten Intervall „$k$-äquivalent“ oder kurz „äquivalent“, und schreiben

$$\varphi(\alpha) \overset{k}{\asymp} \psi(\alpha)$$

oder kürzer

$$\varphi(\alpha) \asymp \psi(\alpha),$$

falls die Differenz $\varphi(\alpha) - \psi(\alpha)$ ein Polynom $(k-1)$-ten Grades in $\alpha$ ist*). Für $k = 0$ ist Äquivalenz nichts anderes als Identität. Die $k$-Äquivalenz hat die drei Eigenschaften einer Gleichheit:

1) $\varphi(\alpha) \asymp \varphi(\alpha)$

2) Aus $\varphi(\alpha) \asymp \psi(\alpha)$ folgt $\psi(\alpha) \asymp \varphi(\alpha)$

3) Aus $\varphi(\alpha) \asymp \psi(\alpha)$ und $\psi(\alpha) \asymp \chi(\alpha)$ folgt $\varphi(\alpha) \asymp \chi(\alpha)$.

Sehr wichtig ist die folgende Bemerkung. Falls $\varphi(\alpha), \psi(\alpha)$ in den anstoßenden Intervallen $[A, C]$, $[C, B]$ äquivalent sind, so brauchen sie, für $k \geqq 2$, nicht in $[A, B]$ äquivalent zu sein, auch wenn sie daselbst stetig sind. Denn die Polynome $P(\alpha)$ und $Q(\alpha)$, um welche sich $\varphi(\alpha)$, $\psi(\alpha)$ in $[A, C]$ und $[C, B]$ unterscheiden, brauchen trotz des stetigen Anschlusses in $\alpha = C$ nicht identisch zu sein. Wenn aber zwei übereinander greifende Intervalle $[A, C_1]$, $[C_2, B]$ vorliegen, $C_2 < C_1$, so sind $P(\alpha)$, $Q(\alpha)$ identisch und $\varphi(\alpha)$, $\psi(\alpha)$ sind in $[A, B]$ äquivalent.

4. Wir betrachten eine Funktion $f(x)$ aus $\mathfrak{F}_0$ und bezeichnen ihre in $\mathfrak{T}_0$ gelegene Transformierte $E(\alpha)$ fortan mit $E(\alpha, 0)$. Unter $E(\alpha, k)$,

---

*) Unter einem Polynom $(k-1)$-ten Grades verstehen wir, genau, ein Polynom von höchstens $(k-1)$-ten Grade.

$k \geq 1$, verstehen wir das, bis auf $k$-Äquivalenzen eindeutige, $k$-te Integral von $E(\alpha, 0)$, d. h.

(3)
$$E^{(k)}(\alpha, k) = E(\alpha, 0).$$

Setzt man speziell

$$E(\alpha, k) = \int_0^\alpha E(\beta, k-1)\, d\beta,$$

so erhält man durch Substitution von

$$E(\alpha) = \frac{1}{2\pi}\int f(x)\, e(-\alpha x)\, dx$$

und Vertauschung von Integrationsfolgen sukzessive für $k = 1, 2, 3, \ldots$

$$E(\alpha, k) = \frac{1}{2\pi}\int f(x)\,\frac{e(-\alpha x) - h_k(\alpha x)}{(-ix)^k}\, dx,$$

wobei

$$h_k(t) = \sum_{\varkappa=0}^{k-1} \frac{(-it)^\varkappa}{\varkappa!}.$$

Da nun $h_k(\alpha x)$ in $\alpha$ ein Polynom $(k-1)$-ten Grades ist, ergibt sich

(4)
$$2\pi E(\alpha, k) \overset{k}{\asymp} \int_{-1}^{1} f(x)\,\frac{e(-\alpha x) - h_k(\alpha x)}{(-ix)^k}\, dx + \left(\int^{-1} + \int_{1}\right) \frac{f(x)}{(-ix)^k}\, e(-\alpha x)\, dx.$$

Setzt man zur Abkürzung

(4')
$$L_k \equiv L_k(\alpha, x) = \begin{cases} \displaystyle\sum_{\varkappa=0}^{k-1} \frac{(-i\alpha x)^\varkappa}{\varkappa!} & \text{für } |x| \leq 1 \\ 0 & \text{für } |x| > 1 \end{cases}$$

und $L_0 = 0$, so kann man schreiben

(5)
$$E(\alpha, k) \overset{k}{\asymp} \frac{1}{2\pi}\int f(x)\,\frac{e(-\alpha x) - L_k}{(-ix)^k}\, dx.$$

Das rechts stehende Integral ist nun, wie an (4) zu erkennen, auch dann absolut konvergent, wenn $f(x)$ zu $\mathfrak{F}_k$ gehört. Das veranlaßt die folgende Definition.

*Es sei $f(x)$ eine Funktion aus $\mathfrak{F}_k$. Unter der $k$-Transformierten von $f(x)$ verstehen wir die durch* (5), *bis auf Polynome* $(k-1)$*-ten Grades, bestimmte Funktion von $\alpha$. Wir werden sie mit $E(\alpha, k)$, $\Phi(\alpha, k)$ usw. bezeichnen, und wenn der Wert des Index $k$ im Zusammenhang feststehen wird, werden wir auch $E(\alpha)$, $\Phi(\alpha)$ usw. schreiben.*

*Die Gesamtheit aller $k$-Transformierten werden wir mit $\mathfrak{T}_k$ bezeichnen.*

Wenn man eine Funktion aus $\mathfrak{F}_k$ als Funktion aus $\mathfrak{F}_{k+l}$ betrachtet, $l \geq 1$, so besteht für die dazugehörigen Transformierten $E(\alpha, k)$ und $E(\alpha, k+l)$, wie man leicht nachrechnet, die wichtige Relation

(6)
$$E(\alpha, k) \overset{k}{\asymp} E^{(l)}(\alpha, k+l).$$

Die Klasse $\mathfrak{T}_k$ ist additiv: aus $f = c_1 f_1 + c_2 f_2$ folgt

$$E(\alpha, k) \overset{k}{\asymp} c_1 E_1(\alpha, k) + c_2 E_2(\alpha, k).$$

Bezeichnet man den ersten Summanden rechts in (4) mit $2\pi\Phi(\alpha)$ und den zweiten mit $2\pi\Psi(\alpha)$, so ist die Funktion

$$\Phi^{(k)}(\alpha) = \frac{1}{2\pi}\int_{-1}^{1} f(x)\, e(-\alpha x)\, dx$$

eine 0-Transformierte und ebenso ist die Funktion $\Psi(\alpha)$ in $\mathfrak{T}_0$ enthalten. Daher sind beide stetig und für $\alpha \to \pm\infty$ gegen 0 konvergent. Aus der bekannten Formel [für eine beliebige $k$-mal stetig differenzierbare Funktion $\Phi(\alpha)$]

$$\Phi(\alpha) \overset{k}{\asymp} \frac{1}{(k-1)!}\int_0^{\alpha} (\alpha - \beta)^{k-1}\, \Phi^{(k)}(\beta)\, d\beta$$

schließt man unschwer: $\Phi(\alpha) = o(|\alpha|^k)$ für $\alpha \to \pm\infty$, und daher gilt folgendes. Jede Funktion $E(\alpha, k)$ ist stetig und es ist

$$E(\alpha, k) = o(|\alpha|^k) \qquad \text{für } \alpha \to \pm\infty. \tag{7}$$

5. Eine erste Rechtfertigung für die Einführung der $k$-Transformierten bietet der

**Satz 37.** *Falls für zwei Funktionen aus $\mathfrak{F}_k$ die k-Transformierten übereinstimmen (d. h. k-äquivalent sind), so sind die Funktionen identisch*[79]).

Beweis. Wir betrachten die Differenzenfunktion

$$\Delta^k \varphi(\alpha) = \varphi(\alpha+k) - \binom{k}{1}\varphi(\alpha+k-1) + \cdots + (-1)^k \binom{k}{k}\varphi(\alpha).$$

Für ein Polynom $(k-1)$-ten Grades verschwindet sie, also ist

$$\Delta^k L_k(\alpha, x) = 0,$$

wobei $L_k(\alpha, x)$ durch (4') definiert ist. Andererseits ist

$$\Delta^k e(-\alpha x) = e(-\alpha x)\, [e(-x) - 1]^k.$$

Aus (5) folgt daher

$$\Delta^k E(\alpha, k) = \frac{1}{2\pi}\int g(x)\, e(-\alpha x)\, dx,$$

wobei

$$g(x) = f(x)\left(\frac{e(-x) - 1}{-ix}\right)^k \tag{8}$$

Die Funktion $g(x)$ gehört zu $\mathfrak{F}_0$, und $\Delta^k E(\alpha, k)$ ist ihre 0-Transformierte. Wenn nun zwei Funktionen $f(x)$ äquivalente $k$-Transformierte haben, so haben die entsprechenden Funktionen $g(x)$ gleiche 0-Transformierte, sind also nach Satz 14 identisch. Dann sind aber auch die $f(x)$ identisch, w. z. b. w.

Die Zusammengehörigkeit einer Funktion $f(x)$ und ihrer $k$-Transformierten $E(\alpha)$ werden wir auch durch die symbolische Relation

$$f(x) \sim \int e(x\alpha)\, d^k E(\alpha)$$

bezeichnen*). Diese Relation bzw. ihre rechte Seite nennen wir auch eine „Darstellung" von $f(x)$. Über eventuelle „Konvergenz" der Darstellung gegen die Funktion $f(x)$ vgl. § 31.

6. Man findet leicht

$$\int \frac{e(-\alpha x)-L_2(\alpha, x)}{(-ix)^2}\, dx = \left(\int_0^1 + \int_1\right) \frac{e(-\alpha x)+e(\alpha x)-2}{(-ix)^2}\, dx + 2\int_1 \frac{dx}{(-ix)^2}$$

(9)
$$= 4\int_0 \left(\frac{\sin\frac{\alpha}{2}x}{x}\right)^2 dx - 2 = 2\,|\alpha| \cdot \frac{\pi}{2} - 2.$$

Also ist, *für* $f(x) = 1$,

$$E(\alpha, 2) \asymp \frac{1}{2}\,|\alpha|.$$

Aus (6) folgt allgemeiner für $k \geq 2$

$$E(\alpha, k) \asymp \frac{1}{2} \cdot \frac{1}{(k-1)!} \overline{|\alpha|}^{k-1},$$

wobei wir hier und im folgenden unter

$$\overline{|\gamma|}^{k}$$

diejenige Funktion verstehen, welche für $\gamma > 0$ den Wert $\gamma^k$ und für $\gamma < 0$ den Wert $-\gamma^k$ hat.

*Für* $f(x) = x^\mu$, $\mu = 0, 1, 2, \ldots,$ *und* $k \geq \mu + 2$ *ist*

$$2\pi E(\alpha, k) \overset{k}{\asymp} i^\mu \int \frac{e(-\alpha x) - L_k(\alpha x)}{(-ix)^{k-\mu}}\, dx \overset{k}{\asymp} i^\mu \int \frac{e(-\alpha x) - L_{k-\mu}}{(-ix)^{k-\mu}}\, dx,$$

*also*

$$E(\alpha, k) \asymp \frac{1}{2} \frac{i^\mu}{(k-\mu-1)!} \overline{|\alpha|}^{k-\mu-1}.$$

Es sei $f(x)$ eine Funktion aus $\mathfrak{F}_k$, $\tau$ reell, und $\Phi(\alpha)$ die $k$-Transformierte von $f(x) \cdot e(\tau x)$. Dann ist

$$2\pi\,\Phi(\alpha) \asymp \int f(x) \frac{e(-(\alpha-\tau)x) - e(\tau x) L_k(\alpha, x)}{(-ix)^k}\, dx$$

$$\asymp \int f(x) \frac{e(-(\alpha-\tau)x) - L_k(\alpha-\tau, x)}{(-ix)^k}\, dx$$

$$+ \int f(x) \frac{L_k(\alpha-\tau, x) - e(\tau x) L_k(\alpha, x)}{(-ix)^k}\, dx.$$

---

*) Konsequenter aber typographisch umständlicher wäre die Schreibweise

$$\int e(x\alpha) \frac{d^k E(\alpha)}{d\alpha^{k-1}} \quad \text{statt} \quad \int e(x\alpha) d^k E(\alpha).$$

Das zweite Integral ist ein Polynom ($k$—1)-ten Grades in $\alpha$, daher ist

$$\Phi(\alpha) \overset{k}{\asymp} E(\alpha-\tau, k), \tag{10}$$

wo $E(\alpha, k)$ die $k$-Transformierte von $f(x)$ bezeichnet. Insbesondere hat $x^{\mu} e(\tau x)$ für $k \geqq \mu + 2$ die $k$-Transformierte

$$\frac{1}{2} \frac{i^{\mu}}{(k-\mu-1)!} \overline{|\alpha-\tau|}^{k-\mu-1} \tag{11}$$

7. Gegeben seien untereinander verschiedene reelle Zahlen $\tau_1, \tau_2, \ldots, \tau_n$ und komplexe Zahlen $c_{\mu\nu}$. Die Funktion

$$f(x) = \sum_{\mu=0}^{k-2} \sum_{\nu=0}^{n} c_{\mu\nu} x^{\mu} e(\tau_\nu x) \qquad (k \geqq 2) \tag{12}$$

gehört zu $\mathfrak{F}_k$. *Jede solche Funktion nennen wir eine triviale Funktion aus* $\mathfrak{F}_k$ *(mit den Exponenten* $\tau_\nu$*).* Ihre $k$-Transformierte beträgt

$$\frac{1}{2} \sum_{\mu=0}^{k-2} \sum_{\nu=1}^{n} c_{\mu\nu} \frac{i^{\mu}}{(k-\mu-1)!} \overline{|\alpha-\tau_\nu|}^{k-\mu-1} + P(\alpha), \tag{13}$$

wo $P(\alpha)$ ein beliebiges Polynom ($k$—1)-ten Grades ist. *Jede Funktion* (13) *nennen wir eine triviale Funktion aus* $\mathfrak{T}_k$ *(mit den Exponenten* $\tau_\nu$*).* Die Funktion (13) hat die folgende Eigenschaft. In jedem der $n+1$ Intervalle

$$[-\infty, \tau_1], [\tau_1, \tau_2], \ldots, [\tau_{n-1}, \tau_n], [\tau_n, \infty]$$

gleicht sie einem Polynom ($k$—1)-ten Grades. In den Punkten $\tau_\nu$ schließen die Polynome stetig an, jedoch nicht ihre Ableitungen; die $\lambda$-te Ableitung, $\lambda = 1, 2, \ldots, k-1$, hat an der Stelle $\tau_\nu$ den Sprung

$$S_{\lambda,\nu} = c_{k-\lambda-1,\nu} \cdot i^{k-\lambda-1}.$$

Aus der Umkehrformel

$$c_{\mu\nu} = (-i)^{\mu} S_{k-\mu-1,\nu}$$

ergibt sich, daß man durch passende Wahl der Konstanten $c_{\mu\nu}$ beliebig vorgeschriebene Sprünge der Ableitungen an den Stellen $\tau_\nu$ erzielen kann. Demnach besteht die Gesamtheit der trivialen Funktionen aus $\mathfrak{T}_k$ aus der Gesamtheit aller Funktionen in $\alpha$, welche in der angegebenen Weise aus endlich vielen sich stetig anschließenden Polynomstücken vom ($k$—1)-ten Grade bestehen. — Man kann eine triviale Funktion aus $\mathfrak{T}_k$ auch folgendermaßen charakterisieren. Die Funktion ist stetig, und wenn man endlich viele geeignete $\alpha$-Punkte herausnimmt, so ist die Funktion $k$-mal stetig differenzierbar, und die $k$-te Ableitung verschwindet.

## § 29. Näheres über die Funktionen aus $\mathfrak{F}_k$.

1. Eine Folge von Funktionen aus $\mathfrak{F}_k$:

(1) $$f_1(x),\ f_2(x),\ f_3(x), \ldots$$

nennen wir *k-konvergent* bzw. *k-konvergent gegen* $f(x)$ (gleichfalls aus $\mathfrak{F}_k$), falls, vgl. § 28, (2),

(2) $$\lim_{\substack{m\to\infty\\ n\to\infty}} \int |f_m(x) - f_n(x)|\, p_k(x)\, dx = 0,$$

bzw.

(3) $$\lim_{n\to\infty} \int |f_n(x) - f(x)|\, p_k(x)\, dx = 0.$$

Eine Funktion $\varphi(x)$ gehört dann und nur dann zu $\mathfrak{F}_k$, wenn $\varphi(x)\, p_k(x)$ zu $\mathfrak{F}_0$ gehört. Die Relation (2) besagt, daß die Funktionen $f_n(x)\, p_k(x)$ 0-konvergent sind, und die Relation (3) besagt, daß sie gegen $f(x)\, p_k(x)$ 0-konvergent sind. Auf Grund von § 13, 2 gilt daher: Wenn eine Folge (1) $k$-konvergent ist, so gibt es eine gewisse Funktion $f(x)$ aus $\mathfrak{F}_k$ — wir nennen sie den *k-Limes* von (1) — gegen welche sie $k$-konvergiert. Jede Funktion $f(x)$ aus $\mathfrak{F}_k$ ist der $k$-Limes von Funktionen aus $\mathfrak{F}_0$, etwa von den „abgeschnittenen“ Funktionen

(4) $$f_n(x) = \begin{cases} f(x) & \text{für } |x| \leq n \\ 0 & \text{für } |x| > n. \end{cases}$$

2. Für die Funktion

(5) $$P(\eta) = \int \frac{dx}{(1+|x|^k)(1+|x-\eta|^{k+2})}$$

besteht die Abschätzung

(6) $$P(\eta) \leq \frac{C_k}{1+|\eta|^k},$$

wo $C_k$ eine nur von $k$ abhängige Konstante ist. Denn schreibt man das Integral (5) in der Form

(7) $$\int \frac{dx}{(1+|x-\eta|^k)(1+|x|^{k+2})},$$

so sieht man sofort, daß es in $\eta$ beschränkt ist, und etwa für $\eta > 1$ findet man die Abschätzung (6), wenn man das Integrationsgebiet von (7) in die drei Intervalle:

$$-\infty < x \leq \tfrac{1}{2}\eta,\quad \tfrac{1}{2}\eta \leq x \leq \tfrac{3}{2}\eta,\quad \tfrac{3}{2}\eta \leq x < \infty$$

zerlegt.

3. Es sei $f(x)$ eine Funktion aus $\mathfrak{F}_k$. Wegen (6) ist

$$\int |f(\eta)|\, P(\eta)\, d\eta \leq C_k \int |f(\eta)|\, p_k(\eta)\, d\eta,$$

und wenn man links nach Einsetzen des Integrals (5) die Reihenfolge der Integrationen nach $x$ und $\eta$ vertauscht [Anhang 7, 10], so entsteht

$$\int \frac{dx}{1+|x|^k} \int \frac{|f(\eta)|\, d\eta}{1+|x-\eta|^{k+2}} \leq C_k \int |f(\eta)|\, p_k(\eta)\, d\eta.$$

Demnach ist die Funktion

$$(8) \qquad \varphi(x) = \int \frac{f(x+\xi)\, d\xi}{1+|\xi|^{k+2}} = \int \frac{f(\eta)\, d\eta}{1+|x-\eta|^{k+2}}$$

eine Funktion aus $\mathfrak{F}_k$, und zwar ist

$$(9) \qquad \int |\varphi(x)|\, p_k(x)\, dx \leq C_k \int |f(x)|\, p_k(x)\, dx.$$

4. Hieraus werden wir folgern den

**Satz 38.** *Die Folge* $f_1(x), f_2(x), f_3(x), \ldots$ *sei gegen* $f_0(x)$ *k-konvergent. Mit einer Funktion* $K(\xi)$, *für welche*

$$(10) \qquad |K(\xi)| \leq A\,(1 + |\xi|^{k+2})^{-1}$$

*bilde man für* $\nu = 0, 1, 2, 3, \ldots$ *die Funktionen*

$$(11) \qquad g_\nu(x) = \frac{1}{2\pi} \int f_\nu(x-\xi)\, K(\xi)\, d\xi = \frac{1}{2\pi} \int f_\nu(x+\xi)\, K(-\xi)\, d\xi.$$

*Dann sind die* $g_\nu(x)$ *gleichfalls Funktionen aus* $\mathfrak{F}_k$, *und die Folge* $g_1(x), g_2(x), g_3(x), \ldots$ *ist gegen* $g_0(x)$ *k-konvergent.*

Beweis. Daß die $g_\nu(x)$ zu $\mathfrak{F}_k$ gehören, folgt nach 3. wegen

$$|g_\nu(x)| \leq \frac{A}{2\pi} \int \frac{|f_\nu(x+\xi)|\, d\xi}{1+|\xi|^{k+2}}.$$

Das behauptete Konvergenzverhalten ergibt sich daraus, daß zufolge

$$|g_n(x) - g_0(x)| \leq \frac{A}{2\pi} \int \frac{|f_n(x+\xi) - f_0(x+\xi)|}{1+|\xi|^{k+2}}\, d\xi$$

nach 3. die Abschätzung

$$(12) \qquad \int |g_n(x) - g_0(x)|\, p_k(x)\, dx \leq \frac{A C_k}{2\pi} \int |f_n(x) - f_0(x)|\, p_k(x)\, dx$$

besteht.

**Satz 39.** *Es sei* $f(x)$ *eine Funktion aus* $\mathfrak{F}_k$, *und* $K(\xi)$ *eine Funktion, welche der Abschätzung* (10) *genügt. Etwa für* $n = 1, 2, 3, \ldots$ *betrachten wir die* (nach Satz 38 gleichfalls zu $\mathfrak{F}_k$ gehörenden) *Funktionen*

$$(13) \qquad f_n(x) = \int f\left(x + \frac{\xi}{n}\right) K(\xi)\, d\xi.$$

*Diese Funktionen sind gegen die Funktion*

$$(14) \qquad f_*(x) = f(x) \cdot \int K(\xi)\, d\xi$$

*k-konvergent, d. h.*

$$(15) \qquad \lim_{n\to\infty} \int |f_n(x) - f_*(x)|\, p_k(x)\, dx = 0.$$

*Insbesondere gilt für endliche Zahlen $x_0$ und $x_1$*

(16) $$\lim_{n\to\infty} \int_{x_0}^{x_1} |f_n(x) - f_*(x)|\, dx = 0.$$

Beweis. Wir werden (ohne Beweis) den folgenden Hilfssatz von Lebesgue[80]) benutzen. Wenn $f(x)$ in $(A, B)$ integrierbar ist, so gilt für $A < a < b < B$ die Beziehung

$$\lim_{\xi\to 0} \int_a^b |f(x) - f(x+\xi)|\, dx = 0.$$

Sie drückt aus, daß jeder integrierbaren Funktion eine gewisse „Stetigkeit im Mittel" zukommt.

Es sei $f(x)$ eine Funktion aus $\mathfrak{F}_k$. Für je zwei endliche Zahlen $a, b$ gilt nach eben festgestelltem Hilfssatz

$$\lim_{\xi\to 0} \int_a^b |f(x) - f(x+\xi)|\, p_k(x)\, dx = 0.$$

Andererseits ist

$$\lim_{b\to\infty} \int_b |f(x+\xi)|\, p_k(x)\, dx = \lim_{a\to-\infty} \int^a |f(x+\xi)|\, p_k(x)\, dx = 0,$$

und man findet unschwer, daß diese Limesrelationen gleichmäßig für alle $\xi$ aus einem jeden Intervall $|\xi| \leq \xi_0$ bestehen. Hieraus ergibt sich, daß die Funktion

(17) $$\delta(\xi) = \int |f(x) - f(x+\xi)|\, p_k(x)\, dx$$

für $\xi \to 0$ gegen Null konvergiert.

Es sei $\xi_0$ eine feste Zahl $> 0$. Für variables $n$ setzen wir

(18) $$K_n(\xi) = \begin{cases} nK(n\xi) & \text{für } |\xi| \leq \xi_0 \\ 0 & \text{für } |\xi| > \xi_0, \end{cases}$$

und

(19) $$H_n(\xi) = nK(n\xi) - K_n(\xi).$$

Entsprechend setzen wir*)

$$g_n(x) = \int f(x+\xi)\, K_n(\xi)\, d\xi, \quad h_n(x) = \int f(x+\xi)\, H_n(\xi)\, d\xi$$
$$g_*(x) = f(x) \int K_n(\xi)\, d\xi, \quad h_*(x) = f(x) \int H_n(\xi)\, d\xi,$$

so daß

$$f_n(x) - f_*(x) = g_n(x) - g_*(x) + h_n(x) - h_*(x).$$

Wegen

$$\int |f_n - f_*|\, p_k dx \leq \int |g_n - g_*|\, p_k\, dx + \int |h_n - h_*|\, p_k\, dx$$

genügt es für den Beweis von (15) zu zeigen, daß

(20) $$\lim_{n\to\infty} \int |h_n - h_*|\, p_k dx = 0$$

---

*) Die Funktionen $g_*(x)$ und $h_*(x)$ hängen auch von $n$ ab.

und

(21) $$\int |g_n - g_*|\, p_k\, dx \leq \eta(\xi_0),$$

wo $\eta(\xi_0)$ von $n$ unabhängig ist und für $\xi_0 \to 0$ gegen Null geht. Aus (10) folgt

(22) $$|H_n(\xi)| \leq \frac{A_n}{1+|\xi|^{k+2}},$$

wobei

(23) $$\lim_{n\to\infty} A_n = 0.$$

Nach 3. ist

$$\int |h_n(x)|\, p_k(x)\, dx \leq A_n C_k \int |f(x)|\, p_k(x)\, dx$$

$$\int |h_*(x)|\, p_k(x)\, dx \leq A_n \int |f(x)|\, p_k(x)\, dx \cdot \int \frac{d\xi}{1+|\xi|^{k+2}},$$

und wegen (23) folgt hieraus (20). Weiterhin ist, wenn man die obere Grenze der durch (17) definierten Funktion $\delta(\xi)$ im Intervall $-\xi_0 \leq \xi \leq \xi_0$ mit $\varepsilon(\xi_0)$ bezeichnet:

$$\int |g_n - g_*|\, p_k\, dx \leq \iint |f(x+\xi) - f(x)|\, p_k(x)\, |K_n(\xi)|\, dx\, d\xi$$

$$\leq \int_{-\xi_0}^{\xi_0} \delta(\xi)|K_n(\xi)|\, d\xi \leq \varepsilon(\xi_0) \cdot n \int |K(n\xi)|\, d\xi = \varepsilon(\xi_0) \cdot \int |K(\xi)|\, d\xi = \eta(\xi_0),$$

w. z. b. w.

5. Wenn $f(x)$ und $f'(x)$ beide zu $\mathfrak{F}_k$ gehören, so ist

(24) $$f(x) = o(|x|^k) \qquad\qquad (x \to \pm\infty).$$

Denn wenn diese Relation etwa für $x \to +\infty$ nicht bestünde, so gäbe es eine Zahl $A > 0$ und eine Folge von Punkten

(25) $$1 < x_1 < x_2 < x_3 < \ldots \to \infty,$$

so daß

(26) $$|f(x_\nu)| \geq A\, x_\nu^k.$$

Wir können voraussetzen, daß

(27) $$x_{\nu+1} - x_\nu \geq 1 \qquad\qquad \nu = 1, 2, 3, \ldots,$$

[sonst nehme man eine passende Teilfolge von (25)]. Aus der Endlichkeit von

(28) $$\int_1 \frac{|f'(x)|}{x^k}\, dx$$

folgt leicht

$$\int_{x_\nu}^{x_\nu+1} |f'(x)|\, dx = o(x_\nu^k).$$

Nun ist für $x_\nu \leq x \leq x_\nu + 1$

$$|f(x) - f(x_\nu)| \leq \int_{x_\nu}^{x_\nu+1} |f'(x)|\, dx = o(x_\nu^k),$$

wegen (26) gibt es daher ein $\nu_0$, so daß für $\nu > \nu_0$ im Intervall

$$x_\nu \leqq x \leqq x_\nu + 1$$

die Relation

$$|f(x)| \geqq \tfrac{1}{2} A x_\nu^k \geqq \tfrac{1}{4} A x^k$$

besteht. Wegen (27) wäre nun

$$\int\limits_1^\infty \frac{|f(x)|}{x^k}\, dx \geqq \sum_{\nu=1}^{\infty} \int\limits_{x_\nu}^{x_\nu+1} \frac{|f(x)|}{x^k}\, dx = \infty,$$

im Widerspruch zur Voraussetzung, daß $f(x)$ zu $\mathfrak{F}_k$ gehört.

6. Wir nennen $f(x)$ $r$-mal in $\mathfrak{F}_k$ differenzierbar, falls die Ableitungen $f'(x), f''(x), \ldots, f^{(r)}(x)$ existieren und mitsamt $f(x)$ zu $\mathfrak{F}_k$ gehören. Wir nennen $f(x)$ $r$-mal in $\mathfrak{F}_k$ integrierbar, falls man das $k$-te Integral von $f(x)$ so normieren kann, daß es $r$-mal in $\mathfrak{F}_k$ differenzierbar ist.

7. Es sei $K(\xi)$ $r$-mal differenzierbar und genüge mitsamt den ersten $r$ Ableitungen einer Abschätzung (10). Die mit einer Funktion $f(x)$ aus $\mathfrak{F}_k$ gebildete Funktion

$$g(x) = \frac{1}{2\pi}\int K(\xi)\, f(x-\xi)\, d\xi = \frac{1}{2\pi}\int f(\xi)\, K(x-\xi)\, d\xi$$

ist $r$-mal in $\mathfrak{F}_k$ differenzierbar, und zwar ist

$$g^{(\varrho)}(x) = \frac{1}{2\pi}\int K^{(\varrho)}(\xi)\, f(x-\xi)\, d\xi \qquad \varrho = 0, 1, 2, \ldots, r.$$

Beim Beweise kann man sich auf den Fall $r = 1$ beschränken, und zwar genügt es zu zeigen, daß die (zu $\mathfrak{F}_k$ gehörige) Funktion

$$h(x) = \frac{1}{2\pi}\int K'(\xi)\, f(x-\xi)\, d\xi = \frac{1}{2\pi}\int f(\xi)\, K'(x-\xi)\, d\xi$$

die Ableitung von $g(x)$ ist. Wir bilden die Funktion

$$\varphi(x) = \int\limits_0^x h(\eta)\, d\eta = \frac{1}{2\pi}\int\limits_0^x d\eta \int f(\xi)\, K'(\eta-\xi)\, d\xi.$$

Wenn man die Integrationen nach $\xi$ und $\eta$ vertauscht (wegen der Zulässigkeit vgl. die Betrachtungen in 3.), entsteht

$$\varphi(x) = \frac{1}{2\pi}\int f(\xi)\, K(x-\xi)\, d\xi - \frac{1}{2\pi}\int f(\xi)\, K(0-\xi)\, d\xi = g(x) - g(0),$$

w. z. b. w.

Falls überdies $f(x)$ $r$-mal in $\mathfrak{F}_k$ differenzierbar ist, so erhält man wegen

$$f^{(\varrho)}(x) = o(|x|^k) \qquad \varrho = 0, 1, \ldots, r-1,$$

vgl. 5, durch $\varrho$-malige partielle Integration

$$g^{(\varrho)}(x) = \frac{1}{2\pi}\int K(\xi)\, f^{(\varrho)}(x-\xi)\, d\xi \qquad \varrho = 0, 1, \ldots, r.$$

8. Wenn $f(x)$ zu $\mathfrak{F}_0$ gehört, so kann man von der Funktion

$$F(x) = \int_{x_0}^{x} f(\xi)\, d\xi$$

im allgemeinen nur behaupten, daß sie beschränkt ist, also zu $\mathfrak{F}_2$ gehört. Demgegenüber wollen wir folgendes zeigen. *Wenn $f(x)$ zu $\mathfrak{F}_k$ gehört und $k \geqq 1$ ist, so gehört $F(x)$ zu $\mathfrak{F}_{k+1}$.* Da für $k \geqq 1$ eine Konstante zu $\mathfrak{F}_{k+1}$ gehört, so ist es kein Unterschied, welchen festen Wert man für $x_0$ ansetzt; nehmen wir etwa $x_0 = 0$. Weiterhin genügt es nachzuweisen, daß die Zahlen

$$A_n = \int_1^n \frac{|F(x)|}{x^{k+1}}\, dx \qquad n = 1, 2, 3, \ldots$$

$$\left(\text{und entsprechend die Zahlen } \int_{-n}^{-1} \frac{|F(x)|}{|x|^{k+1}}\, dx\right)$$

beschränkt sind. Setzt man

$$a_\nu = \int_\nu^{\nu+1} |f(x)|\, dx,$$

so ist wegen der Zugehörigkeit von $f(x)$ zu $\mathfrak{F}_k$ die Reihe

$$a_0 + \frac{a_1}{1^k} + \frac{a_2}{2^k} + \frac{a_3}{3^k} + \cdots \tag{29}$$

konvergent. Nun ist für $\mu \leqq x \leqq \mu + 1$, $\mu \geqq 0$,

$$|F(x)| \leqq \sum_{\nu=0}^{\mu} a_\nu \equiv F_\mu$$

und daher

$$A_n \leqq \sum_{\mu=1}^{n} \frac{F_\mu}{\mu^{k+1}}.$$

Dies gibt

$$A_n \leqq \sum_{\nu=0}^{n} c_\nu a_\nu,$$

wobei für $\nu \geqq 1$

$$c_\nu = \sum_{\mu=\nu}^{\infty} \frac{1}{\mu^{k+1}} \leqq \frac{C}{\nu^k}$$

und $c_0 = c_1$. Wegen der Konvergenz von (29) ist daher $A_n$ beschränkt.

## § 30. Näheres über die Funktionen aus $\mathfrak{T}_k$.

1. Wir erinnern an § 28, 3. Wenn in $A < \alpha < B$ die Funktionenfolgen $\varphi_n(\alpha), \psi_n(\alpha)$ gegen die Funktionen $\varphi(\alpha), \psi(\alpha)$ konvergieren, und wenn (bei festem $k$) die Relationen

$$\varphi_n(\alpha) \asymp \psi_n(\alpha) \qquad n = 1, 2, 3, \ldots$$

bestehen, so gilt auch

$$\varphi(\alpha) \asymp \psi(\alpha).$$

Wenn nämlich die Polynome $(k-1)$-ten Grades

$$\varphi_n(\alpha) - \psi_n(\alpha)$$

für $n \to \infty$ in $[A, B]$ konvergieren, so ist die Limesfunktion ein ebensolches Polynom; das erkennt man, wenn man $k$ feste Punkte $\alpha_1, \alpha_2, \ldots, \alpha_k$ herausgreift und in der Lagrangeschen Interpolationsformel

$$\varphi_n(\alpha) - \psi_n(\alpha) = \sum_{\varkappa=1}^{k} \frac{(\varphi_n(\alpha_\varkappa) - \psi_n(\alpha_\varkappa))\,\Omega(\alpha)}{(\alpha - \alpha_\varkappa)\,\Omega'(\alpha_\varkappa)} \qquad \Omega(\alpha) = \prod_{\varkappa=1}^{k} (\alpha - \alpha_\varkappa)$$

auf beiden Seiten den Grenzübergang $n \to \infty$ vornimmt.

2. Wir werden einen beliebigen Punkt $\alpha_0$ des Intervalls $[A, B]$ festhalten und für eine willkürliche Funktion $\Phi(\alpha)$ in $[A, B]$ unter

$$\int_{(r)}^{\alpha} \Phi(\alpha)\, d\alpha$$

das durch die Normierung

$$\int_{\alpha_0}^{\alpha} d\alpha_1 \int_{\alpha_0}^{\alpha_1} \ldots d\alpha_{r-1} \int_{\alpha_0}^{\alpha_{r-1}} \Phi(\alpha_r)\, d\alpha_r$$

festgelegte $r$-te Integral von $\Phi(\alpha)$ verstehen. Insbesondere ist also

$$\int_{(1)}^{\alpha} \Phi(\alpha)\, d\alpha = \int_{\alpha_0}^{\alpha} \Phi(\alpha)\, d\alpha.$$

Für $k = 1$ gilt die Formel der partiellen Integration

$$\int_{(1)}^{\alpha} \chi(\alpha)\, \psi'(\alpha)\, d\alpha = \chi(\alpha)\, \psi(\alpha) - \int_{(1)}^{\alpha} \chi'(\alpha)\, \psi(\alpha)\, d\alpha - \chi(\alpha_0)\, \psi(\alpha_0),$$

für die wir auch schreiben können

$$\int_{(1)}^{\alpha} \chi(\alpha)\, \psi'(\alpha)\, d\alpha \overset{1}{\asymp} \chi(\alpha)\, \psi(\alpha) - \int_{(1)}^{\alpha} \chi'(\alpha)\, \psi(\alpha)\, d\alpha.$$

Für allgemeine $k$ lautet die analoge Formel

$$(1) \quad \int_{(k)}^{\alpha} \chi(\alpha)\, \psi^{(k)}(\alpha)\, d\alpha \overset{k}{\asymp} \chi(\alpha)\psi(\alpha) + \sum_{\varkappa=1}^{k} (-1)^{\varkappa} \binom{k}{\varkappa} \int_{(\varkappa)}^{\alpha} \chi^{(\varkappa)}(\alpha)\, \psi(\alpha)\, d\alpha,$$

deren Verifizierung, etwa durch beiderseitige $k$-malige Differentiation, wir dem Leser überlassen.

Es sei nun $\psi(\alpha)$ eine stetige und $\chi(\alpha)$ eine $k$-mal stetig differenzierbare Funktion. Dann betrachten wir die bis auf ein Polynom $(k-1)$-ten Grades bestimmte Funktion

(2) $$\varphi(\alpha) \overset{k}{\asymp} \chi(\alpha)\,\psi(\alpha) + \sum_{\varkappa=1}^{k} (-1)^{\varkappa} \binom{k}{\varkappa} \int_{(\varkappa)}^{\alpha} \chi^{(\varkappa)}(\alpha)\psi(\alpha)\,d\alpha.$$

Falls auch $\psi(\alpha)$ $k$-mal stetig differenzierbar ist, so gilt nach (1)

(3) $$\varphi(\alpha) \overset{k}{\asymp} \int_{(k)}^{\alpha} \chi(\alpha)\,\psi^{(k)}(\alpha)\,d\alpha,$$

wofür man prägnanter schreiben kann

(4) $$\varphi^{(k)}(\alpha) = \chi(\alpha)\,\psi^{(k)}(\alpha).$$

In Analogie zu (3) und (4) schreiben wir, falls von $\psi(\alpha)$ nur Stetigkeit vorausgesetzt wird*)

(5) $$\varphi(\alpha) \overset{k}{\asymp} \int_{(k)}^{\alpha} \chi(\alpha)\,d^k\psi(\alpha)$$

bzw.

(6) $$d^k\varphi(\alpha) = \chi(\alpha)\,d^k\psi(\alpha),$$

und wir verabreden, daß jede der symbolischen Relationen (5) und (6) nur eine andere Schreibweise für (2) bedeutet.

Im Falle $\chi(\alpha) \equiv 0$ folgt aus der Definition (2), wie auch $\psi(\alpha)$ beschaffen sein möge,

(7) $$\varphi(\alpha) \overset{k}{\asymp} 0.$$

Hierfür schreiben wir auch

(8) $$d^k\varphi(\alpha) = 0,$$

so daß diese Relation gleichwertig ist mit der Relation

$$d^k\varphi(\alpha) = 0\,d^k\psi(\alpha),$$

wo $\psi(\alpha)$ eine willkürliche stetige Funktion bedeutet. Sehr wichtig ist der folgende Umstand. Wenn eine durchweg stetige Funktion $\varphi(\alpha)$ der Relation (8) in zwei anstoßenden Intervallen $[A, C]$, $[C, B]$ genügt, so folgt daraus nicht, daß sie dieser Relation im Gesamtintervall $[A, B]$ genügt. Anders ist es, wenn die Intervalle übereinandergreifen, vgl. § 28, 3.

---

*) Konsequenter, aber typographisch umständlicher wäre statt (5) die Relation

$$\varphi(\alpha) \overset{k}{\asymp} \int_{(k)}^{\alpha} \chi(\alpha) \frac{d^k\psi(\alpha)}{d\alpha^{k-1}}.$$

Vgl. auch die Fußnote S. 114.

Eine triviale Funktion $E(\alpha)$ aus $\mathfrak{T}_k$ mit den Exponenten $\tau_1, \tau_2, \ldots, \tau_n$ ist dadurch gekennzeichnet, daß sie stetig ist und in jedem der Intervalle

$$[-\infty, \tau_1], \; [\tau_1, \tau_2], \ldots, \; [\tau_{n-1}, \tau_n], \; [\tau_n, \infty]$$

der Relation

$$d^k E(\alpha) = 0$$

genügt.

3. Gegeben seien in $[A, B]$ Funktionen $\varphi(\alpha)$, $\psi(\alpha)$, $\chi(\alpha)$ und $\varphi_n(\alpha)$, $\psi_n(\alpha)$, $\chi_n(\alpha)$, für welche:

1) $d^k \varphi_n(\alpha) = \chi_n(\alpha)\, d^k \psi_n(\alpha), \qquad n = 1, 2, 3, \ldots$

und

2) gleichmäßig in jedem Teilintervall $(A', B')$ von $[A, B]$ für $n \to \infty$

$$\varphi_n(\alpha) \to \varphi(\alpha), \; \psi_n(\alpha) \to \psi(\alpha),$$

$$\chi_n^{(\varkappa)}(\alpha) \to \chi_n^{(\varkappa)}(\alpha) \qquad \varkappa = 0, 1, 2, \ldots, k.$$

Dann besteht auch die Relation

$$d^k \varphi(\alpha) = \chi(\alpha)\, d^k \psi(\alpha). \tag{9}$$

Denn nach 1) gilt

$$\varphi_n(\alpha) \overset{k}{\asymp} \int_{(k)}^{\alpha} \chi_n(\alpha)\, d^k \psi_n(\alpha), \tag{10}$$

und auf Grund von 2) ist die linke bzw. rechte Seite dieser Relation gegen

$$\varphi(\alpha) \text{ bzw. } \int_{(k)}^{\alpha} \chi(\alpha)\, d^k \psi(\alpha).$$

konvergent. Nach 1) gilt daher auch

$$\varphi(\alpha) \overset{k}{\asymp} \int_{(k)}^{\alpha} \chi(\alpha)\, d^k \psi(\alpha), \tag{11}$$

w. z. b. w.

4. Wenn die Funktionen $\psi_n(\alpha)$ gleichmäßig in jedem Teilintervall $(A', B')$ von $[A, B]$ gegen $\psi(\alpha)$ konvergieren, und wenn man die Funktionen $\varphi_n(\alpha)$ durch die Relation

$$d^k \varphi_n(\alpha) = \chi(\alpha)\, d^k \psi_n(\alpha)$$

definiert, so kann man die $\varphi_n(\alpha)$ derart normieren, daß sie gleichmäßig in jedem $(A', B')$ gegen eine Grenzfunktion $\varphi(\alpha)$ konvergieren, für welche die Relation (9) besteht. Denn man normiere etwa $\varphi_n(\alpha)$ durch die Festsetzung

$$\varphi_n(\alpha) = \int_{(k)}^{\alpha} \chi(\alpha)\, d^k \psi_n(\alpha).$$

5. Es besteht *das assoziative Gesetz*

$$\chi_1(\alpha)\{\chi_2(\alpha)\, d^k \psi(\alpha)\} = \{\chi_1(\alpha)\, \chi_2(\alpha)\}\, d^k\, \psi(\alpha),$$

welches folgendermaßen zu verstehen ist. Es sei $\psi(\alpha)$ stetig, $\chi_1(\alpha)$ und $\chi_2(\alpha)$ $k$-mal stetig differenzierbar, und man setze $\chi(\alpha) = \chi_1(\alpha)\,\chi_2(\alpha)$. Wenn man die Funktionen $\Psi(\alpha)$, $\Phi(\alpha)$, $\varphi(\alpha)$ aus den Relationen

$$d^k\Psi(\alpha) = \chi_2(\alpha)\, d^k\psi(\alpha)$$
$$d^k\Phi(\alpha) = \chi_1(\alpha)\, d^k\Psi(\alpha)$$
$$d^k\varphi(\alpha) = \chi(\alpha)\, d^k\psi(\alpha)$$

bestimmt, so ist

(12) $$d^k\Phi(\alpha) = d^k\varphi(\alpha),$$

d. h.

$$\Phi(\alpha) \overset{k}{\asymp} \varphi(\alpha).$$

Falls $\psi(\alpha)$ $k$-mal stetig differenzierbar ist, so ist die Behauptung richtig, denn dann ist es trivial, daß

$$\chi_1\left\{\chi_2\psi^{(k)}\right\} = \left\{\chi_1\chi_2\right\}\psi^{(k)}.$$

Im allgemeinen Falle gibt es in jedem Teilintervalle $(A', B')$ von $[A, B]$ auf Grund des Weierstrassschen Approximationssatzes eine Folge von $k$-mal stetig differenzierbaren Funktionen $\psi_n(\alpha)$, welche für $n \to \infty$ gleichmäßig gegen $\psi(\alpha)$ konvergieren. Nach 4. kann man in den Relationen

(13) $$\begin{aligned} d^k\Psi_n(\alpha) &= \chi_2(\alpha)\, d^k\psi_n(\alpha) \\ d^k\Phi_n(\alpha) &= \chi_1(\alpha)\, d^k\Psi_n(\alpha) \\ d^k\varphi_n(\alpha) &= \chi(\alpha)\, d^k\psi_n(\alpha) \end{aligned}$$

die Funktionen $\Psi_n(\alpha)$, $\Phi_n(\alpha)$, $\varphi_n(\alpha)$ derart normieren, daß sie gleichmäßig in jedem Teilintervall $(A'', B'')$ von $[A', B']$ gegen $\Psi(\alpha)$, $\Phi(\alpha)$, $\varphi(\alpha)$ konvergieren. Da die $\psi_n(\alpha)$ $k$-mal stetig differenzierbar sind, gilt

$$\Phi_n^{(k)}(\alpha) = \varphi_n^{(k)}(\alpha)$$

und nach 1. folgt hieraus die Gültigkeit von (12) in $(A'', B'')$. Das letztere Intervall kann aber ein beliebig großes Teilintervall von $(A, B)$ sein.

6. Wenn in einem Teilintervall $[a, b]$ von $[A, B]$ die Funktion $\chi(\alpha)$ von Null verschieden ist, so ist daselbst $\chi(\alpha)^{-1}$ ebenso oft stetig differenzierbar wie $\chi(\alpha)$ selber. Multipliziert man beide Seiten von

(14) $$d^k\varphi(\alpha) = \chi(\alpha)\, d^k\psi(\alpha)$$

mit $\chi(\alpha)^{-1}$ und wendet man auf die rechte Seite das assoziative Gesetz an, so entsteht

$$\chi(\alpha)^{-1}\, d^k\varphi(\alpha) = d^k\psi(\alpha).$$

Insbesondere zieht die Relation

(14′) $$G(\alpha)\, d^kE(\alpha) = 0$$

in jedem Intervall in welchem $G(\alpha) \neq 0$ die Relation

$$E(\alpha) \overset{k}{\asymp} 0$$

nach sich. Wenn also $E(\alpha)$ die $k$-Transformierte von $f(x)$ ist, und wenn $G(\alpha)$ in $[-\infty, \infty]$ abgesehen von endlich vielen Punkten $\tau_1, \ldots, \tau_n$ von Null verschieden ist, so hat die Relation (14') zur Folge, daß $f(x)$ eine triviale Funktion aus $\mathfrak{F}_k$ mit den Exponenten $\tau_\nu$ ist, vgl. § 28, 7.

7. Es sei $A < A' < A'' < B'' < B' < B$, $\psi(\alpha)$ stetig in $[A, B]$ und $d^k \psi(\alpha) = 0$ in $(A', B')$, $\chi_1(\alpha)$ und $\chi_2(\alpha)$ $k$-mal stetig differenzierbar in $(A, B)$ und $\chi_1(\alpha) = \chi_2(\alpha)$ in $[A, A'']$ und $[B'', B]$. Von den durch die Relation

$$d^k \varphi_n(\alpha) = \chi_n(\alpha)\, d^k \psi(\alpha) \qquad n = 1, 2$$

definierten Funktionen $\varphi_1(\alpha)$, $\varphi_2(\alpha)$ gilt nun

$$\varphi_1(\alpha) \overset{k}{\asymp} \varphi_2(\alpha) \qquad A < \alpha < B.$$

Denn die Funktion $\Phi(\alpha) = \varphi_1(\alpha) - \varphi_2(\alpha)$ genügt der Relation

$$d^k \Phi(\alpha) = [\chi_1(\alpha) - \chi_2(\alpha)]\, d^k \psi(\alpha),$$

und daher ist

$$(15) \qquad d^k \Phi(\alpha) = 0$$

in $[A, A'']$, $[A', B']$, $[B'', B]$. Da diese Intervalle ineinandergreifen und zusammen das Intervall $[A, B]$ ergeben, so gilt (15) auch in $[A, B]$.

8. Setzt man für $l = 1, 2, 3, \ldots$

$$\Psi(\alpha) = \int_{(l)}^{\alpha} \psi(\alpha)\, d\alpha \qquad \Phi(\alpha) = \int_{(l)}^{\alpha} \varphi(\alpha)\, d\alpha,$$

so folgt aus (14), wenn $\chi(\alpha)$ $(k+l)$-mal stetig differenzierbar ist,

$$d^{k+l}\, \Phi(\alpha) = \chi(\alpha)\, d^{k+l}\, \Psi(\alpha).$$

Auch dies beweist man am schnellsten, wenn man $\psi(\alpha)$ durch $k$-mal stetig differenzierbare Funktionen $\psi_n(\alpha)$ approximiert, die Funktionen $\varphi_n(\alpha)$ durch (13) erklärt und dann einen Grenzübergang $n \to \infty$ vornimmt.

9. Falls die Funktionen $f_n(x)$ aus $\mathfrak{F}_k$ gegen die Funktion $f(x)$ $k$-konvergieren, so sind ihre $k$-Transformierten $E_n(\alpha)$ in passender Normierung gegen die $k$-Transformierte $E(\alpha)$ von $f(x)$ konvergent, und zwar gleichmäßig auf jedem endlichen Intervall. Andererseits kann man jede Funktion $f(x)$ aus $\mathfrak{F}_k$ als $k$-Limes von Funktionen $f_n(x)$ darstellen, von denen jede zu $\mathfrak{F}_0$ gehört, vgl. § 29, 1.

Hiervon wollen wir zwei Anwendungen machen.

10. Wenn man die $k$-Transformierten von $f(x)$ und $f(x+\lambda)$ mit $E(\alpha, k)$ und $\Phi(\alpha, k)$ bezeichnet, so ist

$$(16) \qquad d^k \Phi(\alpha, k) = e(\lambda\alpha)\, d^k E(\alpha, k).$$

Wenn nämlich $f(x)$ zu $\mathfrak{F}_0$ gehört, so ist

$$\Phi(\alpha, 0) = e(\lambda\alpha)\, E(\alpha, 0),$$

und nach 8. folgt hieraus (16). Im allgemeinen Falle stelle man $f(x)$ als $k$-Limes von Funktionen aus $\mathfrak{F}_0$ dar, und mache in

$$d^k\Phi_n(\alpha, k) = e(\lambda\alpha)\, d^k E_n(\alpha, k)$$

den Grenzübergang $n \to \infty$.

11. **Satz 40.** *Mit einer Funktion $f(x)$ aus $\mathfrak{F}_k$ und einer Funktion $K(\xi)$, für welche*

(17) $$|K(\xi)| \leq A(1 + |\xi|^{k+2})^{-1},$$

*bilde man die gleichfalls zu $\mathfrak{F}_k$ gehörige Funktion*

(18) $$g(x) = \frac{1}{2\pi}\int f(\xi)\, K(x-\xi)\, d\xi.$$

*Zwischen den $k$-Transformierten $E(\alpha)$ und $\Phi(\alpha)$ von $f(x)$ und $g(x)$ besteht die Beziehung*

(19) $$d^k\Phi(\alpha) = \gamma(\alpha)\, d^k E(\alpha),$$

*wobei $\gamma(\alpha)$ die 0-Transformierte von $K(\xi)$ bezeichnet. (Daß $\gamma(\alpha)$ $k$-mal stetig differenzierbar ist, folgt aus* § 13, 9).

Beweis. Falls $f(x)$ sogar zu $\mathfrak{F}_0$ gehört, so ist (19) die Faltungsregel aus § 13. Für allgemeine $f(x)$ betrachten wir Funktionen $f_n(x)$ aus $\mathfrak{F}_0$, welche $k$-konvergent sind gegen $f(x)$. Die dazugehörigen Funktionen $g_n(x)$, die gleichfalls zu $\mathfrak{F}_0$ gehören, sind nach Satz 38 $k$-konvergent gegen $g(x)$. Daher entsteht (19) durch Grenzübergang aus

$$d^k\Phi_n(\alpha) = \gamma(\alpha)\, d^k E_n(\alpha).$$

## § 31. Konvergenzsätze.

1. **Satz 41.** *Es sei $\Phi(\alpha)$ absolut integrierbar in $[-\infty, \infty]$. Die Funktion*

(1) $$g(x) = \int e(x\alpha)\, \Phi(\alpha)\, d\alpha$$

*ist (da sie beschränkt ist) in $\mathfrak{F}_2$ enthalten; ihre 2-Transformierte $E(\alpha)$ ist zweimal differenzierbar und genügt der Relation*

$$E''(\alpha) = \Phi(\alpha).$$

Beweis. Wir werden nur den Sonderfall benötigen und beweisen, daß $\Phi(\alpha)$ außerhalb eines endlichen Intervalles verschwindet. Der allgemeine Fall läßt sich im übrigen unschwer hierauf zurückführen, wenn man benutzt, daß die Funktionen

$$g_n(x) = \int_{-n}^{n} e(x\alpha)\, \Phi(\alpha)\, d\alpha$$

2-konvergent sind gegen $g(x)$.

Die Funktion

$$\Psi(\beta,\alpha)=\frac{1}{2\pi}\int e(x\beta)\frac{e(-x\alpha)-L_2(\alpha,x)}{-x^2}\,dx$$

ist bei festem $\beta$ die 2-Transformierte von $e(x\beta)$, also ist nach § 28, 6

$$\Psi(\beta,\alpha)=\tfrac{1}{2}\,|\alpha-\beta|+A(\beta)+\alpha B(\beta).$$

Die Koeffizienten $A(\beta)$ und $B(\beta)$ sind stetig, denn $\Psi(\beta,\alpha)$ ist stetig in $\beta$ für $\alpha=0$ und etwa $\alpha=1$. Führt man die Funktion

$$\Delta(\alpha,\beta)=\begin{cases}\alpha-\beta & \text{für } \alpha>\beta\\ 0 & \text{für } \alpha<\beta\end{cases}$$

ein, so ist

$$\Psi(\beta,\alpha)=\Delta(\alpha,\beta)+A(\beta)+\frac{\beta}{2}+\alpha\left(B(\beta)-\frac{1}{2}\right).$$

Wenn man nun in

$$E(\alpha)\asymp\frac{1}{2\pi}\int g(x)\,\frac{e(-\alpha x)-L_2}{-x^2}\,dx$$

(1) einsetzt und (was zulässig ist) die Reihenfolge der Integrationen vertauscht, so erhält man

$$E(\alpha)\asymp\int\Phi(\beta)\,\Psi(\beta,\alpha)\,d\beta\asymp\int\Delta(\alpha,\beta)\,\Phi(\beta)\,d\beta=\int^{\alpha}(\alpha-\beta)\,\Phi(\beta)\,d\beta.$$

Also ist tatsächlich $E(\alpha)$ das zweite Integral von $\Phi(\alpha)$.

2. **Satz 42.** *Die Funktion $f(x)$ aus $\mathfrak{F}_k$ sei so beschaffen, daß ihre $k$-Transformierte $E(\alpha)$ sowohl in einer linken Halbgeraden $[-\infty, a_0]$ als auch in einer rechten Halbgeraden $[b_0,\infty]$ $k$-mal stetig differenzierbar ist. Für $a<a_0$, $b_0<b$ definieren wir das verallgemeinerte Integral*

$$J(x,a,b)=\int_a^b e(x\alpha)\,d^kE(\alpha)$$

*durch den Ausdruck*

$$(2)\qquad \begin{aligned} &e(xb)\sum_{\varkappa=0}^{k-1}(-ix)^{\varkappa}E^{(k-\varkappa-1)}(b)-e(xa)\sum_{\varkappa=0}^{k-1}(-ix)^{\varkappa}E^{(k-\varkappa-1)}(a)\\ &\qquad\qquad+(-ix)^k\int_a^b e(x\alpha)\,E(\alpha)\,d\alpha.\end{aligned}$$

*Dann besteht bezüglich des Grenzwerts*

$$(3)\qquad \lim_{A\to\infty}J(x,-A,A)$$

*die folgende Behauptung.*

*Falls dieser Grenzwert für fast alle $x$ aus einem Intervall $(x_0, x_1)$ vorhanden ist, so stimmt sein Wert für fast alle $x$ aus $(x_0, x_1)$ mit $f(x)$ überein* [81].

Bemerkung. Unsere Definition des verallgemeinerten Integrals $J(x,a,b)$ ist so angelegt, daß es die folgenden Eigenschaften besitzt:

1) Falls $E(\alpha)$ durchweg $k$-mal (nicht notwendig stetig) differenzierbar ist, so ist

$$J(x, a, b) = \int_a^b e(x\alpha)\, E^{(k)}(\alpha)\, d\alpha.$$

2) Für $a' < a_0$, $b_0 < b'$ ist

$$J(x, a', b') = J(x, a, b) + J(x, a', a) + J(x, b, b'). \tag{4}$$

3) Falls $E(\alpha)$ insbesondere in $[-\infty, a_0]$ und $[b_0, \infty]$ die $k$-te Ableitung Null hat (also in jeder dieser Halbgeraden $\asymp 0$ ist), so ist

$$J(x, a', a) = J(x, b, b') = 0,$$

und daher ist die Funktion

$$F(x) = J(x, a, b) \tag{5}$$

unabhängig von der speziellen Wahl von $a$ und $b$. Insbesondere ist auch

$$F(x) = \lim_{A\to\infty} J(x, -A, A). \tag{6}$$

Beweis. Dem eigentlichen Beweise schicken wir voraus den

3. **Satz 43.** *Falls die $k$-Transformierte $E(\alpha)$ von $f(x)$ in $[-\infty, a_0]$ und $[b_0, \infty]$ die $k$-te Ableitung Null hat, so ist*

$$f(x) = \lim_{A\to\infty} J(x, -A, A) \tag{7}$$

*(und demnach unter anderem $f(x)$ beliebig oft differenzierbar).*

Beweis. Wir setzen

$$J(x, a, b) = t(x) + (-ix)^k g(x),$$

wo $t(x)$ den „trivialen" Teil der Funktion (2) bedeutet und

$$g(x) = \int_a^b e(x\alpha)\, E(\alpha)\, d\alpha.$$

Da $g(x)$ beschränkt ist, so ist die durch (5) bzw. (6) definierte Funktion $F(x)$ gleichfalls in $\mathfrak{F}_{k+2}$ enthalten. Wir untersuchen jetzt die $(k+2)$-Transformierte $\Phi(\alpha)$ von $F(x)$. Der von $t(x)$ herrührende Teil von $\Phi(\alpha)$ ist im Intervall $a < \alpha < b$ äquivalent Null, vgl. § 28, 7. Daher ist

$$\Phi(\alpha) \overset{k+2}{\asymp} \int (-ix)^k g(x) \frac{e(-\alpha x) - L_{k+2}}{(-ix)^{k+2}}\, dx = \int g(x) \frac{e(-\alpha x) - L_{k+2}}{(-ix)^2}\, dx$$
$$\overset{k+2}{\asymp} \int g(x) \frac{e(-\alpha x) - L_2}{(-ix)^2}\, dx \overset{k+2}{\asymp} \Psi(\alpha),$$

wo $\Psi(\alpha)$ die 2-Transformierte von $g(x)$ bedeutet. Auf Grund von Satz 41 ist aber

$$\Psi''(\alpha) = E(\alpha).$$

Folglich ist

$$\Phi(\alpha) \overset{k+2}{\asymp} \int_{(2)}^{\alpha} E(\alpha)\, d\alpha \qquad (a < \alpha < b).$$

Da nun $(a, b)$ ein beliebig großes Intervall sein kann, und da $E(\alpha)$ die $k$-Transformierte von $f(x)$ ist, so folgt daraus nach Satz 37, daß $f(x)$ und $F(x)$ als Funktionen von $\mathfrak{F}_{k+2}$ betrachtet übereinstimmen. Das heißt aber, daß die Funktionen $f(x)$ und $F(x)$ identisch sind.

4. Nunmehr können wir Satz 42 beweisen. Wir betrachten in $[-\infty, \infty]$ eine $(k+2)$-mal stetig differenzierbare und außerhalb eines endlichen Intervalls $(-\alpha_0, \alpha_0)$ verschwindende Funktion $\gamma(\alpha)$, welche gerade ist $[\gamma(-\alpha) = \gamma(\alpha)]$, in $0 \leqq \alpha < \infty$ monoton abnimmt und für $\alpha = 0$ den Wert 1 hat. Für die Funktion

$$K(\xi) = \int e(\xi\alpha)\,\gamma(\alpha)\,d\alpha$$

ist

$$|K(\xi)| \leqq C(1 + |\xi|^{k+2})^{-1}$$

und

$$\frac{1}{2\pi}\int K(\xi)\,d\xi = \gamma(0) = 1.$$

Die Funktion

$$f_n(x) = \frac{n}{2\pi}\int f(\xi)\,K[n(x-\xi)]\,d\xi$$

hat eine $k$-Transformierte $E_n(\alpha)$, welche nach Satz 40 der Relation

$$d^k E_n(\alpha) = \gamma\left(\frac{\alpha}{n}\right) d^k E(\alpha)$$

genügt, und demnach die folgenden drei Eigenschaften besitzt:

1) Außerhalb von $(a_0, b_0)$ ist $E_n(\alpha)$ $k$-mal stetig differenzierbar, nämlich

$$E_n^{(k)}(\alpha) = \gamma\left(\frac{\alpha}{n}\right) E^{(k)}(\alpha).$$

2) In passender Normierung ist $E_n(\alpha)$ für $n \to \infty$ gleichmäßig in jedem endlichen $\alpha$-Intervall gegen $E(\alpha)$ konvergent $\left[\text{wegen } \gamma\left(\frac{\alpha}{n}\right) \to \gamma(0)\right]$, und desgleichen sind die Ableitungen von $E_n(\alpha)$ gegen die entsprechenden Ableitungen von $E(\alpha)$ in jedem Punkte $\alpha = a < a_0$ und $\alpha = b > b_0$ konvergent und

3) außerhalb des Intervalls $(-\alpha_0 n, \alpha_0 n)$ ist

$$E_n^{(k)}(\alpha) = 0.$$

Nach Satz 42 ist wegen 3)

$$f_n(x) = \lim_{A \to \infty} J_n(x, -A, A), \tag{8}$$

wobei $J_n(x, a, b)$ den mit $E_n(\alpha)$ gebildeten Ausdruck (2) bezeichnet, d. h. für $A > -a_0$ und $A > b_0$ ist

$$f_n(x) = J_n(x, -A, A) + \left(\int^{-A} + \int_A\right) e(x\alpha)\,\gamma\left(\frac{\alpha}{n}\right) E^{(k)}(\alpha)\,d\alpha. \tag{9}$$

Es sei nun $x$ ein fester Punkt aus $(x_0, x_1)$, in welchem der Grenzwert (3) vorhanden ist, d. h. in welchem das Integral

(10) $$\int_A [e(x\alpha)\, E^{(k)}(\alpha) + e(-x\alpha)\, E^{(k)}(-\alpha)]\, d\alpha$$

konvergent ist. Wir bezeichnen (bei festem $x$) den Integranden mit $\varphi(\alpha)$, also hat (10) den Wert

$$H = \int_A \varphi(\alpha)\, d\alpha.$$

Daneben betrachten wir die Größen

$$H_n = \int_A \varphi(\alpha)\, \gamma\left(\frac{\alpha}{n}\right) d\alpha = \int_A^{a_0 n} \varphi(\alpha)\, \gamma\left(\frac{\alpha}{n}\right) d\alpha,$$

und wir behaupten, daß

(11) $$\lim_{n\to\infty} H_n = H.$$

Zum Beweis ziehen wir die Funktion

$$H(\alpha) = \int_\alpha \varphi(\alpha)\, d\alpha \qquad \alpha \geqq A$$

heran, und bezeichnen das Maximum von $|H(\alpha)|$ mit $M$. Es ist

$$H_n = -\int_A H'(\alpha)\, \gamma\left(\frac{\alpha}{n}\right) d\alpha = \gamma\left(\frac{A}{n}\right) H(A) + \frac{1}{n}\int_A H(\alpha)\, \gamma'\left(\frac{\alpha}{n}\right) d\alpha.$$

Hieraus folgt (11) wegen

$$\gamma\left(\frac{A}{n}\right) H(A) \to \gamma(0)\, H(A) = 1 \cdot H(A) = H$$

und

$$\left|\int_A H(\alpha)\, \gamma'\left(\frac{\alpha}{n}\right) d\alpha\right| \leqq M \int_A \left[-\gamma'\left(\frac{\alpha}{n}\right)\right] d\alpha \leqq M \cdot \gamma(0).$$

Unter Berücksichtigung von $\gamma(-\alpha) = \gamma(\alpha)$ besagt die Relation (11), daß der zweite Summand in

$$J(x, -A, A) + \left(\int^{-A} + \int_A\right) e(x\alpha)\, E^{(k)}(\alpha)\, d\alpha$$

der Grenzwert des entsprechenden Summanden rechts in (9) ist. Außerdem ist wegen 2) der erste Summand der Grenzwert des entsprechenden ersten Summanden. Wir haben also das Ergebnis, daß für fast alle $x$ aus $(x_0, x_1)$

$$\lim_{n\to\infty} f_n(x) = \lim_{A\to\infty} J(x, -A, A).$$

Da aber nach Satz 39 die Folge $f_n(x)$ im Mittel gegen $f(x)$ konvergiert, so ist der Grenzwert

$$\lim_{n\to\infty} f_n(x),$$

sofern er für fast alle $x$ aus $(x_0, x_1)$ vorhanden ist, mit $f(x)$ identisch [Anhang 11], w. z. b. w.

## § 32. Multiplikatoren.

Die weiteren Betrachtungen dieses Kapitels werden in vielem den entsprechenden Überlegungen des vorigen Kapitels ähnlich sein, so daß wir uns öfters mit kurzen Hinweisen und Andeutungen begnügen werden und triviale Verallgemeinerungen von $k = 0$ auf beliebige $k$ ganz unterdrücken werden.

Zum vorliegenden Paragraphen vgl. man § 23.

1. Gegeben sei eine Funktion aus $\mathfrak{F}_k$:

$$f(x) \sim \int e(x\alpha)\, d^k E(\alpha). \tag{1}$$

Unter einem *Multiplikator* von $E(\alpha)$ bzw. $f(x)$ verstehen wir eine $k$-mal stetig differenzierbare Funktion $\Gamma(\alpha)$, die so beschaffen ist, daß die Funktion

$$\Phi(\alpha) \asymp \int_{(k)}^{\alpha} \Gamma(\alpha)\, d^k E(\alpha) \tag{2}$$

wieder zu $\mathfrak{T}_k$ gehört. Die zu $\Phi(\alpha)$ gehörige Funktion aus $\mathfrak{F}_k$ werden wir wiederum mit

$$\Gamma[f]$$

bezeichnen. Ist $\Gamma(\alpha)$ ein allgemeiner Multiplikator der Klasse $\mathfrak{F}_k$ (bzw. $\mathfrak{T}_k$) so sprechen wir auch kurz von einem *k-Multiplikator*. Mit $\Gamma_1$ und $\Gamma_2$ ist auch $\Gamma = c_1\Gamma_1 + c_2\Gamma_2$ ein Multiplikator:

$$\Gamma[f] = c_1\Gamma_1[f] + c_2\Gamma_2[f];$$

auf Grund des assoziativen Gesetzes (§ 30, 5) ist das Produkt $\Gamma$ zweier $k$-Multiplikatoren $\Gamma_1, \Gamma_2$ wiederum ein $k$-Multiplikator:

$$\Gamma[f] = \Gamma_1[\Gamma_2[f]] = \Gamma_2[\Gamma_1[f]].$$

2. $e(\lambda\alpha)$ ist nach § 30, 10 ein $k$-Multiplikator: $\Gamma[f(x)] = f(x+\lambda)$. Daher ist eine endliche Reihe der Gestalt

$$c_1\, e(\mu_1\alpha) + c_2\, e(\mu_2\alpha) + \cdots + c_n e(\mu_n\alpha) + \cdots \tag{3}$$

ein $k$-Multiplikator. Wir wollen zeigen, daß eine unendliche Reihe dieser Gestalt jedenfalls dann ein $k$-Multiplikator ist, wenn die beiden Reihen

$$\sum_{\nu=1}^{\infty} |c_\nu| \qquad \sum_{\nu=1}^{\infty} |\mu_\nu|^k |c_\nu| \tag{4}$$

konvergieren. Aus der leicht verifizierbaren Ungleichheit

$$\frac{1}{1+|x-\mu|^k} \leq 2^k \frac{1+|\mu|^k}{1+|x|^k}$$

folgt auf Grund der Endlichkeit der Reihen (4), unter Benutzung der Abkürzung

$$p_k(t) = (1+|t|^k)^{-1},$$

die Abschätzung

$$\sum_{\nu=n+1}^{n+p} |c_\nu|\, p_k(x-\mu_\nu) \leq C_n p_k(x),$$

wobei $C_n$ eine nur von $n$ abhängige Zahl ist, für welche

$$\lim_{n\to\infty} C_n = 0.$$

In der Bezeichnung von § 23, 3 ist

$$\int |H_{n+p}[f] - H_n[f]|\, p_k dx \leq \sum_{\nu=n+1}^{n+p} |c_\nu| \int |f(x+\mu_\nu)|\, p_k(x)\, dx$$

$$\leq \int |f(x)| \sum_{n+1}^{n+p} |c_\nu|\, p_k(x-\mu_\nu)\, dx \leq C_n \int |f(x)|\, p_k(x)\, dx;$$

demnach ist die Funktionenfolge

$$H_n[f] \sim \int e(x\alpha)\, H_n(\alpha)\, d^k E(\alpha)$$

$k$-konvergent. Ihren $k$-Limes bezeichnen wir mit

$$F(x) \sim \int e(x\alpha)\, d^k \Phi(\alpha).$$

Nach § 30, 9 gilt

$$\Phi(\alpha) \overset{k}{\asymp} \lim_{n\to\infty} \int_{(k)}^{\alpha} H_n(\alpha)\, d^k E(\alpha)$$

und daher ist nach § 30, 4

$$d^k\Phi(\alpha) = H(\alpha)\, d^k E(\alpha).$$

Also ist $H(\alpha)$ ein Multiplikator der willkürlichen Funktion $f(x)$ aus $\mathfrak{F}_k$.

Wenn die Funktion

(5) $$G(\alpha) = \sum_{\sigma=0}^{s} a_\sigma e(\delta_\sigma \alpha)$$

wesentlich von Null verschieden ist,

(6) $$|G(\alpha)| \geq S > 0 \qquad (-\infty < \alpha < \infty),$$

so kann man sie in eine absolut konvergente Reihe der Gestalt (3) entwickeln. Die Funktion

(7) $$\frac{d^k (G(\alpha)^{-1})}{d\alpha^k}$$

läßt sich als Quotient zweier Funktionen der Bauart (5) schreiben, wobei der Nenner den Wert $G(\alpha)^k$ hat, also wesentlich von Null verschieden ist. Also kann man auch die Funktion (7) in eine absolut konvergente Exponentialreihe entwickeln. Wie aus der Theorie der fastperiodischen Funktionen bekannt ist (und wie man auch unschwer direkt zeigen kann), entsteht die Entwicklung von (7) aus der Entwicklung von $G(\alpha)^{-1}$ durch $k$-malige formale Differentiation[82]), sie lautet also:

$$\sum_{\nu=1}^{\infty} (i\mu_\nu)^k c_\nu e(\mu_\nu \alpha).$$

Diese Reihe ist absolut konvergent, d. h. aber, daß auch die zweite Reihe (4) konvergiert. Wir haben also das Ergebnis:

Die Funktion $G(\alpha)^{-1}$ ist für beliebig großes $k$ ein $k$-Multiplikator.

3. Die 0-Transformierte einer Funktion $K(\xi)$, welche einer Abschätzung

$$|K(\xi)| \leq A(1+|\xi|^{k+2})^{-1} \tag{8}$$

genügt, ist nach Satz 40 ein $k$-Multiplikator. Solche 0-Transformierte sind einerseits die Funktionen

$$\frac{1}{\alpha-i}, \quad \frac{1}{\alpha+i}, \tag{9}$$

andererseits alle solchen Funktionen, die mit den ersten $k+2$ Ableitungen absolut integrierbar sind, und allgemein $(k+2)$-mal stetig differenzierbare Funktionen $\Gamma(\alpha)$, die man außerhalb eines Intervalls $-A \leq \alpha \leq A$ schreiben kann:

$$\Gamma(\alpha) = \frac{c}{\alpha} + H(\alpha),$$

wo $c$ eine Konstante und $H(\alpha)$ mit den $k+2$ ersten Ableitungen absolut integrierbar ist.

Die Betrachtungen aus § 23, 10 übertragen sich wörtlich, wenn man „Multiplikator" durch „$k$-Multiplikator" ersetzt, hingegen sind die Betrachtungen aus § 23, 11 folgendermaßen abzuändern. Gegeben sei eine Funktion (1). Zwei $k$-mal stetig differenzierbare Funktionen $\Gamma_1, \Gamma_2$, welche nur für solche Punkte $\alpha$ voneinander verschieden sind, in deren Umgebung

$$d^k E(\alpha) = 0$$

ist, sind entweder alle beide Multiplikatoren von (1) oder keine von beiden. Wir nennen sie „gleichwertig" in bezug auf (1).

Das Ergebnis aus § 23, 12 läßt sich für $k \geq 1$ in der folgenden Weise aufrechterhalten. Eine Funktion $E(\alpha)$ aus $\mathfrak{T}_k$ habe die Eigenschaft, daß außerhalb eines endlichen Intervalls $(a_0, b_0)$, d. h. sowohl in $[-\infty, a_0]$ als auch in $[b_0, \infty]$, die Relation

$$d^k E(\alpha) = 0$$

besteht. In einem umfassenden Intervall $(a, b)$, $a < a_0$, $b_0 < b$, sei eine $(k+2)$-mal differenzierbare Funktion $\Gamma^*(\alpha)$ gegeben. Dann gibt es genau eine Funktion $\Phi(\alpha)$ aus $\mathfrak{T}_k$, welche außerhalb von $(a_0, b_0)$ der Relation $d^k\Phi(\alpha) = 0$ und in $[a, b]$ der Relation

$$d^k\Phi(\alpha) = \Gamma^*(\alpha)\, d^k E(\alpha)$$

genügt.

4. **Satz 44.** *Es sei $f(x)$ eine Funktion aus $\mathfrak{F}_k$ und $E(\alpha)$ ihre $k$-Transformierte.*

1) *Falls $f(x)$ $r$-mal in $\mathfrak{F}_k$ differenzierbar ist, so gilt*

$$f^{(\varrho)}(x) \sim \int e(x\alpha)\,(i\alpha)^{\varrho} d^k E(\alpha) \qquad \varrho = 0, 1, 2, \ldots, r. \tag{10}$$

2) *Falls umgekehrt eine Funktion*

$$\varphi(x) \sim \int e(x\alpha)\,(i\alpha)^r d^k E(\alpha) \tag{11}$$

*existiert (d. h. falls $(i\alpha)^r$ ein Multiplikator von $E(\alpha)$ ist), so ist $f(x)$ $r$-mal in $\mathfrak{F}_k$ differenzierbar (und es ist $f^{(r)}(x) = \varphi(x)$).*

3) *Falls außerhalb eines endlichen Intervalls $(a_0, b_0)$: $d^k E(\alpha) = 0$ ist, so ist $f(x)$ beliebig oft in $\mathfrak{F}_k$ differenzierbar, und es ist nach 1.*

$$f^{(\varrho)}(x) = \int e(x\alpha)\,(i\alpha)^{\varrho} d^k E(\alpha) \qquad \varrho = 0, 1, 2, 3, \ldots \tag{12}$$

4) *Falls innerhalb eines Intervalls $[a_0, b_0]$, welches den Punkt $\alpha = 0$ enthält, $d^k E(\alpha) = 0$ ist, so ist $f(x)$ beliebig oft in $\mathfrak{F}_k$ integrierbar und das $\varrho$-te Integral $F_\varrho(x)$ hat die Darstellung*

$$F_\varrho(x) \sim \int e(x\alpha)\,(i\alpha)^{-\varrho} d^k E(\alpha). \tag{13}$$

Bemerkung. Die Formel (10) bzw. (13) ist so zu verstehen, daß die $k$-Transformierte $\Phi(\alpha)$ der links stehenden Funktion der Relation

$$d^k \Phi(\alpha) = (i\alpha)^{\varrho} d^k E(\alpha) \tag{14}$$

bzw.

$$(i\alpha)^{\varrho} d^k \Phi(\alpha) = d^k E(\alpha) \tag{15}$$

genügt.

Beweis. Ad 1) Es genügt, sich auf den Fall $r = 1$ zu beschränken, und zwar für die $k$-Transformierte $E_1(\alpha)$ von $f'(x)$ zu beweisen:

$$d^k E_1(\alpha) = i\alpha\, d^k E(\alpha). \tag{16}$$

Es ist

$$2\pi\, E_1(\alpha) \asymp \int f'(x) \frac{e(-\alpha x) - L_k}{(-ix)^k}\, dx.$$

Unter Berücksichtigung von $i f(x) = o(|x|^k)$, vgl. § 29, 5, erhält man durch eine vorsichtige partielle Integration und eine anschließende kleine Rechnung:

$$2\pi\, E_1(\alpha) \asymp -\int_{-1}^{1} f(x) \frac{d}{dx}\left(\frac{e(-\alpha x) - L_k(\alpha, x)}{(-ix)^k}\right) dx - \left(\int^{-1} + \int_{1}\right) f(x) \frac{d}{dx}\left(\frac{e(-\alpha x)}{(-ix)^k}\right) dx$$

$$\asymp i\alpha \int f(x) \frac{e(-\alpha x) - L_k}{(-ix)^k}\, dx - ik \int f(x) \frac{e(-\alpha x) - L_{k+1}}{(-ix)^{k+1}}\, dx.$$

Also ist

$$E_1(\alpha) \asymp i\alpha\, E(\alpha) - ik \int_0^\alpha E(\beta)\, d\beta,$$

und diese Relation ist nur eine andere Schreibweise von (16).

Ad 3) Es sei $\Gamma(\alpha)$ $(k+2)$-mal differenzierbar, in $(a_0-\varepsilon, b_0+\varepsilon)$ gleich eins und außerhalb eines endlichen Intervalls gleich Null. Die dazugehörige Funktion aus $\mathfrak{F}_0$ bezeichnen wir mit $K(\xi)$. Die Funktion

(17) $$\Gamma[f] = \frac{1}{2\pi}\int K(\xi)\, f(x-\xi)\, d\xi$$

ist einerseits nach Satz 40 identisch mit $f(x)$, andererseits nach § 29, 7 beliebig oft in $\mathfrak{F}_k$ differenzierbar.

Ad 4) Es sei $a_0 < a < 0 < b < b_0$. Man kann eine Funktion $\Gamma(\alpha)$ finden, welche $(k+2)$-mal differenzierbar ist und außerhalb von $[a, b]$ mit $(i\alpha)^{-1}$ übereinstimmt. Jetzt schließt man wie beim Beweis zu Satz 27, unter Berücksichtigung von 3. und § 29, 7.

Ad 2) Man schließt analog wie beim Satz 25, und zwar führt man sukzessive die Funktionen $\Gamma_\varkappa(\alpha)$, $\Gamma_0(\alpha)$, $f_\varkappa$, $\varphi_\varkappa$, $F_0(x)$ und $g(x)$ und die $k$-Transformierte $F(\alpha)$ von $g(x)$ ein. $g(x)$ ist das $r$-te Integral von $\varphi(x)$, und es soll nachgewiesen werden, daß auch $f(x)$ ein $r$-tes Integral von $\varphi(x)$ ist. Dazu muß man zeigen, daß

$$h(x) = g(x) - f(x)$$

ein Polynom in $x$ von $(r-1)$-ten Grade ist. Die $k$-Transformierte von $h(x)$ beträgt $H(\alpha) = F(\alpha) - E(\alpha)$ und man hat die Relation

(18) $$(i\alpha)^r d^k H(\alpha) = 0.$$

Nach § 30, 6 ist $h(x)$ eine triviale Funktion aus $\mathfrak{F}_k$, also beliebig oft in $\mathfrak{F}_k$ differenzierbar, und wegen der schon bewiesenen Behauptung 1) folgt aus (18), daß $h^{(r)}(x)$ verschwindet, w. z. b. w.

5. In Analogie zu Satz 28 und § 24, 5 besteht folgendes. Damit eine Funktion

$$F(x) \sim \int e(x\alpha)\, \{i(\alpha-\lambda)\}^{\pm r} d^k E(\alpha)$$

vorhanden ist, ist notwendig und hinreichend, daß $e(-\lambda x)\, f(x)$ $r$-mal in $\mathfrak{F}_k$ differenzierbar bzw. integrierbar ist (+ gilt für Differentiation, — für Integration), und zwar ist

$$F(x) = e(\lambda x)\, [e(-\lambda x)\, f(x)]^{(r)}$$

bzw.

$$F(x) = e(\lambda x) \int_{(r)}^{x} e(-\lambda x)\, f(x)\, dx.$$

Wenn die $k$-Transformierten $E_1(\alpha)$, $E_2(\alpha)$ in der Umgebung eines Punktes $\alpha = \lambda$ $k$-äquivalent sind, und wenn eine Funktion

$$\int e(x\alpha)\left\{i(\alpha-\lambda)\right\}^{-r} d^k E_1(\alpha)$$

vorhanden ist, so gibt es auch eine Funktion

$$\int e(x\alpha)\left\{i(\alpha-\lambda)\right\}^{-r} d^k E_2(\alpha).$$

## § 33. Operatorengleichungen.

1. Es sei $G(\alpha)$ $k$-mal stetig differenzierbar in $[-\infty, \infty]$. Unter einer Lösung der Gleichung

(1) $$G(\alpha)\, d^k\varphi(\alpha) = 0$$

verstehen wir eine ihr genügende Funktion $\varphi(\alpha)$ aus $\mathfrak{T}_k$ bzw. die dazugehörige Funktion

(2) $$y(x) \sim \int e(x\alpha)\, d^k\varphi(\alpha)$$

aus $\mathfrak{F}_k$.

2. Falls $G(\alpha)$ keine (reellen) Nullstellen hat, so gibt es nach § 30, 6 keine Lösung [d. h. es gibt nur die Lösung $y(x) \equiv 0$] und falls nur endlich viele Nullstellen

(3) $$\tau_1, \ldots, \tau_\nu, \ldots, \tau_n$$

vorhanden sind, so kommen nur Funktionen der Gestalt

(4) $$y(x) = \sum_{\nu=1}^{n} y_\nu(x)$$

mit

(5) $$y_\nu(x) = e(\tau_\nu x) \sum_{\mu=0}^{k-2} c_{\nu\mu} x^\mu \qquad \nu = 1, 2, \ldots, n$$

in Frage.

Genauer gilt folgendes. Falls die Nullstellen (3) die Vielfachheiten

(6) $$l_1, \ldots, l_\nu, \ldots, l_n$$

besitzen, so hat die allgemeine Lösung von (1) die Gestalt

(7) $$y(x) = \sum_{\nu=1}^{n} \left( e(\tau_\nu x) \sum_{\mu=0}^{m_\nu} c_{\nu\mu} x^\mu \right),$$

wobei

(8) $$m_\nu = \text{Min}\,(l_\nu - 1,\ k-2) \qquad \nu = 1, 2, \ldots, n,$$

und die $c_{\nu\mu}$ willkürliche Konstanten sind. Wenn nämlich $\Gamma_\nu$ ein willkürlicher $k$-Multiplikator ist, so ist zugleich mit $\varphi(\alpha)$ auch

$$\varphi_\nu(\alpha) \asymp \int_{(k)}^{\alpha} \Gamma_\nu(\alpha)\, d^k\varphi(\alpha)$$

eine Lösung von (1). Wenn nun $\Gamma_\nu(\alpha)$ die Nullstelle $\tau_\nu$ von den anderen Nullstellen „isoliert", und wenn $\varphi(\alpha)$ die $k$-Transformierte von (4) ist, so ist, gemäß der in § 28, 7 diskutierten Struktur der trivialen Funktionen, $\varphi_\nu(\alpha)$ die $k$-Transformierte von $y_\nu(x)$, also ist jeder Bestandteil $y_\nu(x)$ für sich eine Lösung. Umgekehrt ist zugleich mit den $y_\nu(x)$ auch $y(x)$ eine Lösung. Es erübrigt also nur zu erörtern, für welche $c_{\nu\mu}$ die Funktion (5) eine Lösung ist. Nach Voraussetzung ist in der Umgebung von $\alpha = \tau_\nu$

(9) $$G(\alpha) = \{i(\alpha - \tau_\nu)\}^{l_\nu} G_*(\alpha) \qquad G_*(\alpha) \neq 0,$$

und daraus folgt leicht, daß die Relation $G(\alpha)\, d^k\varphi_\nu(\alpha) = 0$ gleichbedeutend ist mit der Relation

(10) $$\{i(\alpha - \tau_\nu)\}^{l_\nu} d^k\varphi_\nu(\alpha) = 0.$$

Nach § 32, 5 ist $y_\nu(x)$ dann und nur dann eine Lösung von (10), wenn die $l_\nu$-te Ableitung von $e(-\tau_\nu x)\, y_\nu(x)$ verschwindet. Daraus folgt (7).

3. Falls Lösungsfunktionen $\varphi_\varkappa(\alpha)$, $\varkappa = 1, 2, 3, \ldots$, von (1) gleichmäßig in jedem endlichen Intervall gegen eine Funktion $\varphi(\alpha)$ konvergieren, so ist auch letztere eine Lösung. Wenn daher $G(\alpha)$ unendlich viele Nullstellen ohne Häufungspunkt

(11) $$\tau_1, \tau_2, \tau_3, \ldots \qquad \lim_{\nu\to\infty} |\tau_\nu| = \infty$$

mit wohlbestimmten Vielfachheiten

(12) $$l_1, l_2, l_3, \ldots$$

besitzt, so gehören zu den Lösungen die Funktionen

(13) $$y_\varkappa(x) = \sum_{\nu=1}^{\varkappa} \left( e(\tau_\nu x) \sum_{\mu=0}^{m_\nu} c_{\nu\mu}^{(\varkappa)} x^\mu \right) \qquad \varkappa = 1, 2, 3, \ldots$$

und jeder $k$-Limes solcher Funktionen. Umgekehrt kann man dann jede Lösung $y(x)$ durch Funktionen (13) $k$-approximieren. Zum Beweise der Umkehrung seien $\gamma(\alpha)$ und $K(\xi)$ Funktionen wie in § 31, 4 und wir betrachten die Funktionen

$$y_p(x) = \frac{p}{2\pi} \int y(\xi)\, K(p(x-\xi))\, d\xi,$$

welche nach Satz 39 für $p \to \infty$ gegen $y(x)$ $k$-konvergieren. Wegen

$$d^k\varphi_p(\alpha) = \gamma\left(\frac{\alpha}{p}\right) d^k\varphi(\alpha)$$

gilt

(14) $$G(\alpha)\, d^k\varphi_p(\alpha) = 0.$$

Nun ist

(15) $$d^k\varphi_p(\alpha) = 0 \text{ außerhalb eines Intervalls } (a_p, b_p).$$

Für eine jede Lösung von (14), welche der Voraussetzung (15) genügt, folgt aber, ebenso wie im Falle endlich vieler $\tau_\nu$, daß sie eine triviale Funktion der Gestalt (13), — mit Exponenten $\tau_\nu$ aus dem Intervall $(a_p, b_p)$ —, ist; w. z. b. w. Wenn man nur solche Lösungen haben will, deren Transformierte außerhalb eines endlichen Intervalls $(a, b)$ äquivalent Null sind, und wenn kein $\tau_\nu$ den Wert $a$ oder $b$ hat, so entsteht die Gesamtheit der Funktionen (13), gebildet mit denjenigen $\tau_\nu$, welche im Intervall $(a, b)$ gelegen sind.

4. Falls die Nullstellen von $G(\alpha)$ von komplizierterer Beschaffenheit sind, so kann man nicht leicht die Gesamtheit der Lösungen von (1) beschreiben.

Wenn etwa $G(\alpha)$ unter anderem in einem Intervall $[a_0, b_0]$ verschwindet, so gehören zu den Lösungen: jede Funktion (13) mit Exponenten aus dem Intervall $[a_0, b_0]$ und jeder $k$-Limes von solchen Funktionen, aber auch z. B. für $a_0 < a < b < b_0$ jede Funktion

$$(16) \qquad (-ix)^k \int_a^b \gamma(\alpha)\, e(x\alpha)\, d\alpha,$$

falls $\gamma(\alpha)$ zweimal differenzierbar ist und für $\alpha = a$ und $\alpha = b$ mitsamt der ersten Ableitung verschwindet [weil dann nämlich (16) eine Funktion aus $\mathfrak{F}_k$ ist, deren $k$-Transformierte mit $\gamma(\alpha)$ übereinstimmt, also für $\alpha < a$ und $b < \alpha$ äquivalent Null ist].

5. Jetzt betrachten wir allgemeiner bei gegebener Funktion

$$(17) \qquad f(x) \sim \int e(x\alpha) d^k E(\alpha)$$

die inhomogene Gleichung

$$(18) \qquad G(\alpha)\, d^k\varphi(\alpha) = d^k E(\alpha).$$

Ist $\varphi_0(\alpha)$ eine spezielle Lösung von (18), so erhält man die allgemeine, wenn man eine willkürliche Lösung von (1) hinzuaddiert. Wir werden also nur noch untersuchen, ob mindestens eine Lösung von (18) vorhanden ist.

6. Nehmen wir an, daß $G(\alpha)$ endlich oder abzählbar unendlich viele Nullstellen (11) mit den Vielfachheiten (12) besitzt. Wie in § 25, 1 zeigt man folgendes. *Damit* (18) *eine Lösung besitzt, ist notwendig, daß für alle* $\varkappa$ *die Funktion*

$$(19) \qquad e(-\tau_\varkappa x)\, f(x)$$

$l_\varkappa$*-mal in* $\mathfrak{F}_k$ *integrierbar ist, d. h. daß sämtliche Funktionen*

$$\int_{(k)}^{\alpha} \left\{i(\alpha - \tau_\varkappa)\right\}^{-l_\varkappa} d^k E(\alpha)$$

*zu* $\mathfrak{T}_k$ *gehören.*

Es sei nun insbesondere für $r \geqq 1$:

(20) $$G(\alpha) = (i\alpha)^r + \sum_{\varrho=0}^{r-1} \sum_{\sigma=0}^{s} a_{\varrho\sigma}(i\alpha)^\varrho e(\delta_\sigma \alpha),$$

oder allgemeiner für $r \geqq 0$:

(21) $$G(\alpha) = \sum_{\varrho=0}^{r} \sum_{\sigma=0}^{s} a_{\varrho\sigma}(i\alpha)^\varrho e(\delta_\sigma \alpha),$$

wobei der „Hauptteil"

$$\gamma(\alpha) = \sum_{\sigma=0}^{s} a_{r\sigma} e(\delta_\sigma \alpha)$$

wesentlich von Null verschieden ist,

(22) $$|\gamma(\alpha)| \geqq S > 0 \qquad (-\infty < \alpha < \infty).$$

Auf Grund desselben Hilfssatzes und analoger Betrachtungen wie in § 25 zeigt man folgendes. Falls $G(\alpha)$ überhaupt keine Nullstellen besitzt, so sind die Funktionen

$$(i\alpha)^\varrho G(\alpha)^{-1} \qquad \varrho = 0, 1, \ldots, r$$

$k$-Multiplikatoren, und es existiert eine Lösung $y(x)$, *welche sogar $r$-mal in $\mathfrak{F}_k$ differenzierbar ist.* Im Falle (20) gilt wiederum wie in § 25, 5

$$y^{(\varrho)}(x) = \frac{1}{2\pi} \int K^{(\varrho)}(\xi) f(x-\xi)\, d\xi \qquad \varrho = 0, 1, \ldots, r.$$

Falls allgemeiner $G(\alpha)$ endlich viele Nullstellen besitzt, so ist die obige notwendige Bedingung auch hinreichend dafür, daß eine $r$-mal in $\mathfrak{F}_k$ differenzierbare Lösung $y(x)$ existiert. Sie ist aber nur bis auf eine willkürliche additive Funktion der Gestalt (7) bestimmt; denn jede Funktion (7) ist beliebig oft (also insbesondere $r$-mal) in $\mathfrak{F}_k$ differenzierbar.

Wenn im Falle (21) die Voraussetzung (22) fallen gelassen wird, so gilt in Analogie zu Satz 33 folgendes. Falls $E(\alpha)$ außerhalb eines endlichen Intervalls $(a, b)$ äquivalent Null ist, so ist es für das Vorhandensein einer $r$-mal in $\mathfrak{F}_k$ differenzierbaren Lösung hinreichend, daß die obige notwendige Bedingung in bezug auf die ins Intervall $(a, b)$ fallenden Nullstellen von $G(\alpha)$ erfüllt ist. Aber nach 3. braucht die zu einer speziellen Lösung von (18) hinzutretende willkürliche Lösung von (1) jetzt nicht eine triviale Funktion zu sein. Wenn man aber nur solche Lösungen von (18) haben will, deren $k$-Transformierte außerhalb von $(a, b)$ äquivalent Null ist, so treten triviale Funktionen mit Exponenten aus $(a, b)$ hinzu.

7. Wir betrachten noch, gemäß der in § 26 untersuchten Integralgleichung, den Fall

$$G(\alpha) = \lambda - \gamma(\alpha),$$

wo $\lambda$ ein Parameter und $\gamma(\alpha)$ die 0-Transformierte einer Funktion $K(\xi)$ ist, welche einer Abschätzung

$$|K(\xi)| \leqq A(1+|\xi|^{k+2})^{-1}$$

genügt.

Für $k \geqq 2$ gibt es immer „Eigenwerte“, d. h. Zahlen $\lambda$, für welche (1) lösbar ist; und zwar ist jede Zahl aus dem Wertevorrat von $\gamma(\alpha)$ ein Eigenwert. Wenn nämlich $\alpha = \tau$ eine Nullstelle von $G(\alpha)$ ist, so ist $y(x) = e(\tau x)$ eine Lösung von (1) wie an der Relation

$$\lambda e(\tau x) - \frac{1}{2\pi}\int e(\tau\xi)\, K(x-\xi)\, d\xi = G(\tau)\cdot e(\tau x)$$

zu erkennen ist.

Falls $\gamma(\alpha)$ analytisch ist, wie z. B. für

$$K(\xi) = O(e^{-a|\xi|}) \qquad a > 0,$$

so hat $G(\alpha)$ für jeden Eigenwert $\lambda$ endlich viele Nullstellen (3) mit Vielfachheiten (6) und dann sind die Eigenfunktionen durch (7) gegeben.

Was die inhomogene Gleichung anbetrifft, so gilt ähnlich wie in § 26, 4 folgendes. Für die Lösbarkeit von

$$(\lambda - \gamma(\alpha))\, d^k\varphi(\alpha) = d^k E(\alpha)$$

bei gegebenem $\lambda \neq 0$ ist es hinreichend, daß $\gamma(\alpha)$ $(k+2)$-mal differenzierbar und mitsamt den $k+2$ Ableitungen absolut integrierbar ist, und daß eine der folgenden Bedingungen erfüllt ist.

1) $G(\alpha)$ ist nirgends null.

2) $G(\alpha)$ hat [was für analytische $G(\alpha)$ von selbst zutrifft] nur endlich viele Nullstellen $\tau_\varkappa$ mit Vielfachheiten $l_\varkappa$ und für jedes $\varkappa$ ist die Funktion

$$e(-\tau_\varkappa x)\, f(x)$$

$l_\varkappa$-mal in $\mathfrak{F}_k$ integrierbar.

3) Man kann endlich viele endliche Intervalle $A_\varkappa \leqq \alpha \leqq B_\varkappa$ von der folgenden Beschaffenheit angeben. Jede Nullstelle von $G(\alpha)$ ist im Innern eines dieser Intervalle enthalten und in jedem dieser Intervalle ist $E(\alpha) \asymp 0$.

Im Falle 1) besteht wiederum die Darstellung durch den lösenden Kern wie in § 26.

## § 34. Funktionalgleichungen.

1. Wenn in einer der Gleichungen $(A)-(F)$ aus § 22 die gegebene Funktion $f(x)$ verschwindet (homogener Fall) oder allgemeiner zu $\mathfrak{F}_k$ gehört und wenn im Falle $(F)$ die gegebene Funktion $K(\xi)$ einer Abschätzung

$$(1) \qquad |K(\xi)| \leqq A(1+|\xi|^{k+2})^{-1}$$

genügt, so kann man nach denjenigen Lösungsfunktionen fragen, welche $r$-mal in $\mathfrak{F}_k$ differenzierbar sind. Hierbei kann man den Index $k$ fest vorgeben, oder aber zulassen, daß er beliebig groß sein kann. Bei festem $k$ besteht für die $k$-Transformierten die Gleichung

$$G(\alpha)\, d^k\varphi(\alpha) = d^k E(\alpha), \tag{2}$$

und die Ergebnisse des vorigen Paragraphen sind im Grunde genommen Ergebnisse über die zu (2) gehörige Funktionalgleichung

$$\Lambda y = f(x). \tag{3}$$

Die Ergebnisse werden erheblich prägnanter, wenn man den Index $k$ nicht festhält.

*Unter der Funktionenklasse* $\mathfrak{F}$ *verstehen wir die Vereinigungsmenge aller Funktionenklassen* $\mathfrak{F}_k$, so daß jede Funktion aus $\mathfrak{F}$ einer gewissen Klasse $\mathfrak{F}_k$ angehört. Also gehören zu $\mathfrak{F}$ insbesondere alle Funktionen, welche für $x \to \pm\infty$ schwächer als eine Potenz $|x|^m$ für ein genügend großes $m$ anwachsen.

Es sei nun $f(x)$ eine Funktion aus $\mathfrak{F}$, und im Falle der Gleichung (F) sei

$$|K(\xi)| \leq A_n(1+|\xi|^n)^{-1} \qquad n = 1, 2, 3, \ldots \tag{4}$$

Unter einer *Lösung der Gleichung* (3) verstehen wir eine ihr genügende Funktion $y(x)$, welche $r$-mal in $\mathfrak{F}$ differenzierbar ist, d. h. mitsamt den ersten $r$ Ableitungen zu $\mathfrak{F}$ gehört.

2. **Satz 45.** *Die Gleichung*

$$y^{(r)}(x) + \sum_{\varrho=0}^{r-1} \sum_{\sigma=0}^{s} a_{\varrho\sigma} y^{(\varrho)}(x+\delta_\sigma) = f(x) \qquad r \geq 1 \tag{5}$$

*besitzt immer eine Lösung. Die Lösung ist eindeutig bis auf eine willkürliche additive Funktion der Gestalt*

$$\sum_{\nu=1}^{n} \left( e(\tau_\nu x) \sum_{\mu=0}^{l_\nu - 1} c_{\nu\mu} x^\mu \right), \tag{6}$$

*wobei die Zahlen* $\tau_1, \ldots, \tau_n$ *die Nullstellen von* $G(\alpha)$ *und die* $l_1, \ldots, l_n$ *deren Vielfachheiten sind*[83]).

*Dasselbe gilt von der allgemeinen Gleichung*

$$\sum_{\varrho=0}^{r} \sum_{\sigma=0}^{s} a_{\varrho\sigma} y^{(\varrho)}(x+\delta_\sigma) = f(x) \qquad r \geq 0, \tag{7}$$

*sofern nur*

$$\left| \sum_{\sigma=0}^{s} a_{r\sigma} e(\delta_\sigma \alpha) \right| \geq S > 0 \qquad (-\infty < \alpha < \infty). \tag{8}$$

Beweis. Es sei $f(x)$ in $\mathfrak{F}_{k_0}$ enthalten. Wir setzen

$$k_1 = k_0 + l_1 + l_2 + \cdots + l_n + 2$$

und betrachten ein festes $k \geqq k_1$. Nach § 29, 8 ist für jedes $\varkappa$ die Funktion

$$e(-\tau_\varkappa x)\, f(x)$$

$l_\varkappa$-mal in $\mathfrak{F}_k$ integrierbar, nach § 33, 6 besitzt daher unsere Gleichung eine Lösung in $\mathfrak{F}_k$. Wegen $k \geqq k_1$ ist $\mathrm{Min}\,(l_\nu - 1, k - 2) = l_\nu - 1$, demzufolge ist diese Lösung bis auf eine willkürliche additive Funktion der Gestalt (6) eindeutig. Und da der spezielle Wert von $k$ in die Struktur von (6) nicht eingeht, so haben wir hiermit alle Lösungen gewonnen, w. z. b. w. — Falls bei der Gleichung (5) gar keine Nullstellen von $G(\alpha)$ vorhanden sind, so kann man wiederum schreiben

$$y^{(\varrho)}(x) = \frac{1}{2\pi}\int K^{(\varrho)}(\xi)\, f(x-\xi)\, d\xi \qquad \varrho = 0, 1, 2, \ldots, r-1.$$

Dieser Darstellung kann man entnehmen, daß sich nicht nur die Zugehörigkeit zu einer Klasse $\mathfrak{F}_k$ von $f(x)$ auf $y(x)$ überträgt, sondern daß sich auch andere, feinere Eigenschaften von $f(x)$ auf $y^{(\varrho)}(x)$, $0 \leqq \varrho \leqq r-1$, und wegen

$$y^{(r)}(x) = f(x) - \sum_{\varrho=0}^{r-1} \sum_{\sigma=0}^{s} a_{\varrho\sigma}\, y^{(\varrho)}(x + \delta_\sigma)$$

auch auf $y^{(r)}(x)$ übertragen. Wenn z. B. $y(x)$ beschränkt, gleichmäßig stetig, von beschränkter Gesamtvariation usw. ist, so ist auch $y^{(\varrho)}(x)$, $0 \leqq \varrho \leqq r$, beschränkt, gleichmäßig stetig, von beschränkter Gesamtvariation usw. Ist $f(x) = O(|x|^n)$, so gilt dieselbe Abschätzung auch für die $y^{(\varrho)}(x)$. Wenn $f(x)$ fastperiodisch ist, so sind es auch die $y^{(\varrho)}(x)$. — Dieselben Bemerkungen lassen sich auch bei der allgemeineren Gleichung (7) aufrechterhalten, doch wollen wir diesen Gegenstand nicht weiter verfolgen.

*Wenn für die Gleichung* (7) *die Bedingung* (8) *nicht erfüllt ist, aber die Transformierte der gegebenen Funktion* $f(x)$ *außerhalb eines endlichen Intervalles* $(a, b)$ *äquivalent Null ist, so gibt es wiederum mindestens eine Lösung. Doch kann man die additiv hinzutretende willkürliche Lösung der homogenen Gleichung nicht so einfach wie im Satz 45 beschreiben, es sei denn, daß man sich auf solche Lösungen beschränkt, deren Transformierte gleichfalls außerhalb von* $(a, b)$ *äquivalent Null sind.*

3. Die Aussage des Satzes 45 gilt bei festem $\lambda \neq 0$ auch für die Integralgleichung

$$\lambda y(x) - \frac{1}{2\pi}\int y(\xi)\, K(x-\xi)\, d\xi = f(x),$$

sofern nur $K(\xi)$ der Abschätzung (4) genügt und $G(\alpha)$ nur endlich viele Nullstellen $\tau_\nu$ mit wohlbestimmten Vielfachheiten $l_\nu$ besitzt, was z. B. erfüllt ist, falls

$$|K(\xi)| \leqq A e^{-a|\xi|} \qquad A > 0,\ a > 0.$$

Ein sehr bekanntes Beispiel ist[84])

$$K(t) = 2\pi e^{-|t|},$$

also

$$\lambda\, y(x) - \int e^{-|x-\xi|}\, y(\xi)\, d\xi = f(x). \tag{9}$$

In diesem Falle ist

$$\gamma(\alpha) = \frac{2}{1+\alpha^2},$$

$$G(\alpha) = \lambda - \frac{2}{1+\alpha^2}.$$

Eigenwerte sind die Zahlen $\lambda \leqq 2$. Die Gleichung

$$\lambda - \frac{2}{1+\alpha^2} = 0$$

ergibt $\alpha = \pm\sqrt{\frac{2-\lambda}{\lambda}}$, und diese Nullstellen sind beide einfach. Die Gesamtheit der Eigenfunktionen (aus der Gesamtheit der Funktionen aus $\mathfrak{F}$) besteht demnach aus den Funktionen

$$c_1 e\left(\sqrt{\frac{2-\lambda}{\lambda}}\, x\right) + c_2 e\left(-\sqrt{\frac{2-\lambda}{\lambda}}\, x\right).$$

Die inhomogene Gleichung (9) hat, wenn $f(x)$ zu $\mathfrak{F}$ gehört, immer eine Lösung (aus $\mathfrak{F}$). Nur wenn $\lambda$ ein Eigenwert ist, so braucht die Lösung $y(x)$ nicht zur niedrigsten Klasse $\mathfrak{F}_k$ zu gehören, in welcher schon $f(x)$ enthalten ist. Wenn also $f(x)$ beschränkt ist, so braucht $y(x)$ nicht gleichfalls beschränkt zu sein.

4. Auf Systeme von Funktionalgleichungen gehen wir im vorliegenden Kapitel nicht ein. Im nächsten Kapitel werden wir aber Gelegenheit haben, gewisse spezielle Systeme in einem konkreten Zusammenhang zu untersuchen.

SIEBENTES KAPITEL.

# Analytische und harmonische Funktionen.

## § 35. Laplacesche Integrale[85]).

1. Wir werden analytische Funktionen einer komplexen Veränderlichen untersuchen. Die komplexe Veränderliche werden wir, wie in diesen Zusammenhängen üblich, mit

$$s = \sigma + it, \qquad \sigma = \Re(s), \qquad t = \Im(s)$$

bezeichnen. Unter einem Streifen $[\lambda, \mu]$ verstehen wir die Gesamtheit der Punkte der komplexen Ebene, für welche $\lambda < \sigma < \mu$. Hierbei kann auch $\lambda = -\infty$ bzw. $\mu = \infty$ sein, in welchem Falle man es mit einer linken bzw. rechten Halbebene oder der Gesamtebene zu tun hat. Unter $(\lambda_1, \mu_1)$ werden wir immer einen echten abgeschlossenen Teilstreifen von $[\lambda, \mu]$ verstehen, $(\lambda <)\ \lambda_1 \leq \sigma \leq \mu_1\ (< \mu)$.

2. Gegeben sei in $0 < \alpha < \infty$ eine im Endlichen integrierbare Funktion $E(\alpha)$. Wenn für ein gewisses $\sigma_0$ das Integral

$$\int_0^{\infty} e^{\sigma\alpha} |E(\alpha)|\, d\alpha \tag{1}$$

konvergiert, so ist, da für $\sigma \leq \sigma_0 : e^{\sigma\alpha} \leq e^{\sigma_0 \alpha}$, das Integral

$$f(s) = \int_0^{\infty} e^{s\alpha} E(\alpha)\, d\alpha \tag{2}$$

für $\Re(s) \leq \sigma_0$ absolut und gleichmäßig konvergent. Von der Funktion

$$f_n(s) = \int_0^n e^{s\alpha} E(\alpha)\, d\alpha \qquad n = 1, 2, 3, \ldots$$

zeigt man leicht, daß sie überall differenzierbar, also analytisch ist, und zwar ist

$$f_n'(s) = \int_0^n \alpha e^{s\alpha} E(\alpha)\, d\alpha.$$

Da die Folge der analytischen Funktionen $f_n(s)$ für $n \to \infty$ im offenen Gebiet $\Re(s) < \sigma_0$ gleichmäßig gegen die Funktion $f(s)$ konvergiert, so ist nach einem allgemeinen Satz die letztere Funktion daselbst gleichfalls analytisch. Wegen

$$\lim_{\alpha \to 0} \alpha^r e^{\sigma\alpha - \sigma_0\alpha} = 0 \qquad \sigma < \sigma_0;\ r = 1, 2, 3, \ldots$$

ist insbesondere das Integral

$$\int_0^{\infty} \alpha e^{s\alpha} E(\alpha)\, d\alpha$$

in jeder Teilhalbebene $\Re(s) \leqq \sigma_1 (< \sigma_0)$ absolut und gleichmäßig konvergent. Es ist der Limes der Folge $f_n'(s)$ und nach einem allgemeinen Satz hat es demnach den Wert $f'(s)$. Allgemeiner ist

$$(3) \qquad f^{(r)}(s) = \int_0 \alpha^r e^{s\alpha} E(\alpha)\, d\alpha \qquad r = 1, 2, 3, \ldots,$$

wobei das Integral rechts für jedes $r$ in jeder Teilhalbebene $\Re(s) \leqq \sigma_1$ absolut und gleichmäßig konvergiert.

*Das Integral (2) nennen wir ein Laplacesches Integral (im engeren Sinne).*

Für die obere Grenze $\mu$ aller Zahlen $\sigma_0$, für welche (1) endlich ist, kann man eine einfache Formel angeben. Und zwar hat $\mu$ den Wert

$$\overline{\lim_{a \to \infty}} \frac{1}{a} \int_0^a |E(\alpha)|\, d\alpha \quad \text{bzw.} \quad \overline{\lim_{a \to \infty}} \frac{1}{a} \int_a |E(\alpha)|\, d\alpha,$$

je nachdem $\mu < 0$ bzw. $\mu > 0$. Auf funktionentheoretische Fragen solcher Art werden wir im folgenden nicht eingehen.

3. Für irgendein $\sigma < \text{Min}(\sigma_0, 0)$ betrachten wir die absolut integrierbaren Funktionen

$$H(\alpha) = e^{\sigma\alpha} E(\alpha) \quad \text{für } \alpha \geqq 0, \ = 0 \text{ für } \alpha < 0,$$
$$K(\alpha) = e^{\sigma\alpha} \quad \text{für } \alpha \geqq 0, \ = 0 \text{ für } \alpha < 0.$$

Ihre Faltung, vgl. § 13, 3, ist Null für $\alpha < 0$ und

$$\frac{1}{2\pi} \int_0^\alpha e^{\sigma\beta} E(\beta)\, e^{\sigma(\alpha-\beta)} d\beta = \frac{1}{2\pi} e^{\sigma\alpha} \int_0^\alpha E(\beta)\, d\beta$$

für $\alpha > 0$. Und da die Faltung gleichfalls absolut integrierbar ist, vgl. § 13, 3, so ist also

$$(4) \qquad \int_0 e^{\sigma\alpha} |E(\alpha, 1)|\, d\alpha \qquad \text{endlich,}$$

wobei

$$(5) \qquad E(\alpha, 1) = \int_0^\alpha E(\beta)\, d\beta.$$

Aus

$$\int_0^a e^{\sigma\alpha} E(\alpha)\, d\alpha = e^{\sigma a} E(a, 1) - \sigma \int_0^a e^{\sigma\alpha} E(\alpha, 1)\, d\alpha$$

folgt, da beide Integrale für $a \to \infty$ konvergieren, daß auch $e^{\sigma a} E(a, 1)$ für $a \to \infty$ konvergiert. Wegen (4) muß dieser Grenzwert verschwinden:

$$(6) \qquad \lim_{a \to \infty} e^{\sigma a} E(a, 1) = 0.$$

Mit Benutzung von (6) und (4) ergibt sich durch partielle Integration von (2) das Laplacesche Integral

$$-\frac{f(s)}{s} = \int_0 e^{s\alpha} E(\alpha, 1)\, d\alpha \qquad \Re(s) < \text{Min}(\sigma_0, 0).$$

Induktiv erhält man für $r = 1, 2, 3, \ldots$

(7) $$(-1)^r \frac{f(s)}{s^r} = \int_0 e^{s\alpha} E(\alpha, r)\, d\alpha \qquad \Re(s) < \mathrm{Min}\,(\sigma_0, 0),$$

wobei

$$E(\alpha, r+1) = \int_0^\alpha E(\beta, r)\, d\beta \qquad r = 1, 2, 3.$$

Wenn umgekehrt $E(\alpha)$ differenzierbar ist, so gilt

$$-sf(s) = \int_0 e^{s\alpha} E'(\alpha)\, d\alpha + E(0) \qquad \Re(s) < \mathrm{Min}\,(\sigma_0, 0),$$

falls das Integral rechts absolut konvergiert. Induktiv findet man: falls die Integrale

$$\int_0 e^{s\alpha} E^{(\varrho)}(\alpha)\, d\alpha \quad \Re(s) < \mathrm{Min}\,(\sigma_0, 0) \qquad \varrho = 1, 2, \ldots, r$$

absolut konvergieren, so gilt in $\Re(s) < \mathrm{Min}\,(\sigma_0, 0)$

(7′) $$\begin{aligned}(-1)^r [s^r f(s) + s^{r-1} E(0) - s^{r-2} E'(0) + \cdots + (-1)^{r-1} E^{(r-1)}(0)]\\ = \int_0 e^{s\alpha} E^{(r)}(\alpha)\, d\alpha.\end{aligned}$$

4. Für die Integrale

$$\int^0 e^{s\alpha} E(\alpha)\, d\alpha$$

gibt es Analoga zu den bisherigen Betrachtungen: an Stelle der Halbebene $[-\infty, \sigma_0]$ tritt die Halbebene $[\sigma_0, \infty]$, und $\mathrm{Min}\,(\sigma_0, 0)$ ist durch $\mathrm{Max}\,(\sigma_0, 0)$ zu ersetzen.

Durch Kombination beider Arten erhält man *Laplacesche Integrale (im weiteren Sinne) der Form*

(7″) $$f(s) = \int e^{s\alpha} E(\alpha)\, d\alpha.$$

Wenn das Integral (7″) für $\sigma = \lambda$ und $\sigma = \mu$ absolut konvergiert, $\lambda < \mu$, so erkennt man an der Zerlegung

$$\int = \int^0 + \int_0,$$

daß es in $[\lambda, \mu]$ absolut und gleichmäßig konvergiert, und eine analytische Funktion darstellt. Für beliebiges $r$ ist

$$f^{(r)}(s) = \int \alpha^r e^{s\alpha} E(\alpha)\, d\alpha,$$

wobei das Integral rechts in jedem Teilstreifen $(\lambda_1, \mu_1)$ absolut und gleichmäßig konvergiert.

Für jedes $c$ aus $\lambda < c < \mu$ gilt, im Sinne von § 13,

(8) $$e^{c\alpha} E(\alpha) \sim \frac{1}{2\pi} \int f(c+it)\, e(-\alpha t)\, dt.$$

*Wenn daher von einer analytischen Funktion $f(s)$ zwei Laplace-Integrale bekannt sind, deren Gültigkeitsstreifen innere Punkte gemeinsam haben,* *so muß die Funktion $E(\alpha)$ beidemal dieselbe sein* (auf Grund von Satz 14). Anders ist es aber, wenn die Streifen außerhalb voneinander liegen. So hat z. B. die Funktion $f(s) = s^{-1}$ in den Streifen $[-\infty, 0]$, $[0, \infty]$ die verschiedenen Laplaceschen Integrale

$$-\int_0 e^{s\alpha} d\alpha, \quad \int^0 e^{s\alpha} d\alpha.$$

Wenn man berücksichtigt, daß $E(\alpha)$ und $e^{\sigma\alpha}E(\alpha)$ zugleich von beschränkter Variation sind, so findet man nach Satz 11b *für jeden Punkt $\alpha$, in dessen Umgebung $E(\alpha)$ von beschränkter Variation ist, und für $\lambda < c < \mu$* die Umkehrungsformeln

$$(9) \quad f(s) = \int e^{s\alpha} E(\alpha)\, d\alpha \qquad \frac{E(\alpha+0)+E(\alpha-0)}{2} = \frac{1}{2\pi i} \int_{c-i\infty}^{c+i\infty} f(s)\, e^{-s\alpha} ds,$$

wobei das letzte Integral als der Hauptwert

$$\lim_{A\to\infty} \int_{c-iA}^{c+iA}$$

zu nehmen ist.

Setzt man $x = e^\alpha$, so geht das Formelpaar (9) über in

$$(10) \quad f(s) = \int_0 \varphi(x) x^{s-1} dx \qquad \frac{\varphi(x+0)+\varphi(x-0)}{2} = \frac{1}{2\pi i} \int_{c-i\infty}^{c+i\infty} f(s)\, x^{-s} ds.$$

Hierin ist $x > 0$, $x^{-s} = e^{-s \log x}$, und $\log x$ ist reell. *Diese Umkehrungsformeln sind nach Mellin benannt*[85]). Die Konvergenzvoraussetzung über $\varphi(x)$ lautet, daß für $s = \lambda$ und $s = \mu$, mit $\lambda < c < \mu$ das Integral

$$\int_0 \varphi(x)\, x^{s-1}\, dx$$

absolut konvergiert. Dies tritt z. B. ein, wenn $\varphi(x)$ für $x \to \infty$ die Größenordnung $o(x^{-\mu-\varepsilon})$ und für $x \to 0$ die Größenordnung $o(x^{-\lambda+\varepsilon})$ hat, $\varepsilon > 0$.

### 5. Beispiele zur Umkehrungsformel.

1. Das bekannteste ist $[\Re(s) > 0,\ c > 0,\ x > 0]$

$$\Gamma(s) = \int_0 e^{-x} x^{s-1} dx, \qquad e^{-x} = \frac{1}{2\pi i} \int_{c-i\infty}^{c+i\infty} \Gamma(s)\, x^{-s} ds.$$

Hinterher kann man die zweite Formel auch für $\Re(x) > 0$ in Anspruch nehmen.

2. $\varphi(x) = x^p(1+x)^{-q}$, $0 < p < q$. Das erste Integral (10) konvergiert für $-p < \sigma < q - p$, und zwar ist

$$f(s) = \int_0 x^p(1+x)^{-q} x^{s-1}\, dx = \int_0 x^{p+s-1}(1+x)^{-q} dx = \frac{1}{\Gamma(q)} \Gamma(s+p)\Gamma(q-p-s).$$

Demnach ist

$$\text{(11)}\qquad \Gamma(q)x^p(1+x)^{-q} = \frac{1}{2\pi i}\int\limits_{c-i\infty}^{c+i\infty} \Gamma(s+p)\Gamma(q-p-s)x^{-s}ds \qquad -p<c<q-p.$$

Insbesondere gibt $q=2p$, $c=0$, wenn man $\Gamma(p-it)=\overline{\Gamma(p+it)}$ berücksichtigt,

$$\Gamma(2p)x^p(1+x)^{-2p} = \frac{1}{\pi}\int\limits_0 |\Gamma(p+it)|^2 \cos(t\log x)\,dt.$$

3. $\varphi(x) = (1-x)^{q-1}$ für $0<x<1$, und $=0$ für $x>1$; $q>0$.

$$f(s) = \int\limits_0^1 (1-x)^{q-1}x^{s-1}dx = \frac{\Gamma(q)\,\Gamma(s)}{\Gamma(s+q)},$$

also, für $c>0$,

$$\text{(12)}\qquad \frac{1}{2\pi i}\int\limits_{c-i\infty}^{c+i\infty} \frac{\Gamma(s)}{\Gamma(s+q)}x^{-s}ds = \begin{cases} \dfrac{1}{\Gamma(q)}(1-x)^{q-1} & \text{für } 0<x<1 \\ 0 & \text{für } 1<x<\infty. \end{cases}$$

Für $q=1$ erhält man die wichtige Formel $[c>0]$

$$\frac{1}{2\pi i}\int\limits_{c-i\infty}^{c+i\infty} \frac{x^{-s}}{s}\,ds = \begin{cases} 1 & \text{für } 0<x<1 \\ \frac{1}{2} & \text{für } \quad x=1 \\ 0 & \text{für } 1<x<\infty. \end{cases}$$

Ist $q$ eine positive ganze Zahl $>1$, so entsteht

$$\frac{1}{2\pi i}\int\limits_{c-i\infty}^{c+i\infty} \frac{x^{-s}dx}{s(s+1)\dots(s+q-1)} = \begin{cases} \dfrac{(1-x)^{q-1}}{(q-1)!} & \text{für } 0<x\leqq 1 \\ 0 & \text{für } 1\leqq x<\infty. \end{cases}$$

4. $\varphi(x) = \left(\log\frac{1}{x}\right)^p$ für $0<x\leqq 1$, und $=0$ für $x>1$; $p>-1$. Es ist

$$f(s) = \int\limits_0^1 x^{s-1}\left(\log\frac{1}{x}\right)^p dx = \int\limits_0 e^{-y(s-1)}y^p e^{-y}dy = \int\limits_0 e^{-ys}y^p dy.$$

Für $\Re(s)>0$ ist dies aber

$$\frac{\Gamma(p+1)}{s^{p+1}}.$$

Daher ist für $p>-1$, $c>0$

$$\frac{1}{2\pi i}\int\limits_{c-i\infty}^{c+i\infty} \frac{x^{-s}}{s^{p+1}}ds = \begin{cases} \dfrac{\left(\log\frac{1}{x}\right)^p}{\Gamma(p+1)} & \text{für } 0<x<1 \\ 0 & \text{für } 1<x<\infty. \end{cases}$$

6. Wir bringen noch ohne Beweise einige Behauptungen über gewöhnliche (nicht notwendig absolute) Konvergenz eines Laplaceschen Integrals

$$\text{(13)}\qquad f(s) = \int\limits_0 e^{s\alpha}E(\alpha)\,d\alpha.$$

Wenn das Integral rechts in einem Punkte $s=\sigma_0$ konvergiert, oder nur zwischen endlichen Grenzen oszilliert, so ist es in jeder beschränkten abgeschlossenen Punktmenge der Halbebene $\Re(s)<\sigma_0$ gleichmäßig konvergent, und stellt daher daselbst eine analytische Funktion dar. Es gelten wiederum sinngemäß die Relationen (3), (7) und (7′) und es besteht wiederum das Analogon zum obigen Eindeutigkeitssatz[85]).

Das Integral (13) ist ein Spezialfall des Integrals

(14) $$\int_0 e^{s\alpha} d\,\Phi(\alpha),$$

wobei $\Phi(\alpha)$ in jedem endlichen Intervall $(0, A)$ von beschränkter Variation ist und das Integral im Stieltjesschen Sinne zu nehmen ist[87]). Die Integrale (14) umfassen die Dirichletschen Reihen, welche dann entstehen, wenn die Funktion $\Phi(\alpha)$ streckenweise konstant ist und nur isolierte Sprungstellen hat. Die obigen Behauptungen über die Integrale (13) gelten sinngemäß für die Integrale (14) und umfassen die entsprechenden Behauptungen für Dirichletsche Reihen. Man kann noch vieles andere von Dirichletschen Reihen auf die Integrale (14) übertragen. So z. B. den Satz, daß für monotone $\Phi(\alpha)$ der Punkt $\sigma = \mu$ auf der Konvergenzabszisse eine singuläre Stelle der dargestellten Funktion ist; überdies die Summationstheorie von M. Riesz, die Sätze über die Größenordnung der dargestellten Funktion usw.

Wir erwähnen, daß man Sätze vom Abelschen und Tauberschen Charakter von Potenzreihen auf Laplace-Integrale (13) übertragen hat[88]), und daß auch vielfach die Verteilung der (komplexen) Nullstellen von Funktionen untersucht worden ist, welche sich durch Integrale der Gestalt

$$\int e(s\alpha)\, E(\alpha)\, d\alpha, \qquad \int {\cos \atop \sin}\, s\alpha\, E(\alpha)\, d\alpha$$

und entsprechend allgemeinere Stieltjessche Integrale darstellen lassen[89]). Weiterhin bemerken wir, daß man für Laplacesche Integrale (13) unter geeigneten Voraussetzungen über $E(\alpha)$ asymptotische Entwicklungen aufstellen kann[90]), welche für verschiedene Fragen der Analysis und in der Wahrscheinlichkeitstheorie von Bedeutung sind.

Zum Schluß weisen wir darauf hin, daß wir in der Regel unter Laplaceschen Integralen nur die oben in extenso behandelten absolut konvergierenden Integrale verstehen werden.

## § 36. Faltung Laplacescher Integrale[91]).

1. Wenn zwei Laplacesche Integrale

$$f_\nu(s) = \int e^{s\alpha} E_\nu(\alpha)\, d\alpha \qquad \nu = 1, 2.$$

einen gemeinsamen Streifen $[\sigma_1, \sigma_2]$ haben, so gilt daselbst

$$f_1(s)\, f_2(s) = \int e^{s\alpha} E(\alpha)\, d\alpha,$$

wobei nach Satz 13

$$e^{\sigma\alpha}E(\alpha) = \int e^{\sigma\beta}E_1(\beta)\, e^{\sigma(\alpha-\beta)}E_2(\alpha-\beta)\, d\beta,$$

also

(1) $$E(\alpha) = \int E_1(\beta)\, E_2(\alpha-\beta)\, d\beta.$$

Das letzte Integral ist von selbst (für fast alle $\alpha$) konvergent. Sind $f_1$ und $f_2$ Laplacesche Integrale im engeren Sinne, so gilt dasselbe auch von ihrer Faltung, d. h. es ist

$$f_1(s)\, f_2(s) = \int\limits_0 e^{s\alpha}E(\alpha)\, d\alpha,$$

wobei

(2) $$E(\alpha) = \int\limits_0^\alpha E_1(\beta)\, E_2(\alpha-\beta)\, d\beta.$$

Beispiel[92]). Für die Besselsche Funktion $J_\mu(\alpha)$ gilt für $\sigma < 0$, $\mu > -\frac{1}{2}$

(3) $$\int\limits_0 e^{s\,\alpha}\alpha^\mu J_\mu(\alpha)\, d\alpha = \frac{\Gamma\left(\mu+\frac{1}{2}\right)}{\sqrt{\pi}} \cdot \frac{2^\mu}{(1+s^2)^{\mu+\frac{1}{2}}}.$$

Daraus folgt für $\mu > -\frac{1}{2}$, $\nu > -\frac{1}{2}$, $\sigma < 0$

$$\int\limits_0^\alpha \beta^\mu J_\mu(\beta)\,(\alpha-\beta)^\nu J_\nu(\alpha-\beta)\, d\beta = \frac{\Gamma\left(\mu+\frac{1}{2}\right)\Gamma\left(\nu+\frac{1}{2}\right)2^{\mu+\nu}}{\sqrt{\pi^2}} \cdot \frac{1}{2\pi i}\int\limits_{c-i\infty}^{c+i\infty} \frac{e^{-s\alpha}ds}{(1+s^2)^{\mu+\nu+1}}$$

$$= \frac{1}{\sqrt{2\pi}}\, \frac{\Gamma\left(\mu+\frac{1}{2}\right)\Gamma\left(\nu+\frac{1}{2}\right)}{\Gamma(\mu+\nu+1)}\, \alpha^{\mu+\nu+\frac{1}{2}} J_{\mu+\nu+\frac{1}{2}}(\alpha)$$

Für $\mu = \nu = 0$ ergibt sich

(4) $$\int\limits_0^\alpha J_0(\beta)J_0(\alpha-\beta)\,d\beta = \sqrt{\frac{\pi}{2}}\, \alpha^{\frac{1}{2}} J_{\frac{1}{2}}(\alpha) = \sin\alpha.$$

2. In der Mellinschen Schreibweise, § 35, (10), entspricht der Faltungsregel (1) die Formel

(5) $$\varphi(x) = \int \varphi_1(y)\, \varphi_2\left(\frac{x}{y}\right)\frac{dy}{y}.$$

Beispiele.

1. $\varphi_1(x) = \dfrac{x^{-\alpha}}{(1+x)^{\gamma-\alpha}}$, $\varphi_2(x) = \dfrac{x^{-\beta}}{(1+x)^{\delta-\beta}}$

gibt für $\alpha < 0 < \gamma$, $\beta < 0 < \delta$ nach Beispiel 2. von § 35

$$f_1(s) = \frac{\Gamma(s-\alpha)\,\Gamma(\gamma-s)}{\Gamma(\gamma-\alpha)}, \qquad f_2(s) = \frac{\Gamma(s-\beta)\,\Gamma(\delta-s)}{\Gamma(\delta-\beta)}$$

in den Streifen $[\alpha, \gamma]$ bzw. $[\beta, \delta]$. Nun ist

(6) $$\varphi(x) = \int\limits_0 \frac{y^{-\alpha}}{(1+y)^{\gamma-\alpha}} \cdot \frac{x^{-\beta}}{y^{-\beta}\left(1+\frac{x}{y}\right)^{\delta-\beta}} \cdot \frac{dy}{y} = x^{-\beta}\int\limits_0 \frac{y^{\delta-\alpha-1}\,dy}{(1+y)^{\gamma-\alpha}(x+y)^{\delta-\beta}}$$

und

(7) $$f(s) = f_1(s)\, f_2(s) = \frac{\Gamma(s-\alpha)\,\Gamma(s-\beta)\,\Gamma(\gamma-s)\,\Gamma(\delta-s)}{\Gamma(\gamma-\alpha)\,\Gamma(\delta-\beta)}$$

im gemeinsamen Streifen [Max $(\alpha, \beta)$, Min $(\gamma, \delta)$]. Dieser Streifen enthält die Gerade $\sigma = 0$. $\varphi(x)$ ist, wie leicht festzustellen, eine differenzierbare Funktion; und es ist

$$\varphi(1) = \int_0 \frac{y^{\delta-\alpha-1}\,dy}{(1+y)^{\gamma+\delta-\alpha-\beta}} = \frac{\Gamma(\delta-\alpha)\,\Gamma(\gamma-\beta)}{\Gamma(\gamma+\delta-\alpha-\beta)}$$

$$f(it) = \frac{\Gamma(it-\alpha)\,\Gamma(it-\beta)\,\Gamma(\gamma-it)\,\Gamma(\delta-it)}{\Gamma(\gamma-\alpha)\,\Gamma(\delta-\beta)}.$$

Nach § 35, (10), ausgewertet auf $x = 1$, $c = 0$, erhalten wir[93])

$$(8)\quad \frac{1}{2\pi}\int \Gamma(it-\alpha)\,\Gamma(it-\beta)\,\Gamma(\gamma-it)\,\Gamma(\delta-it)\,dt = \frac{\Gamma(\gamma-\alpha)\,\Gamma(\delta-\alpha)\,\Gamma(\gamma-\beta)\,\Gamma(\delta-\beta)}{\Gamma(\gamma+\delta-\alpha-\beta)}.$$

2. Ausgehend von

$$\varphi_1(x) = x^{-\alpha}e^{-x}, \qquad \varphi_2(x) = x^{-\beta}e^{-x}$$

findet man für $c >$ Max $(\alpha, \beta)$

$$(9)\quad \frac{1}{2\pi i}\int_{c-i\infty}^{c+i\infty} \Gamma(s-\alpha)\,\Gamma(s-\beta)\,x^{-s}ds = x^{-\beta}\int_0 y^{\beta-\alpha-1}e^{-y-\frac{x}{y}}\,dy.$$

Speziell für $\alpha = \beta = 0$, $c > 0$ entsteht

$$(10)\quad \frac{1}{2\pi}\int \Gamma(c+it)^2 x^{-c-it}\,dt = \int_0 e^{-y-\frac{x}{y}}\frac{dy}{y}.$$

3. Etwas andere Faltungsformeln enthält man, wenn man nicht das Produkt $f_1(c+it)\,f_2(c+it)$, sondern das Produkt $f_1(c+it)\,f_2(c-it)$ bildet. Aus

$$f_1(c+it) = \int e(\alpha t)\,e^{\alpha c}E_1(\alpha)\,d\alpha, \quad f_2(c-it) = \int e(\alpha t)\,e^{-\alpha c}E_2(-\alpha)\,d\alpha$$

ergibt sich durch Faltung

$$(11)\quad e^{-\alpha c}\int e^{2\beta c}E_1(\beta)\,E_2(\beta-\alpha)\,d\beta \sim \frac{1}{2\pi}\int f_1(c+it)\,f_2(c-it)\,e(-t\alpha)\,dt.$$

Wenn die links stehende Funktion in $\alpha$ etwa differenzierbar ist, so ergibt sich, wenn man noch $\alpha$ durch $2\alpha$ und $\beta$ durch $\beta+\alpha$ ersetzt,

$$(12)\quad \frac{1}{2\pi}\int f_1(c+it)\,f_2(c-it)\,e(-2t\alpha)\,dt = \int e^{2\beta c}E_1(\beta+\alpha)\,E_2(\beta-\alpha)\,d\beta$$
$$= \int_0 x^{2c-1}\,\varphi_1(xe^{\alpha})\,\varphi_2(xe^{-\alpha})\,dx.$$

4. Wir betrachten für $t > 0$ die Thetafunktion

$$(13)\quad \vartheta(t) = \sum_{n=-\infty}^{\infty} e^{-\pi^2 n^2 t}.$$

Ausgehend von der Formel

$$\int_0 e^{st}e^{-\pi^2 n^2 t}\,dt = -\frac{1}{s-\pi^2 n^2} \qquad \Re(s) < 0,$$

findet man für die Partialsummen

$$\vartheta_n(t) = \sum_{\nu=-n}^{n} e^{-\pi^2\nu^2 t}$$

die Beziehung

$$\int_0 e^{st}\vartheta_n(t)\,dt = -\sum_{-n}^{n}\frac{1}{s-\pi^2\nu^2} \qquad \Re(s)<0.$$

Es sei $s=\sigma<0$. Da für $n\to\infty$ einerseits die Reihe rechts gegen eine endliche Zahl konvergiert und andererseits der positive Integrand $e^{\sigma t}\vartheta_n(t)$ monoton wachsend gegen $e^{\sigma t}\vartheta(t)$ konvergiert, so folgt nach einem allgemeinen Satz [Anhang 7, 9)], daß auch letztere Funktion in $[0,\infty]$ integrierbar ist und daß

$$\int_0 e^{st}\vartheta(t)\,dt = -\sum_{n=-\infty}^{\infty}\frac{1}{s-\pi^2 n^2}.$$

Die Reihe rechts hat bekanntlich den Wert

$$f(s) = -\frac{\operatorname{ctg}\sqrt{s}}{\sqrt{s}}, \tag{14}$$

und wir haben daher für diese Funktion das Laplacesche Integral

$$f(s) = \int_0 e^{st}\vartheta(t)\,dt \qquad \Re(s)<0 \tag{15}$$

gefunden. Nun genügt aber die Funktion (14) der Differentialgleichung

$$f(s)^2 - 2f'(s) - \frac{1}{s}f(s) + \frac{1}{s} = 0. \tag{16}$$

Aus dem Laplaceschen Integral (15) kann man, unter Berücksichtigung von

$$\frac{1}{s} = -\int_0 e^{st}\,dt \qquad \Re(s)<0,$$

nach den bisherigen Betrachtungen dieses Kapitels ein in $\Re(s)<0$ gültiges Laplacesches Integral für die linke Seite von (16) gewinnen. Nach dem Eindeutigkeitssatz muß der Integrand dieses Laplaceschen Integrals verschwinden, und das gibt die Relation

$$\int_0^t \vartheta(\tau)\,\vartheta(t-\tau)\,d\tau - 2t\,\vartheta(t) + \vartheta'(t) - 1 = 0.$$

Diese überraschende Relation für die Thetafunktion (13), die man übrigens hinterher auch direkt verifizieren kann, ist erstaunlicherweise erst neuerdings gefunden worden[94]), und zwar gleich nach ihrer Entstehung auch auf dem hier beschriebenen Wege. Sie steht nicht vereinzelt da. Wenn das Laplacesche Integral

$$f(s) = \int_0 e^{s\alpha}E(\alpha)\,d\alpha$$

einer algebraischen Differentialgleichung

$$\mathfrak{P}(s, f, f', f'', \ldots)$$

genügt — $\mathfrak{P}(s, f, f', f'', \ldots)$ ist ein Polynom der Argumente $s, f, f', f'', \ldots$, —, so genügt die Funktion $E(\alpha)$ einer Integrodifferentialgleichung vom obigen Typus[95]).

## § 37. Darstellung gegebener Funktionen durch Laplacesche Integrale.

1. Eine analytische Funktion $f(s)$ in $[\lambda, \mu]$ werden wir zur Klasse $\mathfrak{F}_k$ zählen, $k = 0, 1, 2, \ldots$, wenn es zu jedem Teilstreifen $(\lambda_1, \mu_1)$ eine Konstante $K = K(\lambda_1, \mu_1)$ gibt, so daß

$$\int |f(\sigma + it)|\, p_k(t)\, dt \leq K, \tag{1}$$

wobei, wie im vorigen Kapitel,

$$p_k(t) = \frac{1}{1 + |t|^k}. \tag{2}$$

Wir verlangen also, daß die Funktion $f(\sigma + it)$ als Funktion von $t$ „gleichartig in $\sigma$" zu $\mathfrak{F}_k$ gehört.

**Satz 46.** *Es sei $f(s)$ in $[\lambda, \mu]$ eine Funktion aus $\mathfrak{F}_k$. In jedem Teilstreifen $(\lambda_1, \mu_1)$ gibt es zu jedem $\varepsilon$ ein $T > 0$, so daß*

$$|f(s)| \leq \varepsilon |t|^k \quad \text{für } |t| > T \tag{3}$$

*und*

$$\left(\int^{-T} + \int_{T}\right) |f(\sigma + it)|\, p_k(t)\, dt \leq \varepsilon. \tag{4}$$

Beweis. Für eine in $|x| < r$, $|y| < r$ analytische Funktion $g(z)$ der Variablen $z = x + iy$ sei

$$\int_{-r}^{r}\int_{-r}^{r} |g(z)|\, dx\, dy \leq G.$$

Dann ist

$$|g(0)| \leq \frac{G}{\pi r^2}.$$

Denn aus

$$2\pi\, g(0) = \int_0^{2\pi} g(\varrho\, e^{i\varphi})\, d\varphi \qquad 0 < \varrho < r$$

folgt

$$2\pi\, \varrho\, |g(0)| \leq \int_0^{2\pi} |g(\varrho e^{i\varphi})|\, \varrho d\varphi \qquad 0 < \varrho < r,$$

und hieraus durch Integration nach $\varrho$ zwischen 0 und $r$

$$\pi r^2 |g(0)| \leq \int_0^r \int_0^{2\pi} |g(re^{i\varrho})|\, \varrho\, d\varrho\, d\varphi \leq G.$$

Wir ziehen einen den Teilstreifen $(\lambda_1, \mu_1)$ umfassenden Teilstreifen $(\lambda_1 - r, \mu_1 + r)$ von $[\lambda, \mu]$ heran. Nach Voraussetzung ist daselbst

$$\int |f(\sigma + it)|\, p_k(t)\, dt \leq K_1.$$

Für die Funktion

$$(5) \qquad \chi(t) = \int_{\lambda_1 - r}^{\mu_1 + r} |f(\sigma + it)|\, d\sigma$$

erhält man hieraus

$$\int \chi(t)\, p_k(t)\, dt \leq K_2,$$

also gibt es zu jedem $\varepsilon$ ein $T_0 > 0$, so daß

$$(6) \qquad \int_{T_0} \frac{\chi(t)}{t^k}\, dt \leq \pi r^2 \varepsilon.$$

Wenn $r$ genügend klein ist, folgt hieraus für $t > T_0 + r$

$$(7) \qquad \int_{t-r}^{t+r} \chi(t)\, dt \leq \pi r^2 \varepsilon t^k,$$

also ist für $t > T_0 + r$ und $\sigma$ aus $(\lambda_1, \mu_1)$

$$(8) \qquad \int_{-r}^{r} \int_{-r}^{r} |f(\sigma + it + \xi + i\eta)|\, d\xi\, d\eta \leq \pi r^2 \varepsilon t^k;$$

wegen

$$(9) \qquad \pi r^2 |f(\sigma + it)| \leq \int_{-r}^{r} \int_{-r}^{r} |f(\sigma + it + \xi + i\eta)|\, d\xi\, d\eta$$

folgt hieraus

$$|f(s)| \leq \varepsilon t^k \quad \text{für} \quad t > T_0 + r,$$

womit die Ungleichung (3) für die obere Halbebene bewiesen ist. Für die untere Halbebene verläuft der Beweis analog.

Für genügend kleine $r$ folgt aus (8) in Verbindung mit (5):

$$\pi r^2 |f(\sigma + it)|\, p_k(t) \leq p_k(t) \int_{-r}^{r} \int_{-r}^{r} |f(\sigma + it + \xi + i\eta)|\, d\xi\, d\eta$$

$$\leq p_k(t) \int_{-r}^{r} \chi(t + \eta)\, d\eta \leq 2 \int_{-r}^{r} \chi(t + \eta)\, p_k(t + \eta)\, d\eta.$$

Hieraus folgt in Verbindung mit (6)

$$\int_{T_0 + r} |f(\sigma + it)|\, p_k(t)\, dt \leq \frac{2}{\pi r^2} \int_{-r}^{r} d\eta \int_{T_0} \chi(\tau)\, p_k(\tau)\, d\tau = \varepsilon',$$

wo $\varepsilon'$ bei festem $r$ zugleich mit $\varepsilon$ beliebig klein wird. Hieraus und aus der entsprechenden Überlegung für die untere Halbebene folgt (4).

Folgerung. Zu jedem in $[\lambda, \mu]$ gelegenen abgeschlossenen Rechteck

$$\lambda_1 \leq \sigma \leq \mu_1, \quad |t| \leq T$$

gibt es zu jedem $\varepsilon$ ein $\delta$, so daß für je zwei Punkte $s, s'$ des Rechtecks für welche $|s-s'| \leq \delta$:

$$\int |f(s+i\tau)-f(s'+i\tau)|\, p_k(\tau)\, d\tau \leq \varepsilon.$$

2. **Satz 47.** *Es sei* $f(s)$ *in* $[\lambda, \mu]$ *eine Funktion aus* $\mathfrak{F}_0$. *Die Funktion*

$$E(\alpha) = \frac{1}{2\pi i} \int_{c-i\infty}^{c+i\infty} f(s)\, e^{-\alpha s} ds \qquad \lambda < c < \mu \tag{10}$$

*ist unabhängig von* $c$ *und für alle* $s$ *aus* $[\lambda, \mu]$ *besteht die Umkehrung*

$$f(s) = \int e^{s\alpha} E(\alpha)\, d\alpha. \tag{11}$$

*Das Integral* (11) *ist absolut konvergent*[96].

Beweis. Wegen

$$\int_{c-i\infty}^{c+i\infty} f(s)\, e^{-\alpha s}\, ds = i e^{-\alpha c} \int f(c+it)\, e(-\alpha t)\, dt$$

ist das Integral (10) für jedes $c$ absolut konvergent. Die Unabhängigkeit von $c$ ergibt sich nach dem Cauchyschen Satz; denn es ist

$$\int_{c_2-iT}^{c_2+iT} f(s) e^{-\alpha s} ds - \int_{c_1-iT}^{c_1+iT} = \int_{c_1+iT}^{c_2+iT} - \int_{c_1-iT}^{c_2-iT},$$

und wegen (3) sind die zwei Integrale rechts bei festem $c_1$ und $c_2$ für $T \to \infty$ gegen Null konvergent. — Die Funktion $f(\sigma+it)$ besitzt für jedes $\sigma$ eine 0-Transformierte $E(\sigma, \alpha)$. Es ist

$$E(\sigma, \alpha) = e^{\sigma\alpha} E(\alpha),$$

und demnach ist es naheliegend, im Sinne von § 13 zu schreiben

$$f(s) \sim \int e^{s\alpha} E(\alpha)\, d\alpha$$

und $E(\alpha)$ *als die* 0-*Transformierte der analytischen Funktion* $f(s)$ anzusprechen. Da $f(s)$ als Funktion von $t$ differenzierbar ist, so besteht nach Satz 11b sogar die Gleichheit (11). Die absolute Konvergenz von (11) ist leicht einzusehen. Sie sei etwa für $\sigma = \sigma_1$ zu beweisen. Wir wählen ein $\sigma_2$ aus dem Intervall $\sigma_1 < \sigma_2 < \mu$. Dann ist

$$E(\sigma_1, \alpha) = e^{(\sigma_1-\sigma_2)\alpha} E(\sigma_2, \alpha),$$

und da $E(\sigma_2, \alpha)$ als Funktion aus $\mathfrak{T}_0$ beschränkt ist, ist $E(\sigma_1, \alpha)$ absolut integrierbar in $[0, \infty]$. Ähnliches gilt in $[-\infty, 0]$. W. z. b. w.

Damit das Integral (11) ein Laplacesches Integral im engeren Sinne ist:

$$E(\alpha) = 0 \text{ für } \alpha < 0, \tag{12}$$

ist notwendig, daß die Größe

$$J(\sigma) = \int |f(\sigma+it)|\, dt \tag{13}$$

für $\sigma \to -\infty$ beschränkt ist, und bereits hinreichend, daß für jedes $\varepsilon > 0$

(14) $$J(\sigma) = O(e^{-\varepsilon\sigma}) \qquad \sigma \to -\infty.$$

Wenn nämlich (14) erfüllt ist, so ist es der Relation

$$E(\alpha) = \frac{e^{-\sigma\alpha}}{2\pi} \int f(\sigma + it)\, e(-\alpha t)\, dt$$

sofort anzusehen, daß (12) besteht. Wenn umgekehrt (12) besteht, so schreibe man, für $\sigma < \sigma_1 < \mu$, $\delta = \sigma_1 - \sigma$,

$$f(\sigma + it) = \int_0 e^{-\delta|\alpha|}\, E(\alpha)\, e^{\sigma_1 \alpha}\, e(\alpha t)\, d\alpha.$$

Nach der Faltungsregel ist daher

$$f(\sigma + it) = \frac{1}{2\pi} \int f(\sigma_1 + i\tau) \frac{2\delta}{\delta^2 + (t-\tau)^2}\, d\tau,$$

und hieraus folgt

$$2\pi\, J(\sigma) \leqq \int |f(\sigma_1 + i\tau)|\, d\tau \int \frac{2\delta\, d\tau}{\delta^2 + \tau^2} = 2\pi\, J(\sigma_1).$$

Also ist $J(\sigma)$ für $\sigma \to -\infty$ sogar eine monoton abnehmende Funktion.

3. **Satz 48.** *Es sei $f(s)$ in $[\lambda, \mu]$ eine Funktion aus $\mathfrak{F}_k$. Die zu den Funktionen $f(\sigma + it)$, $\lambda < \sigma < \mu$, gehörenden k-Transformierten bezeichnen wir mit $E(\sigma, \alpha) \equiv E(\sigma, \alpha, k)$. Es gibt eine Funktion $E(\alpha) = E(\alpha, k)$, die wir die k-Transformierte von $f(s)$ (in $[\lambda, \mu]$) nennen werden, derart daß*

(15) $$d^k E(\sigma, \alpha) = e^{\sigma\alpha} d^k E(\alpha) \qquad (\lambda < \sigma < \mu).$$

*Demgemäß kann man schreiben*

$$f(s) \sim \int e^{s\alpha} d^k E(\alpha).$$

*Zwei Funktionen gleicher Klasse in $[\lambda, \mu]$, deren Transformierte äquivalent sind, sind identisch.*

Beweis. Beim Beweis kann man annehmen, daß $[\lambda, \mu]$ nicht die Gesamtebene $[-\infty, \infty]$ ist (sonst ergibt sich der Satz dadurch, daß man die Gesamtebene durch zwei übereinander greifende Halbebenen überdeckt), und daß $[\lambda, \mu]$ nicht den Punkt $\sigma = 0$ enthält (wenn nämlich die Funktion $f_1(s) = f(s + a)$ für irgendein reelles $a$ unserem Satz in $[\lambda + a, \mu + a]$ genügt, so genügt ihm die Funktion $f(s)$ im Streifen $[\lambda, \mu]$). Unter dieser Annahme ist die Funktion

(16) $$\frac{f(s)}{s^k}$$

in $\mathfrak{F}_0$ enthalten, weil dann in $\lambda_1 \leqq \Re(s) \leqq \mu_1$ eine Abschätzung

$$|s| = \sqrt{\sigma^2 + t^2} \geqq A(1 + |t|)$$

vorhanden ist. Wir setzen nun

$$E_T(\sigma, \alpha) = \frac{1}{2\pi} \int_{-T}^{T} \frac{f(\sigma + it)}{(-it)^k} [e(-\alpha t) - L_k(\alpha, t)]\, dt,$$

$$H_T(\sigma, \alpha) = \frac{(-1)^k}{2\pi} \int_{-T}^{T} \frac{f(\sigma + it)}{(\sigma + it)^k} e^{-(\sigma + it)\alpha} dt.$$

Dann ist

$$\frac{d^k E_T(\sigma, \alpha)}{d\alpha^k} = e^{\sigma\alpha} \frac{d^k H_T(\sigma, \alpha)}{d\alpha^k},$$

wofür wir auch schreiben können

$$d^k E_T(\sigma, \alpha) = e^{\sigma\alpha} d^k H_T(\sigma, \alpha).$$

Für $T = \infty$ sind die Funktionen $E_T(\sigma, \alpha)$ und $H_T(\sigma, \alpha)$ gleichmäßig in jedem endlichen $\alpha$-Intervall konvergent, und zwar die erste gegen $E(\sigma, \alpha)$ und die zweite gegen eine Funktion, welche abgesehen vom Vorzeichen mit der 0-Transformierten der Funktion (16) übereinstimmt. Es gibt also tatsächlich eine Funktion $E(\alpha)$, für welche die Relation (15) besteht, w. z. b. w.

4. Viele im vorigen Kapitel aufgestellte Eigenschaften der $k$-Transformierten gelten auch sinngemäß im Falle analytischer Funktionen. So ist z. B. $E(\alpha + \lambda)$ die $k$-Transformierte von $e^{-\lambda s} f(s)$, — $\lambda$ ist reell, — und die $k$-Transformierte $\Phi(\alpha)$ von $f(s + \lambda)$ genügt der Relation

$$d^k \Phi(\alpha) = e^{\lambda\alpha} d^k E(\alpha).$$

Unter einer trivialen Funktion von $\mathfrak{F}_k$ verstehen wir eine Funktion (mit reellen $\tau_\nu$)*)

$$\sum_{\mu=0}^{k-2} \sum_{\nu=1}^{n} c_{\nu\mu} e^{\tau_\nu s} s^\mu. \tag{17}$$

Ihre $k$-Transformierte beträgt

$$\frac{1}{2} \sum_{\mu=0}^{k-2} \sum_{\nu=1}^{n} c_{\nu\mu} \frac{(-1)^\mu}{(k-\mu-1)!} \overline{\left|\alpha - \tau_\nu\right|}^{k-\mu-1},$$

und sie ist wiederum dadurch gekennzeichnet, daß sie nach Weglassen die Punkte $\tau_1, \ldots, \tau_n$ von der $\alpha$-Achse eine verschwindende $k$-te Ableitung besitzt.

---

*) Die jetzt definierten trivialen Funktionen stimmen für $\sigma = 0$ mit den in § 28, 7 definierten überein.

Wenn $E(\alpha)$ außerhalb eines endlichen Intervalls $(a_0, b_0)$ äquivalent Null ist, so ist wiederum für $a < a_0$, $b_0 < b$

$$f(s) = e^{bs} \sum_{\mu=0}^{k-1} (-1)^\mu E^{(k-\mu-1)}(b)\, s^\mu - e^{as} \sum_{\mu=0}^{k-1} (-1)^\mu E^{(k-\mu-1)}(a)\, s^\mu$$
$$+ (-s)^k \int_a^b e^{s\alpha} E(\alpha)\, d\alpha.$$

5. Wenn $E(\alpha)$ in einer Halbgeraden $[-\infty, a]$ äquivalent Null ist, und wenn die Funktion $f(s)$ ursprünglich in einem Intervall $[\lambda, \mu]$, mit $\lambda > -\infty$, gegeben war, so existiert eine analytische Fortsetzung von $f(s)$ in $[-\infty, \mu]$, welche gleichfalls zu $\mathfrak{F}_k$ gehört. Beim Beweise kann man annehmen, daß $a \geqq 0$, — sonst betrachte man $e^{-sa} f(s)$ statt $f(s)$ —, und daß $\lambda < 0$, — sonst betrachte man $f(s+\lambda+\varepsilon)$, $\varepsilon > 0$, statt $f(s)$. Beim Beweis zu Satz 48 ergab sich, daß die $k$-Transformierte $E(\alpha)$ von $f(s)$ in passender Normierung, abgesehen vom Vorzeichen, der 0-Transformierten der Funktion (16) in $[\lambda, 0]$ gleicht. Diese Normierung nehmen wir an. Dann ist für $\lambda < \sigma < 0$

$$\lim_{\alpha \to -\infty} e^{\sigma\alpha} E(\alpha) = 0,$$

und da $E(\alpha)$ in $[-\infty, 0]$ ein Polynom in $\alpha$ ist, so muß daselbst $E(\alpha)$ verschwinden. Also existiert die Funktion (16) in $[-\infty, \mu]$ und ist daselbst eine Funktion aus $\mathfrak{F}_0$. Hieraus ergibt sich unsere Behauptung über $f(s)$ selber.

Wenn von vornherein $a \geqq 0$ ist, so folgt aus 2. daß in $[-\infty < \sigma \leqq \mu_1)$

$$\int \frac{|f(\sigma+it)|}{|\sigma+it|^k}\, dt \leqq K(\mu_1).$$

Hieraus folgt leicht, daß die Funktion

$$J(\sigma) = \int |f(\sigma+it)|\, p_k(t)\, dt$$

der Abschätzung

(19) $$J(\sigma) = O(|\sigma|^k) \qquad \sigma \to -\infty$$

genügt. Wenn umgekehrt $f(s)$ in $[-\infty, \mu]$ zu $\mathfrak{F}_k$ gehört und [allgemeiner als (19)] für jedes $\varepsilon > 0$ der Abschätzung

$$J(\sigma) = O(e^{-\varepsilon\sigma}) \qquad \sigma \to -\infty.$$

genügt, so ist, wie man durch Zuhilfenahme der Funktion (16) erkennt, $d^k E(\alpha) = 0$ für $\alpha < 0$.

Wenn eine Funktion $f(s)$ in $[-\infty, \infty]$, d. h. in der Gesamtebene analytisch ist und zu $\mathfrak{F}_k$ gehört, und wenn sowohl für $\sigma \to \infty$ als auch $\sigma \to -\infty$ die Abschätzung

$$J(\sigma) = O(e^{\varepsilon|\sigma|})$$

für jedes $\varepsilon > 0$ besteht, so ist $d^k E(\alpha) = 0$ für $\alpha < 0$ und $0 < \alpha$. Also ist $f(s)$ für $k = 0$ und $k = 1$ identisch Null und für $k \geqq 2$ ein Polynom vom (höchstens) $(k-2)$-ten Grade. Dieser Satz ist eine Verallgemeinerung des grundlegenden Satzes von Liouville, daß eine überall analytische und beschränkte Funktion eine Konstante ist. Denn eine beschränkte ganze Funktion $f(s)$ ist in $\mathfrak{F}_2$ enthalten und es besteht

$$\int |f(\sigma + it)|\, p_2(t)\, dt \leqq K,$$

also ist nach unserem allgemeinen Satz $f(s)$ ein Polynom 0-ten Grades, d. h. eine Konstante.

## § 38. Fortsetzung. Harmonische Funktionen.

1. Wir ziehen jetzt harmonische Funktionen

$$u(s) = u(\sigma, t)$$

in Betracht, welche in einem Streifen $[\lambda, \mu]$ regulär sind. Es wird von rechnerischem Vorteil sein, die harmonischen Funktionen als komplexwertig anzusetzen, d. h. als Funktionen

$$u(s) = u_1(\sigma, t) + i u_2(\sigma, t),$$

wobei die reellen Bestandteile $u_1(\sigma, t)$ und $u_2(\sigma, t)$ von vornherein in keiner analytischen Beziehung zueinander stehen.

2. Eine Funktion $u(s)$ in $[\lambda, \mu]$ werden wir zur Klasse $\mathfrak{F}_k$ zählen, wenn es zu jedem Teilstreifen $(\lambda_1, \mu_1)$ eine Konstante $K = K(\lambda_1, \mu_1)$ gibt, so daß

$$\int |u(\sigma, t)|\, p_k(t)\, dt \leqq K. \tag{1}$$

Es gibt wiederum — der Beweis ist derselbe wie in § 37 — bei gegebenem $(\lambda_1, \mu_1)$ zu jedem $\varepsilon$ ein $T$, so daß

$$|u(s)| \leqq \varepsilon |t|^k \qquad |t| > T, \tag{2}$$

und

$$\int^{-T} + \int_{T} |u(\sigma)|\, p_k(t)\, dt \leqq \varepsilon, \tag{3}$$

und hieraus folgt wiederum, daß bei gegebenem Rechteck

$$\lambda_1 \leqq \sigma \leqq \mu_1, \quad |t| \leqq T \tag{4}$$

zu jedem $\varepsilon$ ein $\delta$ vorhanden ist, so daß für je zwei Punkte des Rechtecks, für welche $|\sigma' - \sigma| \leqq \delta$, $|t' - t| \leqq \delta$,

$$\int |u(\sigma', t' + \tau) - u(\sigma, t + \tau)|\, p_k(\tau)\, d\tau \leqq \varepsilon.$$

Die letztere Eigenschaft drücken wir so aus, daß $u(s)$ im Innern von $[\lambda, \mu]$ *k-stetig* ist.

3. Der linke Randpunkt $s = \lambda$ sei eine endliche Zahl und es sei eine Randfunktion $u(t)$ der Klasse $\mathfrak{F}_k$ gegeben, gegen welche die Funktion $u(\sigma, t)$ für $\sigma \to \lambda$ $k$-konvergiert:

$$\int |u(t) - u(\sigma, t)|\, p_k(t)\, dt \to 0 \qquad \text{für } \sigma \to \lambda.$$

Wir sagen, daß sich die Funktion $u(\sigma, t)$ *für* $\sigma \to \lambda$ *$k$-stetig an die Randwerte* $u(t)$ *anschließt.* Damit es eine solche Randfunktion gibt, ist es notwendig und hinreichend, daß die Funktionen $u(\sigma, t)$ für $\sigma \to \lambda$ $k$-konvergent sind, d. h.

$$\lim_{\substack{\sigma_1 \to \lambda \\ \sigma_2 \to \lambda}} \int |u(\sigma_1, t) - u(\sigma_2, t)|\, p_k(t)\, dt = 0,$$

vgl. § 29, 1. Wenn man bei Vorhandensein der Randfunktion $u(t)$ die Funktion $u(\sigma, t)$ auf der Graden $\sigma = \lambda$ durch die Definition $u(\lambda, t) = u(t)$ vervollständigt, so besteht die oben definierte *$k$-Stetigkeit* auch in jedem solchen Rechteck, welches bis an die linke Randgerade sich erstreckt:

$$\lambda \leq \sigma \leq \mu_1, \qquad |t| \leq T.$$

Dies ergibt sich leicht aus der ersten Hälfte des Beweises zu Satz 39.

Ähnliche Betrachtungen gelten natürlich für $\sigma \to \mu$, falls $\mu$ endlich ist.

4. Für eine in $|x| \leq r$, $|y| \leq r$ reguläre harmonische Funktion $u(x, y)$ gilt:

$$\varrho^2 \frac{\partial u(0,0)}{\partial x} = \frac{1}{\pi} \int_0^{2\pi} \varrho\, u(\varrho \cos \varphi, \varrho \sin \varphi) \cos \varphi\, d\varphi \qquad 0 < \varrho \leq r.$$

Durch Integration nach $\varrho$ zwischen 0 und $r$ entsteht hieraus

$$\left| \frac{\partial u(0,0)}{\partial x} \right| \leq \frac{3}{\pi r^3} \int_{-r}^{r} \int_{-r}^{r} |u(x, y)|\, dx\, dy. \tag{5}$$

Es sei nun $u(\sigma, t)$ eine Funktion aus $\mathfrak{F}_k$ in $[\lambda, \mu]$. Zu einem jeden Teilstreifen $(\lambda_1, \mu_1)$ kann man einen größeren Teilstreifen $(\lambda_1 - r, \mu_1 + r)$ angeben, und dann ist für alle $(\sigma, t)$ aus $(\lambda_1, \mu_1)$

$$\left| \frac{\partial u(\sigma, t)}{\partial \sigma} \right| \leq \frac{3}{\pi r^3} \int_{-r}^{r} \int_{-r}^{r} |u(\sigma + \xi, t + \eta)|\, d\xi\, d\eta.$$

Durch Zuhilfenahme der Funktion $\chi(t)$ aus dem Beweis zu Satz 46 findet man hieraus unschwer eine Abschätzung

$$\int \left| \frac{\partial u(\sigma, t)}{\partial \sigma} \right| p_k(t)\, dt \leq K_1 \qquad \lambda_1 \leq \sigma \leq \mu_1.$$

D. h. die Ableitung von $u(\sigma, t)$ nach $\sigma$ ist gleichfalls eine Funktion aus $\mathfrak{F}_k$ in $[\lambda, \mu]$. Da man in der Abschätzung (5) die Buchstaben $x$ und $y$

vertauschen kann, so folgert man dieselbe Behauptung auch für die Ableitung von $u(\sigma, t)$ nach $t$. Da aber eine partielle Ableitung beliebig hoher Ordnung durch eine Aufeinanderfolge einfacher Differentiationen entsteht, so ergibt sich, daß alle partiellen Ableitungen von $u(\sigma, t)$ nach $\sigma$ und $t$ in $[\lambda, \mu]$ gleichfalls zu $\mathfrak{F}_k$ gehören.

Insbesondere gilt für eine analytische Funktion

$$f(s) = u(s) + iv(s),$$

die in $[\lambda, \mu]$ zu $\mathfrak{F}_k$ gehört, daß auch ihre erste Ableitung

$$\frac{\partial f}{\partial s} = -i\left(\frac{\partial u}{\partial t} + i\frac{\partial v}{\partial t}\right), \tag{6}$$

und demnach auch jede höhere Ableitung daselbst zu $\mathfrak{F}_k$ gehört. Die Transformierten der Ableitungen von $f(s)$ lassen sich unter Benutzung von (6) nach Satz 44, 1) sofort bestimmen. Es ist

$$f^{(r)}(s) \sim \int e^{s\alpha} \alpha^r d^k E(\alpha).$$

5. Hingegen braucht das Integral

$$F(s) = \int_{s_0}^{s} f(s)\, ds$$

($s_0$ ist ein Punkt aus $[\lambda, \mu]$) nicht zu $\mathfrak{F}_k$ zu gehören. Es gehört aber für $k \geqq 1$ zu $\mathfrak{F}_{k+1}$ und für $k = 0$ zu $\mathfrak{F}_{k+2}$. Denn setzt man etwa $s_0 = \sigma_0$, d. h. $s_0$ reell, so ist

$$F(\sigma + it) = \int_{\sigma_0}^{\sigma} f(s)\, ds + i\int_{0}^{t} f(\sigma + it)\, dt = A(\sigma) + \varphi_\sigma(t).$$

Die Funktion $\varphi_\sigma(t)$ gehört nach § 29, 8 zu $\mathfrak{F}_{k+1}$ bzw. $\mathfrak{F}_{k+2}$, und den dortigen Abschätzungen ist zu entnehmen, daß für $\varkappa = k + 1$ bzw. $= k + 2$

$$\int |\varphi_\sigma(t)|\, p_\varkappa(t)\, dt \leqq K \text{ in } (\lambda_1, \mu_1);$$

und die Funktion $A(\sigma)$ ist in $\lambda_1 \leqq \sigma \leqq \mu_1$ beschränkt.

Interessant ist noch folgendes. Wenn $F(\sigma + it)$ auf einer einzigen inneren*) Graden $\sigma = \sigma_0$ zu $\mathfrak{F}_k$ gehört, dann gehört sie zu $\mathfrak{F}_k$ im ganzen Streifen $[\lambda, \mu]$. Setzt man nämlich für $\sigma$ aus $\lambda_1 \leqq \sigma \leqq \mu_1$

$$F(\sigma + it) = F(\sigma_0 + it) + \psi(\sigma, t),$$

so genügt es zu zeigen, daß

$$\int |\psi(\sigma, t)|\, p_k(t)\, dt \leqq K\ (\lambda_1, \mu_1).$$

*) Die Behauptung gilt auch für eine Randgerade. Wenn $u(\sigma, t)$ aus $\mathfrak{F}_k$ sich etwa für $\sigma \to \lambda$ $k$-stetig an Randwerte $u(t)$ anschließt, und wenn $u(t)$ in $\mathfrak{F}_k$ integrierbar ist, so ist das Integral von $f(s)$ in passender Normierung der additiven Konstanten in $\mathfrak{F}_k$ enthalten und schließt sich für $\sigma \to \lambda$ gleichfalls $k$-stetig an Randwerte an.

Das folgt aber aus

$$|\psi(\sigma, t)| \leq \int_{\sigma_0}^{\sigma} |f(\xi + it)|\, d\xi.$$

Nach Satz 44, 4) ergibt sich hieraus unmittelbar die folgende Behauptung. Wenn die $k$-Transformierte $E(\alpha)$ von $f(s)$ innerhalb eines Intervalls $(a, b)$, welches den Nullpunkt enthält: $a < 0 < b$, äquivalent Null ist, so ist $f(s)$ in $[\lambda, \mu]$ beliebig oft in $\mathfrak{F}_k$ integrierbar.

6. Zu einer jeden harmonischen Funktion $u(\sigma, t)$ gibt es in jedem einfach zusammenhängenden Bereich, also insbesondere in jedem Streifen $[\lambda, \mu]$, eine Konjugierte. Sie ist bis auf eine willkürliche additive Konstante als Lösung der Gleichungen

$$\frac{\partial v}{\partial t} = \frac{\partial u}{\partial \sigma}, \qquad \frac{\partial v}{\partial \sigma} = -\frac{\partial u}{\partial t}$$

bestimmt. Ist $(\sigma_0, t_0)$ ein Punkt des Streifens, so ist

$$v(\sigma, t) = v(\sigma, t_0) + \int_{t_0}^{t} \frac{\partial u(\sigma, \tau)}{\partial \sigma}\, d\tau.$$

Hieraus erkennt man, ebenso wie beim Integral einer analytischen Funktion, daß $v(\sigma, t)$ jedenfalls zu $\mathfrak{F}_{k+1}$ bzw. $\mathfrak{F}_{k+2}$ gehört, und aus

$$v(\sigma, t) = v(\sigma_0, t) - \int_{\sigma_0}^{\sigma} \frac{\partial u}{\partial t}(\xi, t)\, d\xi$$

erkennt man, daß $v(\sigma, t)$ in $[\lambda, \mu]$ zu $\mathfrak{F}_k$ gehört, falls dies auf einer einzigen Geraden $\sigma = \sigma_0$ der Fall ist.

Wenn $u(\sigma, t)$ reell ist und in $[\lambda, \mu]$ zu $\mathfrak{F}_k$ gehört, so ist $u(\sigma, t)$ der Realteil einer analytischen Funktion $f(s)$ in $[\lambda, \mu]$, welche mindestens zu $\mathfrak{F}_{k+2}$ gehört. Indem wir eventuell $k$ für $k+2$ schreiben, können wir $u(\sigma, t)$ als Realteil einer Funktion $f(s)$ aus $\mathfrak{F}_k$ ansetzen. Aus

(7) $$f(s) \sim \int e^{s\alpha} d^k E(\alpha) = \int e(t\alpha)\, e^{\sigma\alpha} d^k E(\alpha)$$

folgt

$$\overline{f(s)} \sim (-1)^k \int e(t\alpha)\, e^{-\sigma\alpha} d^k \overline{E(-\alpha)}.$$

Setzt man also

(7′) $$u(\sigma, t) \sim \int e(t\alpha)\, d^k E(\sigma, \alpha),$$

so ist

(8) $$d^k E(\sigma, \alpha) = e^{\sigma\alpha} d^k E^+(\alpha) + e^{-\sigma\alpha} d^k E^-(\alpha),$$

wobei

(9) $$2E^+(\alpha) = E(\alpha), \quad 2E^-(\alpha) = (-1)^k \overline{E(-\alpha)}.$$

Insbesondere für $k = 0$ ist

$$E(\sigma, \alpha) = e^{\sigma\alpha} E^+(\alpha) + e^{-\sigma\alpha} E^-(\alpha).$$

Zieht man für $k \geqq 2$ eine Funktion

$$g(s) \sim \int e^{\sigma\alpha} d^k \Phi(\alpha)$$

heran, welche sich von $f(s)$ nur um eine imaginäre Konstante unterscheidet, also denselben Realteil besitzt, so ist in Analogie zu (8)

$$d^k E(\sigma, \alpha) = e^{\sigma\alpha} d^k \Phi^+(\alpha) + e^{-\sigma\alpha} d^k \Phi^-(\alpha); \tag{10}$$

und da $\Phi(\alpha) - E(\alpha)$ die $k$-Transformierte einer Konstanten ist, so erhält man

$$\Phi^+(\alpha) \asymp E^+(\alpha) + a \lceil \alpha \rceil^{k-1}, \quad \Phi^-(\alpha) \asymp E^-(\alpha) + b \lceil \alpha \rceil^{k-1}, \tag{11}$$

wobei die Zahlen $a$ und $b$ gewisse Konstanten sind. Die Darstellung der Funktion $E(\sigma, \alpha)$ durch zwei von $\sigma$ unabhängige Funktionen $E^+(\alpha)$ und $E^-(\alpha)$ gemäß der Formel (8) ist also nicht ganz eindeutig. Wir behaupten aber, daß, falls neben der Darstellung (8) eine Darstellung (10) besteht, notwendigerweise eine Beziehung (11) existiert. Wir setzen

$$D^+(\alpha) = \Phi^+(\alpha) - E^+(\alpha), \quad D^-(\alpha) = \Phi^-(\alpha) - E^-(\alpha),$$

und dann folgt aus (8) und (10)

$$e^{2\sigma\alpha} d^k D^+(\alpha) = -d^k D^-(\alpha),$$

und daher für irgend zwei Zahlen $\sigma_1$, $\sigma_2$ aus $[\lambda, \mu]$:

$$(e^{2\sigma_1\alpha} - e^{2\sigma_2\alpha})\, d^k D^+(\alpha) = 0. \tag{12}$$

Für $\sigma_1 \neq \sigma_2$ hat $e^{2\sigma_1\alpha} - e^{2\sigma_2\alpha}$ eine einfache Nullstelle im Punkte $\alpha = 0$, daher folgt aus (12)

$$i\alpha\, d^k D^+(\alpha) = 0.$$

Daher ist $D^+(\alpha)$ eine triviale Funktion aus $\mathfrak{T}_k$, und zwar die Transformierte einer Funktion, deren Ableitung verschwindet, also die Transformierte einer Konstanten. Ähnliches gilt von $D^-(\alpha)$. Also ist

$$D^+(\alpha) \asymp a \lceil \alpha \rceil^{k-1}, \quad D^-(\alpha) \asymp b \lceil \alpha \rceil^{k-1},$$

w. z. b. w.

7. Die Transformierten der partiellen Ableitungen von $u(\sigma, t)$ erhält man durch formale partielle Differentiation der Relation (7'), unter Berücksichtigung von (8). Dies folgt daraus, daß man eine jede partielle Ableitung von $u(\sigma, t)$ durch den Real- oder Imaginärteil einer gewissen Ableitung von $f(s)$ ausdrücken kann und daß die Transformierte einer jeden Ableitung von $f(s)$ durch formale Differentiation von (7) entsteht.

8. Für den Imaginärteil von $f(s)$, also für die Konjugierte $v(\sigma, t)$ von $u(\sigma, t)$ gilt

$$d^k E(\sigma, \alpha) = -i e^{\sigma\alpha} d^k E^+(\alpha) + i e^{-\sigma\alpha} d^k E^-(\alpha).$$

Insbesondere im Falle $\lambda < 0 < \mu$ hat man gemäß (8) und (9)

$$E(0, \alpha) \asymp E^+(\alpha) + E^-(\alpha) \asymp \tfrac{1}{2}\,[E(\alpha) + (-1)^k \overline{E(-\alpha)}]$$

$$E(0, \alpha) \asymp -iE^+(\alpha) + iE^-(\alpha) \asymp \tfrac{1}{2}\,[-iE(\alpha) + i(-1)^k \overline{E(-\alpha)}].$$

Man pflegt zwei reellvariablige Funktionen $u(t)$ und $v(t)$ aus $\mathfrak{F}_k$, deren $k$-Transformierte $\Phi(\alpha)$ und $\Psi(\alpha)$ vermittels einer geeigneten Funktion $E(\alpha)$ in der Beziehung

$$2\Phi(\alpha) = E(\alpha) + (-1)^k \overline{E(-\alpha)}, \quad 2\Psi(\alpha) = -iE(\alpha) + i(-1)^k \overline{E(-\alpha)}$$

zueinander stehen, als *konjugiert* zu bezeichnen. Auf das Studium konjugierter Funktionen lassen wir uns nicht ein[97]).

9. Wenn die Funktion $u(\sigma, t)$ für $\sigma \to \lambda$ sich $k$-stetig an eine Funktion $u(\lambda, t)$ anschließt, so geht auch die Transformierte $E(\sigma, \alpha)$ stetig in die Transformierte $E(\lambda, \alpha)$ über. Nach § 30, 9 gilt dann daher die Beziehung (8) auch für $\sigma = \lambda$. Analog für $\sigma \to \mu$.

Wenn die analytische Funktion $f(s)$ für $\sigma \to \lambda$ sich $k$-stetig an die Funktion $f_\lambda(t)$ anschließt, so ist auf Grund dessen

$$f_\lambda(t) \sim \int e^{(\lambda + it)\alpha} d^k E(\alpha).$$

## § 39. Randwertaufgaben für harmonische Funktionen.

1. Gegeben sei eine reelle harmonische Funktion $u(\sigma, t)$ in einem Streifen $[\lambda, \mu]$, wobei $\lambda$ und $\mu$ bis auf weiteres endliche Zahlen sind. Wir sagen, daß die Funktion $u(\sigma, t)$ in $[\lambda, \mu]$ zur Funktionenklasse $\mathfrak{F}$ gehört, falls sie, für ein gewisses $k$, zu $\mathfrak{F}_k$ gehört. Wenn für genügend großes $k$ $u(\sigma, t)$ für $\sigma \to \lambda$ sich $k$-stetig an Randwerte $u(\lambda, t)$ anschließt, so schreiben wir, daß $u(\sigma, t)$ in $(\lambda, \mu]$ zu $\mathfrak{F}$ gehört. Analoges gilt für $\sigma = \mu$. Die Voraussetzung, daß $u(\sigma, t)$ in $(\lambda, \mu)$ zu $\mathfrak{F}$ gehört, soll besagen, daß für genügend großes $k$ sowohl für $\sigma \to \lambda$ als auch für $\sigma \to \mu$ $k$-stetiger Anschluß an Randwerte statthat. In diesem Sinne ist z. B. die Aussage, daß die Funktion

$$\frac{\partial^2 (\sigma, t)}{\partial\sigma\,\partial t} \tag{1}$$

gleichfalls in $(\lambda, \mu)$ zu $\mathfrak{F}$ gehört, folgendermaßen zu verstehen. Nicht nur ist, gemäß § 38, 7, die Funktion (1) in $[\lambda, \mu]$ in $\mathfrak{F}_k$ enthalten, sondern es gibt ein passendes $k = k'$, welches eventuell größer als das bisher benötigte $k$ sein kann, so daß die Funktion (1) bei Annäherung von $\sigma$ an $\lambda$ und $\mu$ gegen zwei Grenzfunktionen — die wir rein symbolisch mit

$$\frac{\partial^2 u(\lambda, t)}{\partial\sigma\,\partial t}, \qquad \frac{\partial^2 u(\mu, t)}{\partial\sigma\,\partial t}$$

bezeichnen werden — $k$-konvergent ist.

2. Es wird fürs weitere keine Einschränkung der Allgemeinheit bedeuten, wenn wir setzen werden: $\lambda = 0$, $\mu = 1$.

**Satz 49.** *Wenn die harmonische Funktion $u(\sigma, t)$ aus $\mathfrak{F}$ sich für beide Randgraden k-stetig an die Werte Null anschließt, so ist sie identisch Null.*

Beweis. Da die Formel

$$(2) \qquad d^k E(\sigma, \alpha) = e^{\sigma\alpha} d^k E^+(\alpha) + e^{-\sigma\alpha} d^k E^-(\alpha)$$

auch für die Randwerte $\sigma = 0, 1$ gilt, so ist

$$(3) \qquad d^k E^+(\alpha) + d^k E^-(\alpha) = 0,$$

$$(4) \qquad e^{+\alpha} d^k E^+(\alpha) + e^{-\alpha} d^k E^-(\alpha) = 0.$$

Hieraus folgt

$$(5) \qquad (1 - e^{2\alpha})\, d^k E^+(\alpha) = 0,$$

also

$$(6) \qquad \alpha d^k E^+(\alpha) = 0.$$

Unter Berücksichtigung von

$$(7) \qquad 2E^+(\alpha) = E(\alpha), \quad 2E^-(\alpha) = (-1)^k \overline{E(-\alpha)}$$

gibt dies

$$(8) \qquad \alpha d^k E(\alpha) = 0.$$

$E(\alpha)$ war die $k$-Transformierte der Funktion

$$(9) \qquad f(s) = u(\sigma, t) + i\, v(\sigma, t);$$

und die Relation (8) besagt, daß die Ableitung von $f(s)$ verschwindet, also $f(s)$ konstant ist. Also ist $u(\sigma, t)$ konstant, und wegen der $k$-stetigen Annäherung von $u(\sigma, t)$ an Nullwerte verschwindet diese Konstante, w. z. b. w.

Eine Verallgemeinerung von Satz 49 ist der

**Satz 50.** *Gegeben seien zwei Funktionale der Gestalt*

$$(10) \qquad \Lambda_0 u = \sum_{\mu,\nu=0}^{m} a_{\mu\nu} \frac{\partial^{\mu+\nu} u}{\partial\sigma^\mu \partial t^\nu} \qquad \Lambda_1 u = \sum_{\mu,\nu=0}^{m} b_{\mu\nu} \frac{\partial^{\mu+\nu} u}{\partial\sigma^\mu \partial t^\nu}$$

*mit reellen konstanten Koeffizienten $a_{\mu\nu}$, $b_{\mu\nu}$. Von einer in $[0, 1]$ harmonischen Funktion aus $\mathfrak{F}$ sei bekannt, daß sie folgendes Randverhalten aufweist.* 1. *Die harmonische Funktion*

$$u_0(\sigma, t) = \Lambda_0 u(\sigma, t)$$

*ist sogar in $(0, 1]$ in $\mathfrak{F}$ enthalten, und zwar ist*

$$(11) \qquad u_0(0, t) = 0.$$

2. *Die harmonische Funktion*

$$u_1(\sigma, t) = \Lambda_1 u(\sigma, t)$$

*ist sogar in* $[0, 1)$ *in* $\mathfrak{F}$ *enthalten, und zwar ist*

(12) $$u_1(1, t) = 0.$$

*Dann ist* $u(\sigma, t)$ *der Realteil einer trivialen Funktion, d.h. einer Funktion*

(13) $$\sum_{\nu=1}^{n} \sum_{\mu=0}^{l_\nu - 1} c_{\mu\nu} s^\mu e^{\tau_\nu s} \qquad \tau_\nu \text{ ist reell.}$$

Bemerkung. Aus dem Beweis wird sich ergeben, daß man die gegebenen Funktionale $\Lambda_0 u$, $\Lambda_1 u$ in beträchtlich allgemeinerer als der Form (10) ansetzen kann, doch gehen wir hierauf nicht weiter ein.

Beweis. Wir schreiben für $0 < \sigma < 1$

$$u(\sigma, t) \sim \int e(t\alpha)\, d^k E(\sigma, \alpha),$$

wobei (2) und (7) gilt. Die Funktion $\Lambda_0 u$ hat das „Differential"

$$e^{\sigma\alpha} P^+(\alpha)\, d^k E^+(\alpha) + e^{-\sigma\alpha} P^-(\alpha)\, d^k E^-(\alpha),$$

wobei

$$P^+(\alpha) = \sum_{\mu, \nu} a_{\mu\nu} i^\nu \alpha^{\mu+\nu}, \quad P^-(\alpha) = \sum_{\mu, \nu} (-1)^\mu a_{\mu\nu} i^\nu \alpha^{\mu+\nu}.$$

Aus (11) folgt daher

(14) $$P^+(\alpha)\, d^k E^+(\alpha) + P^-(\alpha)\, d^k E^-(\alpha) = 0;$$

entsprechend folgt aus (12):

(15) $$e^\alpha Q^+(\alpha)\, d^k E^+(\alpha) + e^{-\alpha} Q^-(\alpha)\, d^k E^-(\alpha) = 0,$$

wobei die Polynome $Q$ aus den Polynomen $P$ durch Ersetzen von $a_{\mu\nu}$ durch $b_{\mu\nu}$ entstehen. Aus (14) und (15) folgt leicht unter Berücksichtigung von (7):

(16) $$G(\alpha)\, d^k E(\alpha) = 0,$$

wobei

$$G(\alpha) = e^\alpha Q^+(\alpha)\, P^-(\alpha) - e^{-\alpha} Q^-(\alpha)\, P^+(\alpha).$$

Es ist leicht einzusehen, daß $G(\alpha)$ höchstens endlich viele Nullstellen $\tau_1, \ldots, \tau_n$ mit wohlbestimmten Vielfachheiten $l_1, \ldots, l_n$ hat, und daher folgt aus (16), daß $u(\sigma, t)$ der Realteil einer Funktion (13) ist, w.z.b.w.

Wir haben nicht bewiesen, daß jede Funktion (13) tatsächlich eine Lösung gibt. Für welche Werte der Konstanten $c_{\mu\nu}$ tatsächlich eine Lösung herauskommt, stellt man bei konkret vorgegebenen Funktionalen (10) am besten direkt durch Nachprüfen der Randbedingungen (11) und (12) am Ausdruck (13) fest.

Beispiel. Für ein gewisses Problem der Hydrodynamik ist[98])

$$\Lambda_0 u \equiv u, \quad \Lambda_1 u \equiv q u - \frac{\partial u}{\partial \sigma}.$$

Dann ist $P^+(\alpha) = 1$, $P^-(\alpha) = 1$, $Q^+(\alpha) = q - \alpha$, $Q^-(\alpha) = q + \alpha$, also

$$G(\alpha) = e^\alpha (q - \alpha) - e^{-\alpha}(q + \alpha) = q(e^\alpha - e^{-\alpha}) - \alpha(e^\alpha + e^{-\alpha}).$$

Diese Funktion hat immer die Nullstellen $\tau = 0$, welche für $q \neq 1$ einfach und für $q = 1$ dreifach ist. Ihr Beitrag zur Funktion (13) hat für $q \neq 1$ die Gestalt $c_0$, und wegen der ersten Randbedingung muß dessen Realteil verschwinden; also entsteht gar kein Beitrag zur Funktion $u$ selber. Für $q = 1$ hingegen hat der Beitrag zur Funktion (13) den Wert

$$c_0 + c_1 s + c_2 s^2.$$

Wenn man bei komplexen Konstanten $c_0$, $c_1$, $c_2$ hiervon den Realteil abtrennt und für ihn die beiden Randbedingungen verifiziert, so ergibt sich zur Lösungsfunktion $u$ der Beitrag

$$A\sigma + B\sigma t,$$

wo $A$ und $B$ beliebige reelle Konstanten sind. — Zur Auffindung weiterer Nullstellen von $G(\alpha)$ schreibe man die Gleichung $G(\alpha) = 0$ in der Form

$$\frac{\mathfrak{Tg}\,\alpha}{\alpha} = \frac{1}{q}. \tag{17}$$

Die links stehende Funktion hat den Wert 1 für $\alpha = 0$ und konvergiert gegen Null für $\alpha \to \infty$. In $[0, \infty]$ ist sie monoton, denn wenn ihre Ableitung verschwände, müßte sein

$$4\alpha = e^{2\alpha} - e^{-2\alpha},$$

was aber für $\alpha > 0$ nicht zutrifft, da $4\alpha < e^{2\alpha} - e^{-2\alpha}$. Weiterhin ist die links in (17) stehende Funktion gerade. Wir haben also das Ergebnis: für $q \leqq 1$ hat $G(\alpha)$ keine weiteren Nullstellen, für $q > 1$ zwei symmetrische Nullstellen

$$\tau_2 = \tau > 0, \quad \tau_3 = -\tau < 0,$$

die beide einfach sind. Als Realteil von

$$c_3 e^{\tau s} + c_4 e^{-\tau s}$$

ergibt sich ein Ausdruck

$$e^{\tau\sigma}(a_1 \cos \tau t + b_1 \sin \tau t) + e^{-\tau\sigma}(a_2 \cos \tau t + b_2 \sin \tau t).$$

Die Bedingung (11) lautet

$$(a_1 + a_2) \cos \tau t + (b_1 + b_2) \sin \tau t = 0,$$

und daraus folgt: $a_2 = -a_1 = -a$, $b_2 = -b_1 = -b$, also

$$u = (e^{\tau\sigma} - e^{-\tau\sigma})\,(a \cos \tau t + b \sin \tau t).$$

Diese Funktion befriedigt für beliebiges $a$ und $b$ die Bedingung (12), und damit sind alle Lösungen unseres Problems gefunden.

3. Das Ergebnis des Satzes 50 legt die Frage nahe, ob es bei gegebenen Funktionen $\varphi_0(t)$, $\varphi_1(t)$ aus $\mathfrak{F}$ eine harmonische Funktion $u(\sigma, t)$ aus $\mathfrak{F}$ in $[0, 1]$ gibt, welche die inhomogenen Randbedingungen

$$\Lambda_0 u(0, t) = \varphi_0(t),$$
$$\Lambda_1 u(1, t) = \varphi_1(t).$$

erfüllt. Die Diskussion dieser Frage gestaltet sich sehr langwierig, und wir wollen daher von ihr ganz absehen.

4. Wir betrachten den Realteil $u(\sigma, t)$ einer Funktion $f(s)$, welche in $[-\infty, 0]$ zu $\mathfrak{F}$ gehört, und eine $k$-Transformierte besitzt, welche für $\alpha < 0$ äquivalent Null ist*). Es sei nun von der Funktion $u(\sigma, t)$ verlangt, daß in $[-\infty, 0)$ die Funktion $\Lambda_0 u$ zu $\mathfrak{F}$ gehört, und daß für $\sigma = 0$ die Randbedingung $\Lambda_0 u = 0$ erfüllt ist. Hierbei ist $\Lambda_0 u$ ein Funktional wie in Satz 50. Man erhält wiederum die Relation

$$P^+(\alpha)\, d^k E^+(\alpha) + P^-(\alpha)\, d^k E^-(\alpha) = 0,$$

und wenn man die Beziehungen (7) und die spezielle Voraussetzung über $E(\alpha)$ berücksichtigt, so ergibt sich:

$$P^+(\alpha)\, d^k E(\alpha) = 0 \text{ für } \alpha > 0.$$

Es kommen also wiederum nur Realteile der Funktionen (13) in Frage, wobei jetzt die $\tau_\nu$ die nichtnegativen Nullstellen des Polynoms $P^+(\alpha)$ sind.

# ACHTES KAPITEL.

# Quadratische Integrierbarkeit.

## § 40. Die Parsevalsche Gleichung.

1. Unter der Klasse $\mathfrak{F}_k$, $k = 0, 1, 2, \ldots$, verstanden wir die Gesamtheit derjenigen Funktionen $f(x)$, für welche die Funktion

$$\frac{f(x)}{1 + |x|^k}$$

in $[-\infty, \infty]$ absolut integrierbar ist. Wir werden Anlaß haben, für $k = 0, 1, 2$ die Gesamtheit derjenigen Funktionen $f(x)$ zu betrachten, für welche die Funktion

$$\frac{f(x)^2}{1 + |x|^{2k}}$$

in $[-\infty, \infty]$ absolut integrierbar ist. Diese Funktionenklasse werden wir mit $\mathfrak{F}_k^2$ bezeichnen, und zur genauen Unterscheidung werden wir

---

*) Eine solche harmonische Funktion $u(\sigma, t)$ kann man „direkt" in der Weise charakterisieren, daß sie in $[-\infty, 0]$ zu $\mathfrak{F}$ gehört, und daß für genügend großes $k$ die Funktion

$$J(\sigma) = \int |u(\sigma, t)|\, p_k(t)\, dt$$

für jedes $\varepsilon > 0$ der Abschätzung

$$J(\sigma) = O(e^{-\varepsilon\sigma}) \qquad \sigma \to -\infty$$

genügt.

auch $\mathfrak{F}_k^1$ statt $\mathfrak{F}_k$ schreiben. *Insbesondere ist* $\mathfrak{F}_0^2$ *die Gesamtheit derjenigen Funktionen, für welche*

$$\int |f(x)|^2 \, dx \quad \textit{endlich.}$$

Falls $|f(x)|^2$ über ein gewisses endliches Intervall integrierbar ist, so ist daselbst auch $|f(x)|$ integrierbar, nicht aber umgekehrt. (Dieser Sachverhalt wird durch die Schwarzsche Ungleichung

$$(b-a)\left(\int_a^b |f(x)|\,dx\right)^2 \leq \int_a^b |f(x)|^2\,dx$$

illustriert.) Aber deswegen ist nicht jede Funktion aus $\mathfrak{F}_k^2$ auch schon in $\mathfrak{F}_k^1$ enthalten. Gegenbeispiel: für $n = 1, 2, 3, \ldots$ sei

$$f(x) = n^{-1} \text{ in } n < x \leq n + 1$$

und für $x \leq 1$ sei $f(x) = 0$. Diese Funktion ist in $\mathfrak{F}_0^2$, nicht aber in $\mathfrak{F}_0^1$ enthalten.

Unter $\mathfrak{F}_k^{12}$ verstehen wir die Gesamtheit derjenigen Funktionen, welche sowohl zu $\mathfrak{F}_k^1$ als auch zu $\mathfrak{F}_k^2$ gehören.

Für Funktionen aus $\mathfrak{F}_0^2$ werden wir die folgenden Tatsachen benutzen, von denen wir die grundlegenden ohne Beweis anführen müssen [99]).

2. Die Summe zweier Funktionen aus $\mathfrak{F}_0^2$ ist wieder in $\mathfrak{F}_0^2$ enthalten. Das Produkt zweier Funktionen aus $\mathfrak{F}_0^2$ ist in $[-\infty, \infty]$ absolut integrierbar, und zwar besteht die Schwarzsche Ungleichung

$$\left|\int f(x)\, g(x)\, dx\right|^2 \leq \int |f(x)|^2\, dx \cdot \int |g(x)|^2\, dx.$$

Daher ist

$$\int |f(x) + g(x)|^2\, dx \leq \int (|f|^2 + |g|^2 + 2|fg|)\, dx \leq 2\int (|f|^2 + |g|^2)\, dx.$$

Insbesondere, wenn

$$\int |f(x) - g(x)|^2\, dx \leq \varepsilon, \quad \int |g(x) - h(x)|^2\, dx \leq \varepsilon,$$

so ist

$$\int |f(x) - h(x)|^2\, dx \leq 4\varepsilon.$$

3. Aus

(1) $$\lim_{n\to\infty} \int |f_n(x) - f(x)|^2\, dx = 0$$

folgt also

(2) $$\lim_{\substack{m\to\infty \\ n\to\infty}} \int |f_m(x) - f_n(x)|^2\, dx = 0.$$

Wenn umgekehrt eine Folge von Funktionen $f_n(x)$ aus $\mathfrak{F}_0^2$ im quadratischen Mittel konvergiert, d. h. der Relation (2) genügt, so gibt es eine Funktion $f(x)$ aus $\mathfrak{F}_0^2$, gegen welche sie im quadratischen Mittel konvergiert, d. h. für welche die Relation (1) befriedigt wird. Diese Funktion $f(x)$ ist (abgesehen von einer Nullmenge) eindeutig.

Gegeben seien zwei Folgen von Funktionen $f_n(x), \varphi_n(x)$ aus $\mathfrak{F}_0^2$, welche gegen die Funktionen $f(x)$, $\varphi(x)$ im quadratischen Mittel konvergieren. Damit die Funktionen $f(x)$ und $\varphi(x)$ übereinstimmen, ist notwendig und hinreichend, daß

$$\lim_{n \to \infty} \int |f_n(x) - \varphi_n(x)|^2 \, dx = 0.$$

Wenn (1) besteht, und wenn die Folge $f_n(x)$ fast überall im gewöhnlichen Sinne gegen eine Funktion $\varphi(x)$ konvergiert, so ist $f(x) = \varphi(x)$.

Aus (1) folgt

$$\lim_{n \to \infty} \int |f_n(x)|^2 \, dx = \int |f(x)|^2 \, dx.$$

4. Zu jeder Funktion $f(x)$ aus $\mathfrak{F}_0^2$ gibt es eine Folge von Funktionen $f_n(x)$ aus $\mathfrak{F}_0^{12}$, für welche

$$\lim_{n \to \infty} \int |f_n(x) - f(x)|^2 \, dx = 0;$$

man setze etwa

$$f_n(x) = \begin{cases} f(x) & \text{für } |x| \leq n \\ 0 & \text{für } |x| > n. \end{cases}$$

Die eben konstruierten „Approximationsfunktionen“ $f_n(x)$ aus $\mathfrak{F}_0^{12}$ sind jede außerhalb eines endlichen Intervalles Null. Man kann aber von den Approximationsfunktionen noch weitere „Regularitätseigenschaften“ verlangen. Wir werden benutzen, daß es Funktionen $f_n(x)$ gibt, von denen jede in endlich vielen endlichen Intervallen je einen konstanten Wert hat und sonst verschwindet („Treppenfunktion“). Eine solche Funktion $f_n(x)$ ist eo ipso beschränkt.

5. Für jede Funktion aus $\mathfrak{F}_0^2$ gilt

$$\lim_{\xi \to 0} \int |f(x) - f(x+\xi)|^2 \, dx = 0. \tag{3}$$

Falls $f(x)$ zu $\mathfrak{F}_0^{12}$ gehört und beschränkt ist: $|f(x)| \leq G$, folgt dies aus

$$|f(x) - f(x+\xi)|^2 = |f(x) - f(x+\xi)| \cdot |f(x) - f(x+\xi)| \leq 2G \, |f(x) - f(x+\xi)|$$

in Verbindung mit

$$\lim_{\xi \to 0} \int |f(x) - f(x+\xi)| \, dx = 0,$$

vgl. den Anfang des Beweises zu Satz 39.

Für eine beliebige Funktion aus $\mathfrak{F}_0^2$ folgt dies nunmehr aus der in 4. festgestellten Approximierbarkeit, auf Grund der Abschätzung

$$\tfrac{1}{3} |f(x) - f(x+\xi)|^2 \leq |f_n(x) - f(x)|^2 + |f_n(x+\xi) - f(x+\xi)|^2 + |f_n(x) - f_n(x+\xi)|^2.$$

6. Das Ziel dieses Paragraphen ist der

**Satz 51**[100]). *Für jede Funktion*

$$f(x) \sim \int e(x\alpha)\, E(\alpha)\, d\alpha$$

*aus* $\mathfrak{F}_0^{12}$ *gilt (die Parsevalsche Gleichung):*

$$\int |E(\alpha)|^2\, d\alpha = \frac{1}{2\pi}\int |f(x)|^2\, dx. \tag{4}$$

Beweis. Für jede Funktion $f(x)$ aus $\mathfrak{F}_0^2$ ist nach 2. für festgehaltenes $y$ die Funktion $f(x)\,\overline{f(x-y)}$ in $-\infty < x < \infty$ absolut integrierbar. Wir betrachten nunmehr die Funktion

$$g(x) = \frac{1}{2\pi}\int f(\xi)\,\overline{f(\xi-x)}\, d\xi$$

für alle (und nicht nur: fast alle) Werte $x$ aus $[-\infty, \infty]$. Sie ist beschränkt:

$$|g(x)|^2 \leq \frac{1}{4\pi^2}\int |f(\xi)|^2\, d\xi \cdot \int |f(\xi)|^2\, d\xi,$$

und stetig. Letzteres folgt aus

$$\begin{aligned} 4\pi^2 |g(x) - g(x+y)|^2 &\leq \left(\int |f(\xi)|\, |f(\xi-x) - f(\xi-x-y)|\, d\xi\right)^2 \\ &\leq \int |f(\xi)|^2\, d\xi \cdot \int |f(\xi) - f(\xi-y)|^2\, d\xi, \end{aligned}$$

in Verbindung mit (3).

Wenn $f(x)$ in $\mathfrak{F}_0^{12}$ enthalten ist, so ist nach der Faltungsregel $g(x)$ eine Funktion aus $\mathfrak{F}_0^1$ und ihre Transformierte beträgt $|E(\alpha)|^2$. Nun haben wir aber in § 20, 3 (ganz am Ende) folgendes bewiesen. Wenn die Transformierte einer beschränkten Funktion aus $\mathfrak{F}_0^1$ nicht-negativ ist, so ist sie absolut integrierbar. Nach Satz 15, 1) gilt daher, da $g(x)$ für alle $x$ stetig ist,

$$g(x) = \int |E(\alpha)|^2\, e(x\alpha)\, d\alpha.$$

Für $x = 0$ entsteht hieraus die Relation (4), w. z. b. w.

7. Wenn zwei Funktionen $f_1(x)$, $f_2(x)$ aus $\mathfrak{F}_0^{12}$ vorliegen, so erhält man, indem man (4) auf $\lambda f_1 + f_2$ und $\lambda f_1 - f_2$ anwendet und subtrahiert,

$$\begin{aligned} \lambda \int E_1(\alpha)\,\overline{E_2(\alpha)}\, d\alpha + \bar{\lambda}\int \overline{E_1(\alpha)}\, E_2(\alpha)\, d\alpha &= \frac{\lambda}{2\pi}\int f_1(x)\,\overline{f_2(x)}\, dx \\ &+ \frac{\bar{\lambda}}{2\pi}\int \overline{f_1(x)}\, f_2(x)\, dx. \end{aligned}$$

Durch die Spezialisierungen $\lambda = 1$ und $\lambda = i$ erhält man endgültig

$$\int E_1(\alpha)\,\overline{E_2(\alpha)}\, dx = \frac{1}{2\pi}\int f_1(x)\,\overline{f_2(x)}\, dx. \tag{5}$$

Wenn man $\overline{f_2(x)}$ durch $f_2(y-x)$ ersetzt, so entsteht

$$\int E_1(\alpha)\, E_2(\alpha)\, e(y\alpha)\, d\alpha = \frac{1}{2\pi}\int f_1(x)\, f_2(y-x)\, dx, \tag{6}$$

insbesondere

$$\int E_1(\alpha)\,E_2(\alpha)\,d\alpha = \frac{1}{2\pi}\int f_1(x)\,f_2(-x)\,dx. \tag{7}$$

8. Gegeben sei eine Funktion $f(x)$ aus $\mathfrak{F}_1^{12}$. Von ihrer 1-Transformierten $E(\alpha) = E(\alpha, 1)$ gilt

$$E(\alpha+\varepsilon) - E(\alpha-\varepsilon) = \frac{1}{2\pi}\int f(x)\,\frac{2\sin\varepsilon x}{x}\,e(-\alpha x)\,dx,$$

und daher ist nach Satz 51

$$\int |E(\alpha+\varepsilon) - E(\alpha-\varepsilon)|^2\,d\alpha = \frac{2\varepsilon}{\pi}\int |f(x)|^2\,\frac{\sin^2\varepsilon x}{\varepsilon x^2}\,dx.$$

Wenn daher für die Funktion $|f(x)|^2$ im Sinne von § 9,2 ein „Mittelwert" vorhanden ist, so ist

$$\lim_{\varepsilon\to 0}\frac{1}{2\varepsilon}\int |E(\alpha+\varepsilon) - E(\alpha-\varepsilon)|^2\,d\alpha = \mathfrak{M}\left\{|f(x)|^2\right\}. \tag{8}$$

Wenn $f(x)$ zu $\mathfrak{F}_2^{12}$ gehört, so erhält man in ähnlicher Weise für die 2-Transformierte $E(\alpha) = E(\alpha, 2)$ von $f(x)$

$$\int |E(\alpha+\varepsilon) - 2E(\alpha) + E(\alpha-\varepsilon)|^2\,d\alpha = \frac{1}{2\pi}\int |f(x)|^2\left(\frac{\sin\frac{\varepsilon x}{2}}{\frac{x}{2}}\right)^4 dx,$$

und hieraus, sofern der „Mittelwert" von $|f(x)|^2$ im Sinne von § 9, 2 existiert, unter Benutzung von § 4, (18),

$$\lim_{\varepsilon\to 0}\frac{1}{\varepsilon^3}\int |E(\alpha+\varepsilon) - 2E(\alpha) + E(\alpha-\varepsilon)|^2\,d\alpha = \frac{2}{3}\,\mathfrak{M}\left\{|f(x)|^2\right\}.$$

## § 41. Der Satz von Plancherel.

1. **Satz 52.** *Jeder Funktion $f(x)$ aus $\mathfrak{F}_0^2$ ist in umkehrbar eindeutiger Weise eine Funktion $F(\alpha)$ aus $\mathfrak{F}_0^2$ zugeordnet, welche die folgenden Eigenschaften besitzt.*

*Falls $f(x)$ zu $\mathfrak{F}_0^{12}$ gehört, so ist $F(\alpha)$ die 0-Transformierte von $f(x)$. Falls $f(x)$ eine beliebige Funktion aus $\mathfrak{F}_0^2$ ist, und wenn Funktionen*

$$f_n(x) \sim \int F_n(\alpha)\,e(x\alpha)\,d\alpha \tag{1}$$

*aus $\mathfrak{F}_0^{12}$ der Relation*

$$\int |f_n(x) - f(x)|^2\,dx \to 0 \qquad (n\to\infty) \tag{2}$$

*genügen, so ist*

$$\int |F_n(\alpha) - F(\alpha)|^2\,d\alpha \to 0 \qquad (n\to\infty). \tag{3}$$

*Es ist*

$$\int |F(\alpha)|^2\,d\alpha = \frac{1}{2\pi}\int |f(x)|^2\,dx. \tag{4}$$

Beweis. Es sei $f(x)$ eine beliebige Funktion aus $\mathfrak{F}_0^{12}$. Wir betrachten irgendwelche Funktionen (1) aus $\mathfrak{F}_0^{12}$, für welche (2) besteht. Nach Satz 51 ist

$$2\pi \int |F_m(\alpha) - F_n(\alpha)|^2 \, d\alpha = \int |f_m(x) - f_n(x)|^2 \, dx,$$

daher ist

$$\int |F_m(\alpha) - F_n(\alpha)|^2 \, d\alpha \to 0 \qquad (m, n \to \infty). \tag{5}$$

Auf Grund von (5) gibt es eine Funktion $F(\alpha)$ aus $\mathfrak{F}_0^2$, für welche

$$\int |F_n(\alpha) - F(\alpha)|^2 \, d\alpha \to 0 \qquad (n \to \infty). \tag{6}$$

Aus

$$2\pi \int |F_n(\alpha)|^2 \, d\alpha = \int |f_n(x)|^2 \, dx$$

und

$$\int |F_n(\alpha)|^2 \, d\alpha \to \int |F(\alpha)|^2 \, d\alpha, \quad \int |f_n(x)|^2 \, dx \to \int |f(x)|^2 \, dx$$

folgt nunmehr (4).

Wir haben noch zu zeigen, daß die Funktion $F(\alpha)$ unabhängig von der speziellen Approximationsfolge (2) ist, und daß die zu zwei verschiedenen Funktionen $f(x)$ gehörenden Funktionen $F(\alpha)$ untereinander verschieden sind.

Wenn neben (1) eine Approximationsfolge $g_n(x) \sim \int G_n(\alpha)\, e(x\alpha)\, d\alpha$ vorliegt, so folgt aus

$$2\pi \int |F_n(\alpha) - G_n(\alpha)|^2 \, d\alpha = \int |f_n(x) - g_n(x)|^2 \, dx \to 0 \qquad (m, n \to \infty), \tag{7}$$

daß die „Grenzfunktion" der Folge $G_n(\alpha)$ tatsächlich mit $F(\alpha)$ übereinstimmt, womit die Unabhängigkeit der Funktion $F(\alpha)$ von der speziellen Approximationsfolge erwiesen ist.

Auf diese Weise wird jeder Funktion aus $\mathfrak{F}_0^2$ eine wohlbestimmte Funktion $F(\alpha)$ zugeordnet; wir nennen sie die *Plancherelsche Transformierte* von $f(x)$.

Setzt man insbesondere

$$f_a(x) = \begin{cases} f(x) & \text{für } |x| < a \\ 0 & \text{für } |x| > a, \end{cases}$$

so ist die Funktionenmenge $f_a(x)$ für $a \to \infty$ im quadratischen Mittel gegen $f(x)$ konvergent, und daher sind die Funktionen

$$F_a(\alpha) = \frac{1}{2\pi} \int_{-a}^{a} f(x)\, e(-x\alpha)\, dx$$

für $a \to \infty$ im quadratischen Mittel gegen $F(\alpha)$ konvergent. Diesen Sachverhalt deuten wir durch die Relation

$$F(\alpha) = \text{l. m.} \frac{1}{2\pi} \int f(x)\, e(-x\alpha)\, dx \tag{8}$$

an. Wenn insbesondere in fast allen Punkten eines $\alpha$-Intervalls der Ausdruck

$$\frac{1}{2\pi}\int_{-a}^{a} f(x)\, e(-x\alpha)\, dx$$

für $a \to \infty$ konvergiert, so ist die Limesfunktion mit $F(\alpha)$ identisch. Die Zuordnung der Plancherelschen Transformierten zu den Funktionen aus $\mathfrak{F}_0^2$ ist eine additive; insbesondere gilt, für irgend zwei Funktionen $f(x)$ und $f_n(x)$ aus $\mathfrak{F}_0^2$:

$$2\pi \int |F_n(\alpha) - F(\alpha)|^2\, d\alpha = \int |f_n(x) - f(x)|^2\, dx.$$

2. Und daraus folgt: wenn eine Folge von Funktionen $f_n(x)$ aus $\mathfrak{F}_0^2$ im quadratischen Mittel gegen $f(x)$ konvergent ist, so ist auch die Folge der dazugehörigen Plancherelschen Transformierten

$$F_n(\alpha) = \text{l. m.}\, \frac{1}{2\pi}\int f_n(x)\, e(-x\alpha)\, dx \tag{9}$$

gegen die Funktion (8) konvergent.

3. Wenn $f(x)$ und $g(x)$ dieselbe Transformierte $F(\alpha)$ haben, so ist nach (4)

$$\int |f(x) - g(x)|^2\, dx = 2\pi \int |F(\alpha) - F(\alpha)|^2\, d\alpha = 0.$$

und daher $f(x) = g(x)$, also gehören zu verschiedenen Funktionen verschiedene Transformierte, womit Satz 52 vollständig bewiesen ist.

4. **Satz 53.** *Jede Funktion $F(\alpha)$ aus $\mathfrak{F}_0^2$ ist eine Plancherelsche Transformierte, und zwar für die Funktion*

$$f(x) = \text{l. m.} \int F(\alpha)\, e(\alpha x)\, d\alpha. \tag{10}$$

*Die Relationen* (8) *und* (10) *sind also jede eine Umkehrung der anderen*[101]).

Bemerkung. Durch Multiplikation von $F(\alpha)$ mit $\sqrt{2\pi}$ geht das Formelpaar (8), (10) über in:

$$\begin{aligned} g(\alpha) &= \text{l. m.}\, \frac{1}{\sqrt{2\pi}}\int f(x)\, e(\alpha x)\, dx, \\ f(x) &= \text{l. m.}\, \frac{1}{\sqrt{2\pi}}\int g(x)\, e(-x\alpha)\, d\alpha. \end{aligned} \tag{11}$$

Und für $x > 0$, $\alpha > 0$ hat man die Formelpaare:

$$c(\alpha) = \text{l. m.}\, \sqrt{\frac{2}{\pi}}\int_0 f(x) \cos \alpha x\, dx, \qquad f(x) = \text{l. m.}\, \sqrt{\frac{2}{\pi}}\int_0 c(\alpha) \cos x\alpha\, d\alpha, \tag{12}$$

$$s(\alpha) = \text{l. m.}\, \sqrt{\frac{2}{\pi}}\int_0 f(x) \sin \alpha x\, dx, \qquad f(x) = \text{l. m.}\, \sqrt{\frac{2}{\pi}}\int_0 s(\alpha) \sin x\alpha\, d\alpha. \tag{13}$$

Beweis. Wir haben zu zeigen, daß (8) eine Folge von (10) ist. Da durch Vertauschen der Funktionen $2\pi F(-\alpha)$, $f(x)$ das Formelpaar (8), (10) in das Formelpaar (10), (8) übergeht, genügt es nachzuweisen, daß (10) eine Folge von (8) ist. Falls $f(x)$ eine Treppenfunktion $f_n(x)$ gemäß § 40, 4 ist, so ist nach Satz 12 tatsächlich (abgesehen von endlich vielen Werten $x$)

$$f_n(x) = \int F_n(\alpha)\, e(\alpha x)\, d\alpha = \text{l. m.} \int F_n(\alpha)\, e(\alpha x)\, d\alpha.$$

Hieraus entsteht (10) durch den Grenzübergang $n \to \infty$, falls man das Ergebnis aus 2. unter Vertauschung der Funktionen $2\pi F(-\alpha)$, $f(x)$, berücksichtigt. W. z. b. w.

5. Wie in § 40, 7 findet man die Relationen

$$\int F_1(\alpha)\, \overline{F}_2(\alpha)\, d\alpha = \frac{1}{2\pi} \int f_1(x)\, \overline{f_2(x)}\, dx$$

$$\int F_1(\alpha)\, F_2(\alpha)\, e(y\alpha)\, d\alpha = \frac{1}{2\pi} \int f_1(x)\, f_2(y-x)\, dx.$$

Als Anwendung bestimmen wir die in $\mathfrak{F}_0^2$ enthaltenen Lösungen der Gleichung[102])

$$f(x) = \frac{1}{\pi} \int_0 \frac{\sin t}{t} [f(x+t) + f(x-t)]\, dt.$$

Da $\frac{\sin t}{t}$ auch zu $\mathfrak{F}_0^2$ gehört, so erhält man für die Plancherelsche Transformierte $F(\alpha)$ von $f(x)$ die notwendige und hinreichende Bedingung

$$F(\alpha) = \frac{F(\alpha)}{\pi} \int_0 \frac{\sin t}{t} [e(\alpha t) + e(-\alpha t)]\, d\alpha = F(\alpha)\, \frac{2}{\pi} \int_0 \frac{\sin t \cos \alpha t}{t}\, dt,$$

also

$$F(\alpha)\, \delta(\alpha) = 0,$$

wo $\delta(\alpha) = 0$ für $|\alpha| < 1$ und $\delta(\alpha) = 1$ für $|\alpha| > 1$. Die allgemeine Lösung lautet also

$$f(x) = \int_{-1}^{+1} F(\alpha)\, e(\alpha x)\, d\alpha,$$

wo $F(\alpha)$ eine beliebige quadratisch integrierbare Funktion ist. Die reellen Lösungen lauten

$$f(x) = \int_0^1 \lambda(\alpha) \cos \alpha x\, d\alpha + \int_0^1 \mu(\alpha) \sin \alpha x\, d\alpha,$$

wo $\lambda(\alpha)$ und $\mu(\alpha)$ beliebige reelle quadratisch integrierbare Funktionen sind.

6. Jede Funktion aus $\mathfrak{F}_0^2$ gehört zu $\mathfrak{F}_1^1$. Denn die Funktion

$$|f(x)| \cdot \frac{1}{1+|x|}$$

ist das Produkt zweier Funktionen aus $\mathfrak{F}_0^2$ und deswegen absolut integrierbar. Falls $f(x)$ zu $\mathfrak{F}_0^2$ gehört, so sind die Funktionen

$$f_n(x) = \begin{cases} f(x) & \text{für } |x| < n \\ 0 & \text{für } |x| > n \end{cases}$$

einerseits im quadratischen Mittel gegen $f(x)$ konvergent und andererseits gegen $f(x)$ 1-konvergent. Aus dem letzteren folgt für die 1-Transformierten der Funktionen $f_n(x)$, $f(x)$:

(14) $$E_n(\alpha, 1) \to E(\alpha, 1)$$

und aus dem ersteren, wegen (6)

(15) $$\int_0^\alpha F_n(\beta)\, d\beta \to \int_0^\alpha F(\beta)\, d\beta.$$

Da $f_n(x)$ zu $\mathfrak{F}_0^{12}$ gehört, ist

$$E_n(\alpha, 1) = E_n(0, 1) + \int_0^\alpha F_n(\beta)\, d\beta,$$

und aus (14) und (15) folgt

$$E(\alpha, 1) = E(0, 1) + \int_0^\alpha F(\beta)\, d\beta.$$

Da für $f(x)$ aus $\mathfrak{F}_0^{12}$ die Integrale

$$\left(\int^{-1} + \int_1\right) f(x) \frac{-1}{-ix}\, dx$$

konvergieren, so ist

$$2\pi E(\alpha, 1) \asymp \int f(x) \frac{e(-\alpha x) - L_1(\alpha, x)}{-ix}\, dx \asymp \int f(x) \frac{e(-\alpha x) - 1}{-ix}\, dx.$$

Daraus folgt der

**Satz 54.** *Für die Plancherelsche Transformierte einer Funktion $f(x)$ aus $\mathfrak{F}_0^2$ besteht die Beziehung*[103])

(15′) $$F(\alpha) = \frac{d}{d\alpha} \frac{1}{2\pi} \int f(x) \frac{1 - e(-\alpha x)}{ix}\, dx.$$

*Wenn $f(x)$ gerade bzw. ungerade ist, kann man hierfür auch schreiben*

$$F(\alpha) = \frac{d}{d\alpha} \frac{1}{\pi} \int_0 f(x) \frac{\sin \alpha x}{x}\, dx$$

**bzw.**

$$F(\alpha) = \frac{d}{d\alpha} \frac{1}{\pi i} \int_0 f(x) \frac{1 - \cos \alpha x}{x}\, dx.$$

7. Eine partielle Verallgemeinerung der Sätze dieses Paragraphen lautet wie folgt[104]).

Man betrachte eine Funktion $f(x)$, für welche

$$\int |f(x)|^p dx$$

endlich ist. Falls $1 < p \leq 2$, so existiert die Ableitung

$$F(\alpha) = \frac{1}{2\pi} \frac{d}{d\alpha} \int f(x) \frac{1-e(-\alpha x)}{ix} dx \tag{16}$$

und besitzt ein endliches Integral

$$\int |F(\alpha)|^{\frac{p}{p-1}} d\alpha; \tag{17}$$

und es ist

$$f(x) = \frac{d}{dx} \int F(\alpha) \frac{e(\alpha x)-1}{ix} d\alpha.$$

Für zwei Funktionen $f(x)$ mit gleichem $p$ gilt auch[105])

$$\int f_1(t) \overline{F_2(t)}\, dt = \int f_2(t) \overline{F_1(t)}\, dt.$$

Es ist aber zu beachten, daß für $1 < p < 2$ nicht jede Funktion $F(\alpha)$, für welche (17) endlich ist, als „Transformierte“ auftritt, d. h. zu einer geeigneten Funktion $f(x)$ in der Beziehung (16) steht.

## § 42. Hankelsche Transformierte.

Im vorliegenden Paragraphen sind alle Funktionen reell und in der Halbgraden $[0, \infty]$ definiert. Wir rechnen sie zu $\mathfrak{F}_0^2$, falls ihr Quadrat in $[0, \infty]$ integrierbar ist.

1. Es sei $g(t)$ eine Funktion aus $\mathfrak{F}_0^2$, und es sei $g(t) \geq 0$. Die Funktion

$$\varphi_g(y) = \frac{1}{y} \int_0^y g(t)\, dt \tag{1}$$

ist auch in $\mathfrak{F}_0^2$ enthalten und genügt der Abschätzung

$$\int_0 \varphi_g(y)^2\, dy \leq 4 \int_0 g(t)^2\, dt. \tag{2}$$

Zum Beweise betrachten wir bei festem $a > 0$ die Funktionen

$$F_a(y) = \int_a^y g(t)\, dt, \qquad \Phi_a(y) = \frac{1}{y} F_a(y).$$

Für $A > a$ ist

$$\int_a^A \Phi_a(y)^2\, dy = -\int_a^A F_a(y)^2\, d\frac{1}{y} = -\frac{1}{A} F_a(A)^2 + 2 \int_a^A \Phi_a(y)\, g(y)\, dy$$

$$\leq 2 \int_a^A \Phi_a(y)\, g(y)\, dy \leq 2 \left[\int_a^A \Phi_a(y)^2\, dy\right]^{\frac{1}{2}} \left[\int_a^A g(y)^2\, dy\right]^{\frac{1}{2}}.$$

Hieraus folgt, wenn man die äußersten Glieder der Ungleichung quadriert und dann einen gemeinsamen Faktor weghebt

$$\int_a^A \Phi_a(y)^2\, dy \leq 4 \int_a^A g(y)^2\, dy \leq 4 \int_0 g(t)^2\, dt.$$

Wir betrachten zwei feste Zahlen $b$ und $B$, $B > b > 0$; dann ist für $0 < a < b$

$$(3) \qquad \int_b^B \Phi_a(y)^2\, dy \leq 4 \int_0 g(t)^2\, dt.$$

Auf jedem festen Intervall $(b, B)$ ist aber die Funktion $\Phi_a(y)$ für $a \to 0$ gegen $\varphi_g(y)$ konvergent, daher folgt aus (3)

$$\int_b^B \varphi_g(y)^2\, dy \leq 4 \int_0 g(t)^2\, dt.$$

Der Grenzübergang $b \to 0$, $B \to \infty$ ergibt die Relation (2), w. z. b. w.

2. Wir betrachten jetzt die Funktion

$$\psi_g(\alpha) = \int_0^{\frac{1}{\alpha}} g(t)\, dt.$$

Es ist

$$\frac{1}{y}\, \psi_g\left(\frac{1}{y}\right) = \frac{1}{y} \int_0^y g(t)\, dt = \varphi_g(y),$$

und daraus findet man, unter Benutzung der Variablentransformation $y = \frac{1}{\alpha}$,

$$\int_0 \frac{1}{y^2}\, \psi_g\left(\frac{1}{y}\right)^2 dy = \int_0 \psi_g(\alpha)^2\, d\alpha \leq 4 \int_0 g(t)^2\, dt.$$

Schließlich findet man für die Funktion

$$\chi_g(\alpha) = \frac{1}{\alpha} \int_{\frac{1}{\alpha}} \frac{g(t)}{t}\, dt$$

durch die Variablentransformation $t = \frac{1}{\tau}$:

$$\chi_g(\alpha) = \frac{1}{\alpha} \int_0^\alpha \frac{1}{\tau}\, g\left(\frac{1}{\tau}\right) d\tau,$$

und daher ist, wiederum nach (2),

$$\int_0 \chi_g(\alpha)^2\, d\alpha \leq 4 \int_0 \frac{1}{\tau^2}\, g\left(\frac{1}{\tau}\right)^2 d\tau = 4 \int_0 g(t)^2\, dt.$$

3. **Satz 55**[106]). *Für* $\Re(\nu) \geqq -\frac{1}{2}$ *bilde man mit der* Besselschen *Funktion* $J_\nu(t)$ *die Funktion*

$$S_\nu(t) = t^{\frac{1}{2}} J_\nu(t),$$

*und halte* $\nu$ *fest.*

*Dann bestehen die Reziprozitätsformeln*

$$(4) \qquad F(\alpha) = \int_0 S_\nu(\alpha x) f(x)\,dx, \quad f(x) = \int_0 S_\nu(x\alpha) F(\alpha)\,d\alpha,$$

*die im folgenden Sinne zu verstehen sind.*

1) *Für eine beliebige Funktion* $f(x)$ *aus* $\mathfrak{F}_0^2$ *ist für* $n > 0$ *die Funktion*

$$(5) \qquad F_n(\alpha) = \int_0^n S_\nu(\alpha x) f(x)\,dx$$

*wiederum in* $\mathfrak{F}_0^2$ *enthalten, und für* $n \to \infty$ *ist die Funktionenmenge* $F_n(\alpha)$ *im quadratischen Mittel konvergent. Die Grenzfunktion*

$$(6) \qquad F(\alpha) = \text{l.m.} \int_0 S_\nu(\alpha x) f(x)\,dx$$

*ist natürlich wiederum eine Funktion aus* $\mathfrak{F}_0^2$.

2) *Es besteht die Relation*

$$(7) \qquad \int_0 F(\alpha)^2\,d\alpha = \int_0 f(x)^2\,dx.$$

3) *Es besteht die reziproke Beziehung*

$$(8) \qquad f(x) = \text{l.m.} \int_0 S_\nu(x\alpha) f(\alpha)\,d\alpha.$$

Bemerkung. Für $\nu = -\frac{1}{2}$ ist $S_\nu(t) = \sqrt{\frac{2}{\pi}} \cos t$, und die Formeln (4) stimmen mit den Formeln (12) aus § 41 überein.

Beweis. Ad 1) Zugleich werden wir das Vorhandensein einer von $f(x)$ unabhängigen Konstanten $C$ nachweisen, so daß

$$(9) \qquad \int_0 F(\alpha)^2\,d\alpha \leqq C \int_0 f(x)^2\,dx.$$

Die Funktion $S_\nu(t)$ ist wegen $\Re(\nu) \geqq -\frac{1}{2}$ im Endlichen beschränkt, und wegen des asymptotischen Verhaltens von $J_\nu(t)$ kann man setzen

$$S_\nu(t) = \sqrt{\frac{2}{\pi}} \cos\left(t - \frac{\pi}{4} - \frac{\nu\pi}{2}\right) + R(t),$$

wobei

$$|R(t)| \leqq A \quad \text{für } t \leqq 1$$

und

$$|R(t)| \leqq \frac{B}{t} \quad \text{für } t > 1.$$

Wir setzen nun die drei Funktionen

$$(10)\qquad \Phi_1(\alpha) = \text{l. m.} \sqrt{\frac{2}{\pi}} \int_0 \cos\left(\alpha x - \frac{\pi}{4} - \frac{\nu\pi}{2}\right) f(x)\, dx$$

$$\Phi_2(\alpha) = \int_0^{\frac{1}{\alpha}} R(\alpha x)\, f(x)\, dx, \qquad \Phi_3(\alpha) = \int_{\frac{1}{\alpha}} R(\alpha x)\, f(x)\, dx$$

an. Wegen

$$\cos\left(\alpha x - \frac{\pi}{4} - \frac{\nu\pi}{4}\right) = \cos \alpha x \cos\left(\frac{\pi}{4} + \frac{\nu\pi}{2}\right) + \sin \alpha x \sin\left(\frac{\pi}{4} + \frac{\nu\pi}{2}\right)$$

ist auf Grund der Ergebnisse des vorigen Paragraphen das Integral rechts in (10) tatsächlich vorhanden, und es besteht die Abschätzung

$$(11)\qquad \int_0 \Phi_1(\alpha)^2\, d\alpha \leqq C_1 \int_0 f(x)^2\, dx.$$

Weiterhin ist

$$|\Phi_2(\alpha)| \leqq A \int_0^{\frac{1}{\alpha}} |f(x)|\, dx, \quad |\Phi_3(\alpha)| \leqq \frac{B}{\alpha} \int_{\frac{1}{\alpha}} \frac{1}{x} |f(x)|\, dx,$$

und auf Grund der Hilfsbetrachtungen in 2. sind die Funktionen $\Phi_2(\alpha)$, $\Phi_3(\alpha)$ Funktionen aus $\mathfrak{F}_0^2$ und genügen gewissen Abschätzungen

$$(12)\qquad \int_0 \Phi_\varrho(\alpha)^2\, d\alpha \leqq C_\varrho \int_0 f(x)^2\, dx \qquad (\varrho = 1, 2).$$

Nun ist aber

$$\Phi_1(\alpha) + \Phi_2(\alpha) + \Phi_3(\alpha) = \text{l. m.} \int_0 S_\nu(\alpha x)\, f(x)\, dx,$$

womit bewiesen ist, daß das Integral (6) vorhanden ist; und auf Grund der Abschätzungen (11) und (12) besteht für die Funktion

$$F(\alpha) = \Phi_1(\alpha) + \Phi_2(\alpha) + \Phi_3(\alpha)$$

eine Abschätzung (9).

Die Funktion $F(\alpha)$ heißt die ($\nu$-te) *Hankelsche Transformierte* der Funktion $f(x)$.

Ad 3) Gegeben seien Funktionen $f(x)$, $f_n(x)$, $n = 1, 2, 3, \ldots$, aus $\mathfrak{F}_0^2$. Wir betrachten ihre Hankelschen Transformierten

$$F_n(\alpha) = \text{l. m.} \int_0 S_\nu(\alpha x)\, f_n(x)\, dx, \quad F(\alpha) = \text{l. m.} \int_0 S_\nu(\alpha x)\, f(x)\, dx,$$

und bilden mit diesen die Funktionen

$$g_n(x) = \text{l. m.} \int_0 S_\nu(x\alpha)\, F_n(\alpha)\, d\alpha, \quad g(x) = \text{l. m.} \int_0 S_\nu(x\alpha)\, F(\alpha)\, d\alpha.$$

Aus (9) folgt

$$\int_0 |F(\alpha) - F_n(\alpha)|^2 \, d\alpha \leq C \int_0 |f(x) - f_n(x)|^2 \, dx$$

$$\int_0 |g(x) - g_n(x)|^2 \, dx \leq C \int_0 |F(\alpha) - F_n(\alpha)|^2 \, d\alpha.$$

Wenn also $g_n(x) = f_n(x)$ so ist

$$\int_0 |g(x) - f_n(x)|^2 \, dx \leq C^2 \int_0 |f(x) - f_n(x)|^2 \, dx,$$

und hieraus ergibt sich unmittelbar folgendes. Wenn für eine Folge von Funktionen die Umkehrformel (8) besteht, und wenn diese Funktionen im quadratischen Mittel konvergieren, so besteht die Umkehrformel auch für die Grenzfunktion.

Andererseits findet man direkt, daß die Umkehrformel für die lineare Verbindung $c_1 f_1 + c_2 f_2$, insbesondere für die Differenz $f_1 - f_2$, gültig ist, wenn sie für $f_1$ und $f_2$ besteht.

Die Umkehrformel gilt für die Funktion

$$f_A(x) = \begin{cases} x^{\nu + \frac{1}{2}} & \text{für } 0 < x < A \\ 0 & \text{für } A < x < \infty. \end{cases}$$

Denn es ist

$$\alpha^{\nu + \frac{1}{2}} F(\alpha) = \int_0^A (\alpha x)^{\nu+1} J_\nu(\alpha x) \, dx = \frac{1}{\alpha} \int_0^{\alpha A} \xi^{\nu+1} J_\nu(\xi) \, d\xi = \frac{1}{\alpha} \, \xi^{\nu+1} J_{\nu+1}(\xi) \Big|_0^{\alpha A}$$

$$= \alpha^\nu A^{\nu+1} J_{\nu+1}(\alpha A).$$

Daher ist

$$\int_0 S_\nu(\alpha x) \, F(\alpha) \, d\alpha = \int_0 (\alpha x)^{\frac{1}{2}} J_\nu(\alpha x) \, \alpha^{-\frac{1}{2}} A^{\nu+1} J_{\nu+1}(\alpha A) \, d\alpha$$

$$= x^{\frac{1}{2}} A^{\nu+1} \int_0 J_\nu(\alpha x) \, J_{\nu+1}(\alpha A) \, d\alpha,$$

und das ist, nach einer Formel über Besselsche Funktionen[107]), tatsächlich $f_A(x)$.

Die Umkehrformel gilt also auch für die Funktion $f_b(x) - f_a(x)$, welche im Intervall $(a, b)$ den Wert $x^{\nu + \frac{1}{2}}$ hat und sonst verschwindet. Sie gilt folglich auch für die Funktion, welche in $n$ konsekutiven Intervallen $x_p < x < x_{p+1}$, $p = 0, 1, \ldots, n-1$, die Werte $c_p x^{\nu + \frac{1}{2}}$ hat — die $c_p$ sind Konstanten —, und sonst verschwindet. Nun kann man jede Funktion $\varphi(x)$, welche in einem Intervall $(a, b)$ den Wert 1 hat und sonst verschwindet, beliebig genau durch die zuletzt betrachteten Funktionen approximieren. Denn man unterteile das Intervall $(a, b)$ in genügend viele gleiche Teile $(x_p, x_{p+1})$ und definiere $c_p$ durch die Festsetzung $c_p x_p^{\nu+\frac{1}{2}} = 1$. Daher gilt die Umkehrformel auch für $\varphi(x)$ und demnach, auch für jede Treppenfunktion, und demnach auch für jede Funktion aus $\mathfrak{F}_0^2$.

Ad 2) Man kann voraussetzen, daß $f(x)$ außerhalb eines endlichen Intervalls $[0, a]$ verschwindet. (Der allgemeine Fall ergibt sich daraus leicht durch einen Grenzübergang.) Es ist

$$(13) \qquad \int_0 f(x)^2\,dx = \int_0^a f(x)^2\,dx = \int_0^a f(x)\,[\text{l. m.} \int_0 S_\nu(\alpha x)\; F(\alpha)\,d\alpha]\,dx.$$

Wenn die Funktionen $\varphi_n(x)$ aus $\mathfrak{F}_0^2$ im quadratischen Mittel gegen $\varphi(x)$ konvergieren, so gilt

$$\int_0^a f(x)\,\varphi(x)\,dx = \lim_{n\to\infty} \int_0^a f(x)\,\varphi_n(x)\,dx.$$

Auf Grund dessen hat das letzte Integral in (13) den Wert

$$\lim_{n\to\infty} \int_0^n F(\alpha)\left[\int_0^a S_\nu(\alpha x)\,f(x)\,dx\right]d\alpha = \lim_{n\to\infty} \int_0^n F(\alpha)^2\,d\alpha,$$

w. z. b. w.

NEUNTES KAPITEL.

# Funktionen von mehreren Veränderlichen.

## § 43. Trigonometrische Integrale in mehreren Veränderlichen.

1. Im vorliegenden Kapitel werden wir (komplexwertige) Funktionen aus mehreren (reellen) Veränderlichen betrachten. Die Anzahl der Veränderlichen werden wir immer mit $k$ bezeichnen. Unter einem Intervall werden wir immer eine Punktmenge

$$(1) \qquad a_\varkappa \leq x_\varkappa \leq b_\varkappa \qquad \varkappa = 1, 2, \ldots, k$$

verstehen. Von jeder unter einem $k$-fachen Integral vorkommenden Funktion setzen wir wiederum stillschweigend voraus, daß sie auf jedem endlichen Intervall (das Intervall heißt endlich, wenn die Zahlen $a_\varkappa$, $b_\varkappa$ sämtlich endlich sind) ihres Definitionsgebietes nach Lebesgue integrierbar ist. Zur Abkürzung werden wir für

$$(2) \qquad \int_{a_1}^{b_1} \cdots \int_{a_k}^{b_k} F(x_1, \ldots, x_k)\,dx_1 \ldots dx_k$$

auch

$$(3)\qquad \int_a^b F(x_1, \ldots, x_k)\, dx$$

schreiben, und entsprechend für

$$\int_{-\infty}^{\infty} \cdots \int_{-\infty}^{\infty} F(x_1, \ldots, x_k)\, dx_1 \ldots dx_k$$

bzw.

$$\int_0^{\infty} \cdots \int_0^{\infty} F(x_1, \ldots, x_k)\, dx_1 \ldots dx_k$$

auch

$$(4)\qquad \int F(x_1, \ldots, x_k)\, dx \text{ bzw. } \int_0 F(x_1, \ldots, x_k)\, dx$$

schreiben. Natürlich können für die Buchstaben $x_1, \ldots, x_k$; $x$ auch andere treten, z. B. $\alpha_1, \ldots, \alpha_k$; $\alpha$.

Wir nennen das Integral (4) konvergent, falls vom Integral

$$(5)\qquad \int_a^b F(x_1, \ldots, x_k)\, dx \text{ bzw. } \int_0^c F(x_1, \ldots, x_k)\, dx$$

für $a_\varkappa \to -\infty$ und $b_\varkappa \to +\infty$ bzw. für $c_\varkappa \to +\infty$ der $(2k)$-fache bzw. der $k$-fache Grenzwert vorhanden ist; und diesen Grenzwert werden wir als den Wert des betreffenden Integrals bezeichnen. Wir nennen das Integral (4) absolut konvergent, falls das betreffende Integral über die Funktion $|F(x_1, \ldots, x_k)|$ konvergiert. Und wir werden sagen, daß das Integral

$$\int F(x_1, \ldots, x_k)\, dx$$

als Cauchyscher Hauptwert existiert, wenn vom Integral

$$\int_{-A}^{A} F(x_1, \ldots, x_k)\, dx$$

für $A_\varkappa \to +\infty$ der $k$-fache Grenzwert vorhanden ist.

Wenn man die Funktion $F$ in der Gestalt

$$F(x_1, \ldots, x_k) = \prod_{\varkappa=1}^{k} F_\varkappa(x_\varkappa)$$

schreiben kann, so ist das Integral (4) immer dann konvergent, absolut konvergent, als Cauchyscher Hauptwert konvergent, wenn für jedes einzelne $\varkappa$ das (einfache) Integral

$$\int F_\varkappa(x)\, dx \text{ bzw. } \int_0 F_\varkappa(x)\, dx$$

konvergent, absolut konvergent, als **Cauchy**scher Hauptwert konvergent ist.

2. Bis auf weiteres soll die zugrunde liegende Funktion $f(x_1, \ldots, x_k)$ im Gesamtraum definiert und absolut integrierbar sein. Es existiert dann für alle $\alpha$ das trigonometrische Integral

$$E(\alpha_1, \ldots, \alpha_k) = \frac{1}{(2\pi)^k} \int f(x_1, \ldots, x_k)\, e\Big(-\sum_\varkappa \alpha_\varkappa x_\varkappa\Big)\, dx,$$

welches wir als die *(Fouriersche) Transformierte von f* bezeichnen wollen. Es ist sehr leicht zu sehen, daß die Transformierte beschränkt und stetig ist. Weiterhin ist sie für

$$|\alpha_1| + \cdots + |\alpha_k| \to \infty$$

gegen Null konvergent, doch werden wir von dieser Tatsache keinen Gebrauch machen.

3. Ist

$$f(x_1, \ldots, x_k) = \prod_\varkappa f_\varkappa(x_\varkappa)$$

und jeder einzelne Faktor $f_\varkappa(x)$ in $[-\infty, \infty]$ absolut integrierbar, so ist

$$E(\alpha_1, \ldots, \alpha_k) = \prod_\varkappa E_\varkappa(\alpha_\varkappa),$$

wobei

$$E_\varkappa(\alpha) = \frac{1}{2\pi} \int f_\varkappa(x)\, e(-\alpha x)\, dx.$$

Z. B. ist

$$(6) \qquad \frac{1}{(2\pi)^k} \int \prod_\varkappa \left( \frac{\sin \frac{n_\varkappa x_\varkappa}{2}}{\frac{x_\varkappa}{2}} \right)^2 \frac{e(-\alpha_\varkappa x_\varkappa)}{n_\varkappa}\, dx = \prod_\varkappa \left(1 - \frac{|\alpha_\varkappa|}{n_\varkappa}\right)$$

für das Intervall $0 \leq |\alpha_\varkappa| < n_\varkappa$ und $= 0$ für sonstige Werte $(\alpha_1, \ldots, \alpha_k)$. Weiterhin ist für $a_\varkappa > 0$

$$(7) \qquad \int e^{-\sum_\varkappa a_\varkappa x_\varkappa^2 - i \sum_\varkappa \alpha_\varkappa x_\varkappa}\, dx = \frac{\pi^{\frac{k}{2}}}{\prod_\varkappa \sqrt{a_\varkappa}}\, e^{-\frac{1}{4} \sum_\varkappa \frac{\alpha_\varkappa^2}{a_\varkappa}}.$$

4. Hieraus kann man allgemeiner das Integral

$$J(a, \alpha) = \int e^{-\sum_{\varkappa,\lambda} a_{\varkappa\lambda} x_\varkappa x_\lambda - i \sum_\varkappa \alpha_\varkappa x_\varkappa}\, dx$$

berechnen, wobei die quadratische Form in den $a_{\varkappa\lambda}$ symmetrisch und positiv definit ist. Und zwar wollen wir zeigen, daß es den Wert

$$W(a, \alpha) = \frac{\pi^{\frac{k}{2}}}{\sqrt{D}}\, e^{\frac{\varrho}{4}}$$

hat[108]), wobei

$$D(a) = \begin{vmatrix} a_{11} \dots a_{1k} \\ \dots \\ \dots \\ a_{k1} \dots a_{kk} \end{vmatrix}, \quad D(a)\,\varrho(a, \alpha) = \begin{vmatrix} 0 & \alpha_1 \dots \alpha_k \\ \alpha_1 & a_{11} \dots a_{1k} \\ \vdots & \vdots \\ \alpha_k & a_{k1} \dots a_{kk} \end{vmatrix}.$$

Wir haben also die Identität

(8) $$J(a, \alpha) = W(a, \alpha)$$

zu beweisen. Da das Integral $J(a, \alpha)$, wegen

(9) $$\sum_{\varkappa,\lambda} a_{\varkappa\lambda}\, x_\varkappa x_\lambda \geq A \sum_\varkappa x_\varkappa^2 \qquad A > 0,$$

absolut integrierbar ist, so kann man darauf beliebige stetig differenzierbare Koordinatentransformationen anwenden. Die affine Transformation

(10) $$x_\varkappa = \sum_\lambda \gamma_{\varkappa\lambda}\, y_\lambda$$

mit positiver Determinante

$$\varDelta = |\gamma_{\varkappa\lambda}|$$

gibt einerseits

$$\sum_{\varkappa\lambda} a_{\varkappa\lambda}\, x_\varkappa x_\lambda + i \sum_\varkappa \alpha_\varkappa x_\varkappa = \sum_{\varkappa\lambda} b_{\varkappa\lambda}\, y_\varkappa y_\lambda + i \sum_\varkappa \beta_\varkappa y_\varkappa,$$

wobei

$$b_{\varkappa\lambda} = \sum_{\mu\nu} a_{\mu\nu}\, \gamma_{\mu\varkappa}\, \gamma_{\nu\lambda}, \quad \beta_\varkappa = \sum_\mu \alpha_\mu \gamma_{\mu\varkappa},$$

und andererseits

(11) $$J(a, \alpha) = J(b, \beta) \cdot \varDelta.$$

Nun ist aber, nach Formeln aus der Determinantentheorie,

$$D(b) = D(a) \cdot \varDelta^2 \qquad D(b)\,\varrho(b, \beta) = D(a)\,\varrho(a, \alpha) \cdot \varDelta^2,$$

und daher

(12) $$W(a, \alpha) = W(b, \beta) \cdot \varDelta.$$

Nun kann man aber die Transformation (10) derart bestimmen, daß

$$\sum_{\varkappa\lambda} b_{\varkappa\lambda}\, x_\varkappa x_\lambda = \sum_\varkappa y_\varkappa^2.$$

In diesem speziellen Falle besteht nun die Relation

$$J(b, \beta) = W(b, \beta)$$

auf Grund der Formel (7). Aus (11) und (12) folgt nunmehr auch (8).

5. **Satz 56**[109]). *Wenn die absolut integrierbare Funktion $f(x_1, \dots, x_k)$ nur von der Größe $r = \sqrt{x_1^2 + \cdots + x_k^2}$ abhängt, d. h.*

(13) $$f(x_1, \dots, x_k) = \varphi\left(\sqrt{x_1^2 + \cdots + x_k^2}\right),$$

*so hängt die Funktion*

(14) $$J(\alpha_1, \dots, \alpha_k) = \int f(x_1, \dots, x_k)\, e\left(-\sum_\varkappa \alpha_\varkappa x_\varkappa\right) dx$$

*in gleicher Weise nur von der Größe* $\alpha = \sqrt{\alpha_1^2 + \cdots + \alpha_k^2}$ *ab. Man kann das k-fache Integral* (14) *durch ein einfaches ausdrücken:*

$$(15) \qquad J(\alpha) = \frac{(2\pi)^{\frac{k}{2}}}{\alpha^{\frac{k-2}{2}}} \int\limits_0^\infty \varphi(\varrho)\, \varrho^{\frac{k}{2}} J_{\frac{k-2}{2}}(\alpha\varrho)\, d\varrho,$$

*wobei* $J_\mu(t)$ *die* **Besselsche** *Funktion* $\mu$*-ter Ordnung bedeutet.*

*Führt man noch die Größe*

$$(16) \qquad s = \alpha^2 = \alpha_1^2 + \cdots + \alpha_k^2$$

*ein, so findet man hieraus*[110])

1. *für* $k = 2m + 2$

$$(17) \qquad J(\alpha) = (-1)^m \pi^{m+1}\, 2^{2m+1} \frac{d^m}{ds^m} \int\limits_0^\infty \varphi(\varrho)\varrho\, J_0\left(\sqrt{s}\,\varrho\right) d\varrho$$

*und*

2. *für* $k = 2m + 1$

$$(18) \qquad J(\alpha) = (-1)^m \pi^m\, 2^{2m+1} \frac{d^m}{ds^m} \int\limits_0^\infty \varphi(\varrho) \cos\left(\sqrt{s}\,\varrho\right) d\varrho.$$

Beweis. Bei festgehaltenen $\alpha_\varkappa$ nehmen wir im Integral (14) eine orthogonale Transformation

$$y_\varkappa = \sum_\lambda o_{\varkappa\lambda} x_\lambda$$

mit der Determinante $+1$ vor, in welcher

$$o_{11} : o_{12} \ldots : o_{1k} = \alpha_1 : \alpha_2 : \ldots : \alpha_k .$$

Dann ist insbesondere

$$\sum_\varkappa x_\varkappa^2 = \sum_\varkappa y_\varkappa^2, \qquad \sum_\varkappa \alpha_\varkappa x_\varkappa = \sqrt{\sum_\varkappa \alpha_\varkappa^2} \cdot y_1 .$$

Wenn man also hinterher $x_\varkappa$ statt $y_\varkappa$ schreibt, so erhält man

$$(19) \qquad J(\alpha_1, \ldots, \alpha_k) = \int \varphi\left(\sqrt{x_1^2 + \cdots + x_k^2}\right) e(-\alpha x_1)\, dx,$$

so daß also $J$ tatsächlich nur von $\alpha$ abhängt.

Es sei $F(x_1, \ldots, x_k)$ nur vom Abstand $r$ abhängig. Wenn man das Integral

$$\int F(x_1, \ldots, x_k)\, dx$$

in der Weise auswertet, daß man bei festem $r$ über die $(k-1)$-dimensionale Sphäre $x_1^2 + \cdots + x_k^2 = r^2$ integriert und dann nach $r$ zwischen 0 und $+\infty$ integriert, so erhält man hierfür den Wert

$$\omega_k \int\limits_0^\infty F(r)\, r^{k-1}\, dr,$$

wobei $\omega_k$ den $(k-1)$-dimensionalen Inhalt der Einheitssphäre

$$x_1^2 + \cdots + x_k^2 = 1$$

bedeutet, also

$$\omega_k = \frac{2\pi^{\frac{k}{2}}}{\Gamma\left(\frac{k}{2}\right)}. \tag{20}$$

Die Beziehung gilt auch für $k = 1$, in welchem Falle die Voraussetzung über $F(x_1)$ lautet, daß $F(x_1)$ eine grade Funktion ist.

Es sei nun $k \geqq 2$. Der Integrand des Integrals (19) hängt nur von $x_1$ und

$$\varrho = \sqrt{x_2^2 + \cdots + x_k^2}$$

ab, und bei festem $x_1$ durchlaufen die anderen Variablen den gesamten $(k-1)$-dimensionalen Raum. Daher ist nach der eben angestellten Betrachtung

$$J(\alpha) = \omega_{k-1} \int dx_1 \int\limits_0 \varphi\left(\sqrt{x_1^2 + \varrho^2}\right) e(-\alpha x_1)\, \varrho^{k-2}\, d\varrho.$$

In der $(x_1, \varrho)$-Ebene ist dieses Integral über die obere Halbebene $\varrho \geqq 0$ zu erstrecken. In den Polarkoordinaten

$$x_1 = r\cos\Theta, \quad \varrho = r\sin\Theta$$

liegt $r$ zwischen den Grenzen 0 und $\infty$ und $\Theta$ zwischen den Grenzen 0 und $\pi$. Daher ist

$$J(\alpha) = \omega_{k-1} \int\limits_0 \varphi(r)\, r^{k-1}\, K(\alpha r)\, dr,$$

wobei

$$K(t) = \int\limits_0^\pi e(-t\cos\Theta)\ (\sin\Theta)^{k-2}\, d\Theta.$$

Nun ist aber, vgl. § 16, (1),

$$J_\nu(t) = \frac{\left(\frac{1}{2}t\right)^\nu}{\Gamma\left(\nu+\frac{1}{2}\right)\Gamma\left(\frac{1}{2}\right)} \int\limits_0^\pi e(-t\cos\Theta)\, (\sin\Theta)^{2\nu} d\Theta.$$

Hieraus und aus (20) ergibt sich die Formel (15). Sie gilt auch für $k = 1$, denn es ist

$$J_{-\frac{1}{2}}(t) = \sqrt{\frac{2}{\pi t}} \cos t.$$

Aus (15) gewinnt man (17) und (18), wenn man den aus der Formel

$$\frac{J_p(x)}{x^p} = -\frac{1}{x}\frac{1}{dx}\left(\frac{J_{p-1}(x)}{x^{p-1}}\right)$$

durch die Substitution $x = \sqrt{s}\,\varrho$ entstehenden Ausdruck

$$\frac{J_p(a\varrho)}{a^p} = \left(\frac{-2}{\varrho}\right)^m \frac{d^m}{ds^m}\left(\frac{J_{p-m}(\sqrt{s}\,\varrho)}{\sqrt{s}^{\,p-m}}\right)$$

für $p = \frac{k-2}{2}$ in (15) einsetzt; w. z. b. w.

Beispiel. Für ungrades $k$ erhält man[110]) sehr leicht aus (18), $u > 0$,

(21)
$$\frac{1}{(2\pi)^k}\int e^{-u\sqrt{x_1^2+\cdots+x_k^2}-i(\alpha_1 x_1+\cdots+\alpha_k x_k)}\,dx = \frac{\pi^{-\frac{k+1}{2}}\,\Gamma\left(\frac{k+1}{2}\right)u}{(u^2+\alpha_1^2+\cdots+\alpha_k^2)^{\frac{k+1}{2}}}.$$

Dieselbe Relation erhält man aus (17) auch für grade $k$, wenn man die durch Differentiation von [111])

$$\int_0^\infty e^{-u\varrho} J_0(a\varrho)\,d\varrho = \frac{1}{\sqrt{u^2+a^2}}$$

entstehende Formel

$$\int_0^\infty e^{-u\varrho}\varrho J_0(a\varrho)\,d\varrho = \frac{u}{\sqrt{u^2+a^2}^{\,3}}$$

berücksichtigt.

6. Es besteht wiederum die *Faltungsregel*. Gegeben seien zwei absolut integrierbare Funktionen

$$f_1(x_1\ldots, x_k), \quad f_2(x_1,\ldots, x_k),$$

von gleicher Variablenzahl. Dann existiert für fast alle Punkte des $k$-dimensionalen $x$-Raumes das $k$-fache Integral

$$\frac{1}{(2\pi)^k}\int f_1(y_1,\ldots, y_k)\, f_2(x_1-y_1,\ldots, x_k-y_k)\,dy,$$

und die resultierende Funktion („die Faltung")

$$f(x_1,\ldots, x_k)$$

ist wiederum absolut integrierbar. Der Beweis hierfür verläuft ebenso wie im Falle $k = 1$, vgl. § 13, 3, weil der im Falle $k = 1$ benutzte Satz von Fubini über die Vertauschung der Integrationsfolgen in einem zweifachen Integral dem Inhalte nach richtig bleibt, wenn die zwei Variablen $x, y$ nicht je ein lineares, sondern je ein $k$-faches Intervall durchlaufen [vgl. Anhang 7, 10)]. Ebenso überträgt sich der Beweis, daß *der Faltung absolut integrierbarer Funktionen die Multiplikation der Transformierten entspricht:*

$$E(\alpha_1,\ldots, \alpha_k) = E_1(\alpha_1,\ldots, \alpha_k)\; E_2(\alpha_1,\ldots, \alpha_k).$$

So hat z. B. die Transformierte der Funktion

$$(22) \qquad \frac{1}{(2\pi)^k}\int f(y_1,\ldots,y_k)\prod_{\varkappa}\frac{1}{n_\varkappa}\left(\frac{\sin\frac{n_\varkappa}{2}(x_\varkappa-y_\varkappa)}{\frac{1}{2}(x_\varkappa-y_\varkappa)}\right)^2 dy$$

den Wert

$$(22') \qquad E(\alpha_1,\ldots,\alpha_k)\prod_{\varkappa}\left(1-\frac{|\alpha_\varkappa|}{n_\varkappa}\right)$$

im Intervall $0 \leq |\alpha_\varkappa| < n_\varkappa$ und den Wert 0 für andere $(\alpha_1,\ldots,\alpha_k)$; währenddessen die Transformierte der Funktion

$$(23) \qquad \int f(y_1,\ldots,y_k)\, e^{-\sum\limits_{\varkappa} n_\varkappa (x_\varkappa-y_\varkappa)^2} dy$$

den Wert

$$\frac{\pi^{\frac{k}{2}}}{\sqrt{n_1\ldots nk}} E(\alpha_1,\ldots,\alpha_k)\, e^{-\frac{1}{4}\sum\limits_{\varkappa}\frac{\alpha_\varkappa^2}{n_\varkappa}}$$

hat.

## § 44. Das Fouriersche Integraltheorem.

1. Gegeben seien im „Oktanten“

$$(1) \qquad 0 < \xi_\varkappa < \infty \qquad \varkappa = 1, 2, \ldots, k$$

eine beschränkte Funktion $\varphi(\xi_1,\ldots,\xi_k)$ und eine absolut integrierbare Funktion $K(\xi_1,\ldots,\xi_k)$. Zur Vereinfachung setzen wir voraus:

$$(2) \qquad \int\limits_0 K(\xi_1,\ldots,\xi_k)\, d\xi = 1.$$

Für jedes System von positiven Zahlen

$$n = (n_1,\ldots,n_k) \qquad n_\varkappa > 0$$

existiert die Größe

$$(3) \qquad A_n = \int\limits_0 \varphi\left(\frac{\xi_1}{n_1},\ldots,\frac{\xi k}{nk}\right) K(\xi_1,\ldots,\xi_k)\, d\xi.$$

Falls nun für die Funktion $\varphi$ der ($k$-fache) Grenzwert

$$(4) \qquad \varphi(+0,\ldots,+0) = \lim_{\xi_\varkappa\to 0}\varphi(\xi_1,\ldots,\xi_k)$$

existiert, so existiert auch der ($k$-fache) Grenzwert

$$(5) \qquad \lim_{n_\varkappa\to\infty} A_n$$

und sein Wert beträgt (4). Beim Beweise kann man sich auf den Fall

$$(6) \qquad \varphi(+0,\ldots,+0) = 0$$

beschränken. Wir zerlegen den Oktanten (1) in ein endliches Intervall

(7) $$0 < \xi_\varkappa < a_\varkappa$$

und in das Äußere dieses Intervalls, und zerlegen entsprechend das Integral (3) in die Summe

$$P_n + Q_n.$$

Wenn man mit $M$ eine Schranke von $\varphi$ bezeichnet, so ist $|Q_n| \leqq M$ mal dem Integral von $|K|$ über das Äußere; also ist $Q_n$ gleichartig in den $n$ beliebig klein, wenn nur die $a_\varkappa$ genügend groß sind. Weiterhin ist $|P_n| \leqq$ der oberen Grenze der Funktion $\varphi(t_1, \ldots, t_k)$ im Intervall

$$0 < t_\varkappa < \frac{a_\varkappa}{n_\varkappa}$$

mal dem Integral

$$\int |K(\xi_1, \ldots, \xi_k)| \, d\xi.$$

Wegen (4) wird aber diese obere Grenze bei festem $a_\varkappa$ für $n_\varkappa \to \infty$ beliebig klein, und daraus folgt, daß der Grenzwert (5) existiert und den Wert (6) hat.

Hieraus findet man unschwer folgende Verallgemeinerung von Satz 3, a).

**Satz 57**[112]). *Gegeben seien im Gesamtraum eine beschränkte Funktion $f(x_1, \ldots, x_k)$ und eine absolut integrierbare Funktion $K(\xi_1, \ldots, \xi_k)$, für welche*

(8) $$\int K(\xi_1, \ldots, \xi_k) \, d\xi = 1.$$

*Die Funktion*

(9) $$\int f\left(x_1 + \frac{\xi_1}{n_1}, \ldots, x_k + \frac{\xi_k}{n_k}\right) K(\xi_1, \ldots, \xi_k) \, d\xi$$
$$= n_1 \ldots n_k \int f(\xi_1, \ldots, \xi_k) \, K(n_1(x_1 - \xi_1), \ldots, n_k(x_k - \xi_k)) \, d\xi$$

*ist für $n_\varkappa \to \infty$ in jedem Stetigkeitspunkte von $f$ gegen $f$ konvergent, und allgemeiner in jedem Punkte, in welchem die $2^k$ Grenzwerte*

(10) $$f(x_1 \pm 0, \ldots, x_k \pm 0)$$

*existieren, gegen den „Mittelwert"*

(11) $$\frac{1}{2^k} \sum f(x_1 \pm 0, \ldots, x_k \pm 0)$$

*konvergent.*

2. Zur Relation

(12) $$E(\alpha_1, \ldots, \alpha_k) = \frac{1}{(2\pi)^k} \int f(x_1, \ldots, x_k) \, e(-\sum_\varkappa \alpha_\varkappa x_\varkappa) dx$$

besteht formal die Umkehrformel

(13) $$f(x_1, \ldots, x_k) = \int E(\alpha_1, \ldots, \alpha_k) \, e(\sum_\varkappa \alpha_\varkappa x_\varkappa) \, d\alpha.$$

Wir wollen Kriterien für ihre Gültigkeit aufstellen. Wenn man für absolut integrierbares $f$ in

$$(14) \qquad \int_{-n}^{n} E(\alpha_1, \ldots, \alpha_k)\, (\sum_{\varkappa} \alpha_\varkappa x_\varkappa)\, d\alpha$$

das Integral (12) einsetzt und die Reihenfolge der Integrationen vertauscht, so entsteht

$$\frac{1}{\pi^k} \int f(\xi_1, \ldots, \xi_k) \prod_{\varkappa} \frac{\sin n_\varkappa (x_\varkappa - \xi_\varkappa)}{x_\varkappa - \xi_\varkappa}\, d\xi.$$

Es erhebt sich die Frage, unter welchen Bedingungen dieses Integral für $n_\varkappa \to \infty$ gegen $f(x_1, \ldots, x_k)$ konvergiert. Doch wollen wir diese Frage erst im nächsten Paragraphen untersuchen und jetzt einen anderen Ansatz machen.

Wir bilden mit der absolut integrierbaren Funktion $f$ den Ausdruck (22) aus § 43 und bezeichnen ihn mit $f_n$. Das mit der Transformierten von $f_n$ gebildete Integral (13) beträgt gemäß (22′)

$$(15) \qquad \int_{-n}^{n} E(\alpha_1, \ldots, \alpha_k) \prod_{\varkappa} \left(1 - \frac{|\alpha_\varkappa|}{n_\varkappa}\right) e(\sum_{\varkappa} \alpha_\varkappa x_\varkappa)\, d\alpha.$$

Wenn man hierin das Integral (12) einsetzt und die Reihenfolge der Integrationen vertauscht, so entsteht nach einer kleinen Umformung die Funktion $f_n$. Also ist für $f_n$ die Umkehrformel (13) gültig. Auf Grund von Satz 57 erhalten wir nunmehr den

**Satz 58.** *Wenn $f(x_1, \ldots, x_k)$ absolut integrierbar und beschränkt ist, so besteht in jedem Punkte, in welchem $f$ stetig ist (oder allgemeiner die Grenzwerte* (11) *besitzt), die Umkehrformel* (13), *sofern man das Integral* (13) *als Grenzwert des Integrals* (15) *für $n_\varkappa \to \infty$ auffaßt, d. h. sofern man das Integral* (13) *nach der Methode der k-dimensionalen arithmetischen Mittel summiert.*

Wenn der Grenzwert von (15) existiert und zugleich das Integral (13) als Cauchyscher Hauptwert existiert, so sind nach einem allgemeinen Satz über Summation nach der Methode der arithmetischen Mittel die beiden Werte einander gleich [Anhang 18]. Demnach folgt aus Satz 58 der

**Satz 59.** *Wenn $f(x_1, \ldots, x_k)$ absolut integrierbar und beschränkt ist, so besteht die Umkehrformel* (13) *in jedem Punkte, in welchem das Integral* (13) *als Cauchyscher Hauptwert existiert und $f(x_1, \ldots, x_k)$ stetig ist (oder allgemeiner die Grenzwerte* (11) *besitzt).*

3. Von ganz anderer Art ist der

**Satz 60.** *Wenn $f(x_1, \ldots, x_k)$ und $E(\alpha_1, \ldots, \alpha_k)$ beide absolut integrierbar sind, so besteht die Umkehrformel* (13) *für fast alle $x$.*

*Da für absolut integrierbares $E$ das Integral* (13) *eine stetige Funktion darstellt, so ist also $f$ nach eventueller Korrektur in einer Punktmenge vom Maße Null eine stetige Funktion, und für stetiges $f$ gilt* (13) *überall.*

*Wenn $f$ absolut integrierbar und beschränkt ist, so ist $E$ insbesondere dann absolut integrierbar, wenn es von einerlei Vorzeichen ist, etwa $E \geqq 0$.*

Beweis. Es seien $f$ und $E$ beide absolut integrierbar. Die in 2 betrachtete Funktion $f_n$ hat den Wert (15). Da $E$ absolut integrierbar ist, so ist bei festem $x$ das Integral (15) gegen das Integral (13) konvergent. Andererseits ist $f_n$, falls $f$ sogar stetig und beschränkt ist, nach Satz 57 gegen $f$ konvergent. Die Umkehrformel besteht also für absolut integrierbares $E$ jedenfalls dann, wenn $f$ sogar stetig und beschränkt ist. Im allgemeinen Falle, daß von $f(x)$ nur absolute Integrierbarkeit bekannt ist, führen wir für feste Zahlen $h_\varkappa > 0$ die Funktion

$$(16) \qquad F_h(x_1, \ldots, x_k) = \frac{1}{h_1 \cdots h_k} \int_0^h f(x_1 + t_1, \ldots, x_k + t_k)\, dt$$

ein. Aus der Integrationstheorie ist bekannt, daß die Funktion (16) stetig ist (Anhang 9); außerdem ist sie beschränkt,

$$h_1 \ldots h_k |F_h| \leqq \int \left| f(\xi_1, \ldots, \xi_k) \right| d\xi.$$

Wenn man von einem konstanten Faktor absieht, ist (16) die Faltung der Funktion $f$ mit derjenigen Funktion, welche im Intervall $-h_\varkappa < t_\varkappa < 0$ den Wert 1 hat und sonst verschwindet. Die Funktion $F_h$ ist also auch absolut integrierbar. Ihre Transformierte berechnet sich leicht zu

$$E_h(\alpha_1, \ldots, \alpha_k) = E(\alpha_1, \ldots, \alpha_k)\, \delta_h(\alpha_1, \ldots, \alpha_k),$$

wobei

$$\delta_h(\alpha_1, \ldots, \alpha_k) = \prod_\varkappa \frac{e(\alpha_\varkappa h_\varkappa) - 1}{i \alpha_\varkappa h_\varkappa}.$$

Wegen

$$(17) \qquad |\delta_h(\alpha_1, \ldots, \alpha_k)| \leqq 1$$

ist die Transformierte gleichfalls absolut integrierbar. Nach bereits Bewiesenem ist demnach für alle $x$

$$(18) \qquad F_h(x_1, \ldots, x_k) = \int E_h(\alpha_1, \ldots, \alpha_k)\, e\Big(\sum_\varkappa \alpha_\varkappa x_\varkappa\Big)\, d\alpha.$$

Hieraus wollen wir (13) durch einen Grenzübergang herleiten. Für $h_\varkappa \to 0$ konvergiert $\delta_h$ gegen 1. Und da überdies (17) gilt, so ist für $h_\varkappa \to 0$ wegen der absoluten Integrierbarkeit von $E$ die rechte Seite von (18) gegen die rechte Seite von (13) konvergent. Andererseits ist aus der Integrationstheorie folgendes bekannt. Wenn man in (16) die Zahlen $h_\varkappa$ etwa einander gleichsetzt,

$$h_1 = h_2 = \ldots = h_\varkappa = h.$$

und den gemeinsamen Wert $h$ gegen Null abnehmen läßt, so ist die Funktion $F_h$ für fast alle $x$ gegen $f$ konvergent. Also besteht (13) für fast alle $x$.

Es sei nun $f$ absolut integrierbar und beschränkt, $|f| \leqq G$, und $E \geqq 0$. Dem Ausdruck (22) aus § 43 ist sofort zu entnehmen, daß für alle $n_\varkappa > 0$ gleichfalls

$$|f_n| \leqq G.$$

Nun gilt nach den Betrachtungen in 2. für $f_n$ die Umkehrformel in allen Punkten. Wenn man sie für den Anfangspunkt $x_\varkappa = 0$ benutzt, so erhält man

$$\int_{-n}^{n} E(\alpha_1, \ldots, \alpha_k) \prod_\varkappa \left(1 - \frac{|\alpha_\varkappa|}{n_\varkappa}\right) d\alpha \leqq G.$$

Nun nehme man feste Zahlen $a_\varkappa > 0$, dann gilt wegen $E \geqq 0$ für $n_\varkappa > a_\varkappa$

$$\int_{-a}^{a} E(\alpha_1, \ldots, \alpha_k) \prod_\varkappa \left(1 - \frac{|\alpha_\varkappa|}{n_\varkappa}\right) d\alpha \leqq G.$$

Der Grenzübergang $n_\varkappa \to \infty$ ergibt

$$\int_{-a}^{a} E(\alpha_1, \ldots, \alpha_k)\, d\alpha \leqq G,$$

und da die Zahlen $a_\varkappa$ beliebig groß sein können, so heißt dies, daß $E$ absolut integrierbar ist. W. z. b. w.

4. Es entsteht die Frage, wie man es einer Funktion $f$ ansehen kann, ob ihre Transformierte absolut integrierbar ist. Feinere Kriterien hierfür scheinen nicht bekannt zu sein. Ein recht grobes Kriterium[113]) ist das folgende: Die Funktion $f$ besitzt die $3^k$ Ableitungen

$$\frac{\partial^{p_1 + \cdots + p_k} f}{\partial x_1^{p_1} \ldots \partial x_k^{p_k}}, \qquad 0 \leqq p_\varkappa \leqq 2, \tag{19}$$

und die Funktionen sind stetig, absolut integrierbar und für

$$|x_1| + \cdots + |x_k| \to \infty$$

gegen Null konvergent (für die höchste Ableitung: $p_\varkappa = 2$ kann man auf die Abnahme gegen Null verzichten und auch gewisse Unstetigkeiten zulassen). — Denn wenn man den Ausdruck für die Transformierte

$$E_{p_1 \ldots p_k}$$

der Funktion (19) ansetzt und partiell integriert, so entsteht abgesehen von einem konstanten Faktor die Funktion

$$(20)\qquad \alpha_1^{p_1}\ldots\alpha_k^{p_k}\,E.$$

Da die Funktionen (19) absolut integrierbar sind, sind die Funktionen (20) beschränkt, und demnach ist auch die Funktion

$$(1+|\alpha_1|^2)\cdots(1+|\alpha_k|^2)\cdot E$$

beschränkt. Also ist $E$ absolut integrierbar.

5. Eine Anwendung[114]). Durch Umkehrung der Relation (21) aus § 43 ergibt sich für $u>0$

$$(21)\qquad e^{-u\sqrt{\alpha_1^2+\cdots+\alpha_k^2}}=\frac{\Gamma\left(\frac{k+1}{2}\right)u}{\pi^{\frac{k+1}{2}}}\int\frac{e\left(\sum_\varkappa \alpha_\varkappa x_\varkappa\right)dx}{(u^2+x_1^2+\cdots+x_k^2)^{\frac{k+1}{2}}}.$$

Durch eine Faltung erhält man für $u>0$, $u'>0$

$$(22)\qquad e^{-(u+u')\sqrt{\alpha_1^2+\cdots+\alpha_k^2}}=\frac{\Gamma\left(\frac{k+1}{2}\right)^2 uu'}{\pi^{k+1}}\int F(x_1,\ldots,x_k)\,e\left(\sum_\varkappa \alpha_\varkappa x_\varkappa\right)dx,$$

wobei

$$F(x_1,\ldots,x_k)=\int\frac{dy}{\{[u^2+y_1^2+\cdots+y_k^2]\cdot[u'^2+(x_1-y_1)^2+\cdots+(x_k-y_k)^2]\}^{\frac{k+1}{2}}}.$$

Durch Kombination von (21) und (22), unter Benutzung des nachfolgenden Satzes 61 ergibt sich

$$\frac{u+u'}{[(u+u')^2+x_1^2+\cdots+x_k^2]^{\frac{k+1}{2}}}=\frac{\Gamma\left(\frac{k+1}{2}\right)uu'}{\pi^{\frac{k+1}{2}}}F(x_1,\ldots,x_k).$$

Integriert man nach $u'$ von $u'$ bis $\infty$, so entsteht

$$(23)\qquad \frac{1}{[(u+u')^2+x_1^2+\cdots+x_k^2]^{\frac{k-1}{2}}}$$

$$=\frac{\Gamma\left(\frac{k+1}{2}\right)u}{\pi^{\frac{k+1}{2}}}\int\frac{dy}{[u^2+y_1^2+\cdots+y_k^2]^{\frac{k+1}{2}}\,[u'^2+(x_1-y_1)^2+\cdots+(x_k-y_k)^2]^{\frac{k-1}{2}}}.$$

6. **Satz 61.** *Wenn zwei absolut integrierbare Funktionen dieselbe Transformierte haben, so sind sie (fast überall) identisch.*

Beweis. Denn die Differenz der beiden Funktionen hat die Transformierte Null, und nach Satz 60 hat dann diese Differenz gleichfalls den Wert Null, w. z. b. w.

7. In Satz 58 haben wir das Umkehrintegral nach der Methode der arithmetischen Mittel summiert. Zu einem recht prägnanten Konver-

genzkriterium gelangt man, wenn man das Umkehrintegral in der Weise summiert, daß man die „sphärischen" Partialsummen

$$f_R(x_1, \ldots, x_k) = \int_{K_R} E(\alpha_1, \ldots, \alpha_k)\, e(\sum_\varkappa \alpha_\varkappa x_\varkappa)\, d\alpha \tag{24}$$

bildet. Hierin bedeutet $K_R$ das Volumen

$$\alpha_1^2 + \cdots + \alpha_k^2 \leqq R^2.$$

Setzt man (12) ein, so entsteht

$$f_R = c_1 \int f(x_1 + \xi_1, \ldots, x_k + \xi_k)\, H_R(\xi_1, \ldots, \xi_k)\, d\xi, \tag{25}$$

wobei

$$H_R = \int_{K_R} e(-\sum_\varkappa \xi_\varkappa \alpha_\varkappa)\, d\alpha$$

und $c_1$ (und später $c_2, c_3, \ldots$) eine nur von der Dimension $k$ abhängige Konstante bedeutet.

Nach Satz 56 ist, wenn man zur Abkürzung $\xi = \sqrt{\xi_1^2 + \cdots + \xi_k^2}$ und $\mu = \frac{k-2}{2}$ setzt,

$$H_R = \frac{c_2}{\xi^\mu} \int_0^R \gamma^{\frac{k}{2}} J_\mu(\xi\gamma)\, d\gamma = c_2\, \xi^{-k} \int_0^{R\xi} \gamma^{\mu+1} J_\mu(\gamma)\, d\gamma$$

$$= c_2\, \xi^{-k} \int_0^{R\xi} \frac{d}{d\gamma} [\gamma^{\mu+1} J_{\mu+1}(\gamma)] = c_2 \left(\frac{R}{\xi}\right)^{\mu+1} J_{\mu+1}(\xi R).$$

Nunmehr führen wir bei festem $x$ die Funktion einer Variablen

$$F(\xi) = \frac{1}{\omega_{k-1}} \int_S f(x_1 + \xi\lambda_1, \ldots, x_k + \xi\lambda_k)\, d\omega \tag{26}$$

ein, wobei $S$ die Einheitssphäre $\lambda_1^2 + \cdots + \lambda_k^2 = 1$ bedeutet und $d\omega$ das $(k-1)$-dimensionale Inhaltselement dieser Sphäre und $\omega_{k-1}$ ihren Inhalt bezeichnet. Es ist also $F(\xi)$ der Mittelwert von $f$ auf der Sphäre vom Radius $\xi$ um den festen Punkt $(x_1, \ldots, x_k)$. Z. B. für $k = 2$ ist

$$F(\xi) = \frac{1}{2\pi} \int_0^{2\pi} f(x_1 + \xi \cos\varphi, x_2 + \xi \sin\varphi)\, d\varphi.$$

Wenn man für absolut integrierbares $f$ in (25) zuerst über die Sphäre vom Radius $t$ und dann über den Abstand $t$ von 0 bis $\infty$ integriert, so erhält man

$$\begin{aligned} f_R(x_1, \ldots, x_k) &= c_3 \int_0 F(t)\, R^{\mu+1} t^\mu J_{\mu+1}(Rt)\, dt \\ &= c_3 \int_0 F\left(\frac{t}{R}\right) t^\mu J_{\mu+1}(t)\, dt. \end{aligned} \tag{27}$$

**Satz 62.** *Damit bei absolut integrierbarem f die Partialintegrale*

$$(28) \qquad f_R(x_1, \ldots, x_k)$$

*für* $R \to \infty$ *gegen eine endliche Zahl konvergieren, ist hinreichend, daß der durch* (26) *definierte sphärische Mittelwert* $F(t)$ *von der folgenden Beschaffenheit ist: Bezeichnet man mit* $\lambda$ *die Größe* $\frac{k-2}{2}$, *falls k grade ist, und die Größe* $\frac{k-1}{2}$, *falls k ungrade ist, so ist die Funktion* $F(t)$ *in* $(0, \infty]$ $\lambda$*-mal stetig differenzierbar, und jede der Funktionen*

$$g(t) = t^{\lambda} F(t),\ g'(t),\ g''(t), \ldots, g^{(\lambda)}(t)$$

*besitzt in* $[0, \infty]$ *eine absolut integrierbare Ableitung. Der Limes von* (28) *hat den Wert*

$$F(0) = \lim_{\xi \to 0} F(\xi).$$

Bemerkung. Über die Existenz der Funktion $F(\xi)$ ist folgendes zu beachten. Die Funktion $f(\xi_1, \ldots, \xi_k)$ ist nach Voraussetzung überall im Endlichen integrierbar. Führt man sphärische Polarkoordinaten um den Punkt $(x_1, \ldots, x_k)$ ein, so ergibt sich nach dem Satz von Fubini (Anhang 7, 10), daß das Integral (26) für fast alle positiven $\xi$ vorhanden ist und eine im Endlichen integrierbare Funktion darstellt. Und unsere Konvergenzbedingung fordert, daß die Funktion $F(\xi)$ nach passender Abänderung in einer Nullmenge die angegebenen Voraussetzungen erfüllt.

Beweis. Durch sinngemäße Anwendung von Satz 6 auf die Relation (27) ergibt sich, daß ein Grenzwert von (28) existiert und den Wert

$$c_4 F(0)$$

hat. Daß die von $f$ unabhängige Konstante $c_4$ den Wert 1 hat, ergibt sich nach Satz 60 daraus, daß z. B. für

$$f = e^{-(x_1^2 + \cdots + x_k^2)}$$

der Wert $F(0)$ herauskommen muß.

8. Ganz ohne Details vermerken wir den

**Satz 63.** *Die Sätze* 52 *und* 53 *und die ihnen zugrunde liegenden Definitionen gelten auch für Funktionen von k-Veränderlichen*[115]).

Man braucht nur überall $dx$ durch $dx_1 \ldots dx_k$ zu ersetzen. Die Betrachtungen zu den Sätzen 52 und 53 sind so angelegt, daß sie sich auf Grund der Ergebnisse des vorliegenden Kapitels ohne weiteres auf den $k$-dimensionalen Fall übertragen lassen.

## § 45. Das Dirichletsche Integral.

1. Im abgeschlossenen „Oktanten“

(1) $$0 \leqq x_\varkappa < \infty \qquad x = 1, 2, \ldots, k$$

sei eine nichtnegative Funktion $f(x_1, \ldots, x_k)$ in allen Punkten definiert. Wir wollen auf rekurrente Weise, von $k-1$ auf $k$, definieren, wann wir diese Funktion als monoton abnehmend bezeichnen.

Für $k = 1$ setzen wir die übliche Definition an:

$$f(\xi_1) - f(\xi_1') \geqq 0 \quad \text{für} \quad \xi_1 \leqq \xi_1'.$$

Für Funktionen von $k-1$ Veränderlichen sei die Definition bereits bekannt, dann nennen wir die Funktion $f(x_1, \ldots, x_k)$ monoton abnehmend, falls für jeden Wert $x_k = \xi_k$ die Funktion

(2) $$f(x_1, \ldots, x_{k-1}, \xi_k)$$

und für je zwei Werte $\xi_k < \xi_k'$ die Funktion

(3) $$g(x_1, \ldots, x_{k-1}) = f(x_1, \ldots, x_{k-1}, \xi_k) - f(x_1, \ldots, x_{k-1}, \xi_k')$$

im Oktanten

$$0 \leqq x_\varkappa < \infty \qquad \varkappa = 1, \ldots, k-1$$

nichtnegativ und monoton abnehmend ist*).

Eine Funktion $\varphi(x_1, \ldots, x_k)$ sei $\geqq 0$ in (1) und besitze daselbst ein endliches Integral. Dann ist die Funktion

$$f(x_1, \ldots, x_k) = \int_x \varphi(y_1, \ldots, y_k)\, dy$$

monoton abnehmend. Denn für $k = 1$ ist dies unmittelbar zu sehen, und im Falle $k \geqq 1$ kann man dies induktiv erschließen, wenn man berücksichtigt, daß die dazugehörige Funktion (2) die Gestalt

$$\int_{x_1} \cdots \int_{x_{k-1}} \Big[ \int_{\xi_k} \varphi(y_1, \ldots y_{k-1}, \eta_k)\, d\eta_k \Big] dy_1 \ldots dy_{k-1}$$

und die dazugehörige Funktion (3) die Gestalt

$$\int_{x_1} \cdots \int_{x_{k-1}} \left[ \int_{\xi_k}^{\xi_k'} \varphi(y_1, \ldots, y_{k-1}, \eta_k)\, d\eta_k \right] dy_1 \ldots dy_{k-1}$$

hat.

2. **Satz 64.** *Gegeben seien in* (1) *eine nichtnegative monoton abnehmende Funktion* $f$ *und für* $\varkappa = 1, \ldots, k$ *im (eindimensionalen) Intervall*

(4) $$(0 \leqq)\, a_\varkappa \leqq \xi_\varkappa \leqq b_\varkappa$$

---

*) Gegen diese Definition kann man die Einwendung erheben, daß sie von der Reihenfolge der Variablen abhängt. Ohne uns auf eine Diskussion dieser Definition einzulassen, bemerken wir, daß die nachfolgenden Resultate um so mehr bestehen würden, falls wir voraussetzten, daß die obige Monotoniedefinition in jeder permentierten Reihenfolge der Variablen erfüllt sein soll[116]).

*eine Funktion* $\lambda_\varkappa(x_\varkappa)$, *so daß für alle* $\xi_\varkappa$ *aus* (4)

$$0 \leqq \int_{a_\varkappa}^{\xi_\varkappa} \lambda_\varkappa(t)\,dt \leqq c_\varkappa.$$

*Dann besteht für das Integral*

$$J = \int_a^b f(x_1, \ldots, x_k) \prod_\varkappa \lambda_\varkappa(x_\varkappa)\,dx \tag{5}$$

*die Abschätzung*

$$0 \leqq J \leqq f(a_1, \ldots, a_k) \prod_\varkappa c_\varkappa\,. \tag{6}$$

Beweis. Für $k = 1$ ist dies der zweite Mittelwertsatz der Integralrechnung, vgl. § 2, 2. Nunmehr wollen wir von $k-1$ auf $k$ schließen. Wir setzen

$$J(x) = \int_{a_1}^{b_1} \cdots \int_{a_{k-1}}^{b_{k-1}} f(x_1, \ldots, x_{k-1}, x) \prod_{\varkappa=1}^{k-1} \lambda_\varkappa(x_\varkappa)\,dx_1 \ldots dx_{k-1}.$$

Dann ist nach (5)

$$J = \int_{a_k}^{b_k} J(x)\,\lambda_k(x)\,dx. \tag{7}$$

Auf Grund der Monotonie von (2), und weil wir unseren Satz für $k-1$ als bereits erwiesen annehmen, ist daher

$$0 \leqq J(x) \leqq f(a_1, \ldots, a_{k-1}, x) \prod_{\varkappa=1}^{k-1} c_\varkappa, \tag{8}$$

also insbesondere $J(x)$ nichtnegativ. Andererseits ist

$$J(\xi_k) - J(\xi_k') = \int_{a_1}^{b_1} \cdots \int_{a_{k-1}}^{b_{k-1}} g(x_1, \ldots, x_{k-1}) \prod_{\varkappa=1}^{k-1} \lambda_\varkappa(x_\varkappa)\,dx_1 \ldots dx_{k-1},$$

und daher, da unser Satz für $k-1$ Variable schon bewiesen ist,

$$J(\xi_k) \geqq J(\xi_k') \quad \text{für} \quad \xi_k \leqq \xi_k',$$

also $J(x)$ monoton abnehmend. Auf Grund von (7) ist daher

$$0 \leqq J \leqq J(a_k)\,c_k,$$

und wegen (8) folgt hieraus (6), w. z. b. w.

3. Da die Funktion $\frac{\sin x}{x}$ in $[0, \infty]$ integrierbar ist, so liegt

$$\int_0^\xi \frac{\sin x}{x}\,dx$$

unterhalb einer von $\xi$ unabhängigen Schranke; überdies ist dieser Ausdruck, wie man sich leicht überzeugt, für alle $\xi$ positiv. Für $a = 2\pi m$, $m = 1, 2, 3, \ldots$, und $b \geqq a$ ist nach 2.

$$0 \leqq \int_a^b \frac{\sin x}{x}\, dx \leqq \frac{1}{a} \operatorname*{Max}_{\xi} \int_a^{\xi} \sin x \, dx \leqq \frac{2}{a}\,.$$

Daher gibt es eine numerische Konstante $B > 0$, so daß für

$$a = 2\pi m, \quad m = 0, 1, 2, 3, \ldots$$

und $\xi \geqq a$

$$0 \leqq \int_a^{\xi} \frac{\sin x}{x}\, dx \leqq \frac{B}{m+1}.$$

Wenn daher die Funktion $f$ in (1) nichtnegativ und monoton abnehmend ist, und wenn

(9) $$a_\varkappa = 2\pi m_\varkappa, \quad m_\varkappa = 0, 1, 2, 3, \ldots,$$

so gilt für das Integral

$$J(a, b) = \int_a^b f(x_1, \ldots, x_k) \prod_\varkappa \frac{\sin x_\varkappa}{x_\varkappa}\, dx,$$

im Falle

$$b_\varkappa \geqq a_\varkappa,$$

nach Satz 64 die Abschätzung

(10) $$0 \leqq |J(a, b)| \leqq \frac{A K}{(m_1 + 1) \cdots (m_k + 1)},$$

wo $A$ eine numerische Konstante und $K$ eine Schranke der Funktion $f$ bedeutet.

Gegeben seien $2k$ Zahlen $\varrho_\varkappa$, $\sigma_\varkappa$ und nichtnegative ganze Zahlen $m_\varkappa$, so daß

(11) $$\varrho_\varkappa \geqq 2 m_\varkappa \pi, \quad \sigma_\varkappa \geqq 2 m_\varkappa \pi \qquad \varkappa = 1, 2, \ldots, k.$$

Im Ausdruck $J(a, b)$ setzen wir für $a_\varkappa$ den Wert (9) und für $b_\varkappa$ entweder $\varrho_\varkappa$ oder $\sigma_\varkappa$. Auf diese Weise entstehen $2^k$ Integrale, die alle der Abschätzung (10) genügen. Wenn man diese Integrale mit passenden Vorzeichen versieht und dann addiert, so entsteht das Integral $J(\varrho, \sigma)$. Unter der Voraussetzung (11) gilt daher die Abschätzung

$$|J(\varrho, \sigma)| \leqq \frac{2^k A K}{(m_1 + 1) \cdots (m_k + 1)}.$$

Hieraus erkennt man unschwer, daß das Integral

$$\left(\frac{2}{\pi}\right)^k \int_0 f(x_1, \ldots, x_k) \prod_\varkappa \frac{\sin x_\varkappa}{x_\varkappa}\, dx$$

für jede nichtnegative monoton abnehmende Funktion $f$ konvergent ist. Und diese Konvergenz ist eine gleichartige für alle Funktionen $f$, welche einer gemeinsamen Abschätzung

$$|f(x_1, \ldots, x_k)| \leqq K$$

genügen. Auf Grund des letzteren ist das Integral

$$\left(\frac{2}{\pi}\right)^k \int\limits_0 f\left(\frac{x_1}{n_1}, \cdots, \frac{x_k}{n_k}\right) \prod_\varkappa \frac{\sin x_\varkappa}{x_\varkappa} \, dx$$

gleichartig in den $n_\varkappa$, $n_\varkappa > 0$, durch einen Ausdruck

$$\left(\frac{2}{\pi}\right)^k \int\limits_0^\varrho f\left(\frac{x_1}{n_1}, \cdots, \frac{x_k}{n_k}\right) \prod_\varkappa \frac{\sin x_\varkappa}{x_\varkappa} \, dx$$

mit genügend großen $\varrho_\varkappa$ approximierbar. Dieser Ausdruck konvergiert aber bei festgehaltenen $\varrho_\varkappa$ für $n_\varkappa \to \infty$ gegen

$$f(+0, \ldots, +0) \prod_\varkappa \frac{2}{\pi} \int\limits_0^{\varrho_\varkappa} \frac{\sin x_\varkappa}{x_\varkappa} \, dx_\varkappa, \tag{12}$$

wobei $f(+0, \ldots, +0)$ den Grenzwert der Funktion $f(x_1, \ldots, x_\varkappa)$ für $x_\varkappa \to 0$ bedeutet. Die Existenz dieses Grenzwertes setzen wir voraus, ohne uns mit der Frage zu befassen, ob sie nicht aus der Monotonievoraussetzung folgt. Der zweite Faktor in (12) ist für beliebig große $\varrho_\varkappa$ beliebig wenig von 1 verschieden. Daraus folgt

**Satz 65**[116]). *Wenn die Funktion $f(x_1, \ldots, x_k)$ in* (1) *nichtnegativ, beschränkt und monoton abnehmend ist, so besteht die Relation*

$$\lim_{n_\varkappa \to \infty} \left(\frac{2}{\pi}\right)^k \int\limits_0 f(x_1, \ldots, x_k) \prod_\varkappa \frac{\sin n_\varkappa x_\varkappa}{x_\varkappa} \, dx = f(+0, \ldots, +0).$$

4. Die Funktion $f$ sei in (1) stetig und für

$$|x_1| + |x_2| + \cdots + |x_k| \to \infty$$

gegen Null konvergent, und sie besitze die Ableitung

$$F = f_{x_1 \ldots x_k},$$

die in (1) stetig und absolut integrierbar ist. Wir wollen zeigen, daß man dann $f$ in (1) als Differenz zweier Funktionen darstellen kann, von denen jede in (1) nichtnegativ, beschränkt und monoton abnehmend ist. Wir führen die Funktionen $F_1$ und $F_2$ ein, von denen die erste überall dort, wo $F \geqq 0$ ist, mit $F$ übereinstimmt und sonst verschwindet, und die zweite umgekehrt überall dort wo $F \leqq 0$ ist mit $|F|$ übereinstimmt und sonst verschwindet. Es ist

$$F_1 - F_2 = F.$$

Die Funktionen

$$f_\varrho = \int\limits_x F_\varrho(\xi_1, \ldots, \xi_k) \, d\xi \qquad \varrho = 1, 2$$

sind nichtnegativ, beschränkt und monoton abnehmend, und wir wollen zeigen, daß die Funktion

$$g = f_1 - f_2$$

den Wert $(-1)^k f$ hat. Es ist

$$g(a_1, \ldots, a_k) = \int\limits_a F(\xi_1, \ldots, \xi_k)\, d\xi. \tag{13}$$

Andererseits gleicht

$$\int\limits_{a_1}^{b_1} \cdots \int\limits_{a_k}^{b_k} f_{x_1 \ldots x_k}(\xi_1, \ldots, \xi_k)\, d\xi_1 \ldots d\xi_k \tag{14}$$

einem Aggregat

$$\Sigma \pm f(c_1, \ldots, c_k), \tag{15}$$

wobei jedes $c_\varkappa$ entweder den Wert $a_\varkappa$ oder den Wert $b_\varkappa$ hat, und der Summand $f(a_1, \ldots, a_k)$ den Koeffizienten $(-1)^k$ hat; dies ergibt sich sehr leicht, wenn man (14) ausintegriert. Für $b_\varkappa \to \infty$ sind auf Grund der Voraussetzungen über $f$ alle Bestandteile von (15) bis auf

$$(-1)^k f(a_1, \ldots, a_k)$$

gegen Null konvergent; und andererseits ist dann (14) gegen (13) konvergent. Daraus folgt unsere Behauptung.

5. **Satz 66.** *Wenn die Funktion $f(x_1, \ldots, x_k)$ im Gesamtraum stetig und für*

$$|x_1| + \cdots + |x_k| \to \infty$$

*gegen Null konvergent ist, und wenn sie die Ableitung*

$$f_{x_1 \ldots x_k}$$

*besitzt, welche im Gesamtraum stetig und absolut integrierbar ist, so besteht die Formel*

$$f(x_1, \ldots, x_k) = \lim_{n_\varkappa \to \infty} \int f(x_1 + \xi_1, \ldots, x_k + \xi_k) \prod_\varkappa \frac{\sin n_\varkappa \xi_\varkappa}{\pi\, \xi_\varkappa}\, d\xi.$$

*Wenn überdies $f(x_1, \ldots, x_k)$ absolut integrierbar ist, so besteht zu*

$$E(\alpha_1, \ldots, \alpha_k) = \frac{1}{(2\pi)^k} \int f(\xi_1, \ldots, \xi_k)\, e(-\sum_\varkappa \alpha_\varkappa \xi_\varkappa)\, d\xi$$

*die Umkehrformel*

$$f(x_1, \ldots, x_k) = \int E(\alpha_1, \ldots, \alpha_k)\, e(\sum_\varkappa x_\varkappa \alpha_\varkappa)\, d\alpha, \tag{16}$$

*wobei das letzte Integral als Cauchyscher Hauptwert zu nehmen ist.*

Beweis. Der erste Teil des Satzes folgt aus 4. und Satz 65. Der zweite Teil folgt hieraus, wenn man berücksichtigt, daß der Wert des Integrals

$$\int\limits_{-n}^{n} E(\alpha_1, \ldots, \alpha_k)\, e(\sum_\varkappa \alpha_\varkappa x_\varkappa)\, d\alpha$$

sich auf

$$\int f(\xi_1, \ldots, \xi_k) \prod_{\varkappa} \frac{\sin n_\varkappa (x_\varkappa - \xi_\varkappa)}{\pi (x_\varkappa - \xi_\varkappa)} d\xi$$

beläuft.

## § 46. Die Poissonsche Summationsformel.

1. Wenn die Größe $\varphi(n_1, \ldots, n_k)$ für alle „Gitterpunkte“, d. h. für alle Kombinationen von positiven oder negativen ganzen Zahlen definiert ist, so ist die Summe

$$(1) \qquad \sum_n \varphi(n_1, \ldots, n_k)$$

über alle diese Gitterpunkte zu erstrecken, und wir nennen die Reihe (1) konvergent und bezeichnen dann ihre Summe mit $\psi$, falls die Partialsummen

$$(2) \qquad s_{n_1 \cdots n_k} = \sum_{-n_1}^{n_1} \cdots \sum_{-n_k}^{n_k} \varphi(\nu_1, \ldots, \nu_k)$$

für $n_\varkappa \to \infty$ gegen $\psi$ konvergieren.

Wir werden nur solche Funktionen in Betracht ziehen, für welche in erster Linie das Integral

$$(3) \qquad \varphi(n_1, \ldots, n_k) = \int f(x_1, \ldots, x_k)\, e(2\pi \sum_\varkappa n_\varkappa x_\varkappa)\, dx$$

als Cauchyscher Hauptwert existiert. Hierfür ist hinreichend, aber nicht notwendig, daß $f$ absolut integrierbar ist.

Die Poissonsche Formel in $k$ Veränderlichen lautet (in ihrer einfachsten Gestalt):

$$(4) \qquad \sum_m f(m_1, \ldots, m_k) = \sum_n \varphi(n_1, \ldots, n_k).$$

Für $k = 1$ geht diese Formel in die Formel (2) aus § 10 über.

Die Frage nach der Gültigkeit von (4) umfaßt die Frage nach der Konvergenz der beiden in (4) vorkommenden Reihen und nach dem Bestehen der Gleichheit ihrer Summen. Wir sehen es hauptsächlich auf die Frage nach der Gleichheit der beiden Summen ab, und werden daher keine Bedenken haben, bezüglich der Konvergenz der beiden Reihen explizite Voraussetzungen zu machen.

**Satz 67**[117]). *Damit die Gleichheit* (4) *besteht, sind die folgenden Voraussetzungen hinreichend:*

a) *Die Funktion $f(x_1, \ldots, x_k)$ ist in allen Punkten eindeutig definiert, im Endlichen beschränkt und integrierbar, und in den Gitterpunkten stetig.*

b) *Die Reihe*

$$(5) \qquad F(x_1, \ldots, x_k) = \sum_m f(x_1 + m_1, \ldots, x_k + m_k)$$

*ist gleichmäßig im Grundintervall J:*

$$-\frac{1}{2} \leq x_\varkappa < \frac{1}{2} \qquad \varkappa = 1, \ldots, k \tag{6}$$

*konvergent. — Unter den bisherigen Voraussetzungen ist das Integral* (3) *vorhanden, und zwar ist*

$$\varphi(n_1, \ldots, n_k) = \int_J F(\xi_1, \ldots, \xi_k)\, e(2\pi \sum_\varkappa n_\varkappa \xi_\varkappa)\, d\xi. \tag{7}$$

c) *Die Reihe*

$$\sum_n \varphi(n_1, \ldots, n_k) \tag{8}$$

*ist konvergent.*

Bemerkung. Die Voraussetzung a) ist z. B. dann erfüllt, wenn $f$ überall stetig ist, und die Voraussetzung b), wenn es Konstanten $G > 0$ und $\eta > 0$ gibt, so daß

$$|f| \leq G(x_1^2 + \cdots + x_k^2)^{-\frac{k}{2} - \eta}. \tag{9}$$

Was die Voraussetzung c) anbetrifft, so ist sie im gewissen Sinne entbehrlich. Wir werden nämlich folgendes beweisen. Sind die Voraussetzungen a) und b) erfüllt, so ist die Reihe (8) nach arithmetischen Mitteln konvergent, und es besteht die Gleichheit (4). Hierbei verstehen wir unter Konvergenz nach arithmetischen Mitteln, daß die mit den Partialsummen (2) von (8) gebildete Folge

$$\sigma_{n_1 \ldots n_k} = \frac{1}{n_1 \ldots nk} \sum_{\nu_1=0}^{n_1-1} \cdots \sum_{\nu_k=0}^{n_k-1} s_{\nu_1 \ldots \nu_k} \tag{10}$$

für $n_\varkappa \to \infty$ konvergent ist. — Tritt noch die Voraussetzung c) hinzu, so ergibt sich die Behauptung unseres Satzes, wenn man folgendes berücksichtigt (Anhang 18): falls eine Reihe (8) einerseits konvergent und andererseits nach arithmetischen Mitteln summierbar ist, so sind die beiden Reihen„summen" einander gleich.

Beweis. Die Funktion $F(x_1, \ldots, x_k)$ ist im Intervall (6) beschränkt und im Punkte $0, \ldots, 0$ stetig. Das erste folgt daraus, daß die Funktion $f$ im Endlichen beschränkt und die Reihe (5) in (6) gleichmäßig konvergent ist, und das zweite folgt daraus, daß jeder Summand der Reihe (5) im Punkte $0, \ldots, 0$ stetig und die Reihe (5) gleichmäßig konvergent ist.

Auf Grund von (7) ergibt sich aus (2) und (10), wenn man elementare Formeln über trigonometrische Summen benutzt[118]),

$$\sigma_{n_1 \ldots n_k} = \int_J F(\xi_1, \ldots, \xi_k) \prod_\varkappa \frac{\sin^2 \pi n_\varkappa \xi_\varkappa}{n_\varkappa \sin^2 \pi \xi_\varkappa}\, d\xi. \tag{11}$$

Der Beweis ergibt sich nunmehr, unter Berücksichtigung von

$$F(0,\ldots,0)=\sum_m f(m_1,\ldots,m_k),$$

aus

**Satz 68**[119]). *Falls die Funktion* $F(\xi_1,\ldots,\xi_k)$ *beschränkt und im Punkte* $(0,\ldots,0)$ *stetig ist, so ist der Ausdruck* (11) *für* $n_\varkappa\to\infty$ *gegen*

$$F(0,\ldots,0)$$

*konvergent.*

Beweis. Es sei $\delta$ eine genügend kleine Zahl $>0$. Wir zerlegen das Intervall (6) in das kleine Intervall

(12) $$-\delta<\xi_\varkappa<\delta \qquad \varkappa=1,\ldots,k$$

und in das „Äußere" dieses Intervalls; das Äußere werden wir mit $\mathfrak{A}$ bezeichnen. Wir benutzen, daß für beliebiges $n$

(13) $$\int_{-\frac{1}{2}}^{\frac{1}{2}}\frac{\sin^2\pi n\xi}{n\sin^2\pi\xi}\,d\xi=1$$

und daher

$$\int_J\prod_\varkappa\frac{\sin^2\pi n_\varkappa\xi_\varkappa}{n_\varkappa\sin^2\pi\xi_\varkappa}\,d\xi=1.$$

Nun ist

$$\left(\int_{-\frac{1}{2}}^{-\delta}+\int_{\delta}^{\frac{1}{2}}\right)\frac{\sin^2\pi n\xi}{n\sin^2\pi\xi}\,d\xi\leq\frac{1}{n\sin^2\pi\delta}\int_{-\frac{1}{2}}^{\frac{1}{2}}\sin^2\pi n\xi\,d\xi\leq\frac{1}{n\sin^2\pi\delta};$$

also ist, wegen (13),

(14) $$\lim_{n\to\infty}\int_{-\delta}^{\delta}\frac{\sin^2\pi n\xi}{n\sin^2\pi\xi}\,d\xi=1,$$

und demzufolge ist auch

(15) $$\lim_{n_\varkappa\to\infty}\int_{-\delta}^{\delta}\prod_\varkappa\frac{\sin^2\pi n_\varkappa\xi_\varkappa}{n_\varkappa\sin^2\pi\xi_\varkappa}\,d\xi=1.$$

Nunmehr zerlegen wir das Integral (11) in die beiden Summanden

(16) $$\int_{-\delta}^{\delta}+\int_{\mathfrak{A}}.$$

Wenn man mit $G$ eine Schranke von $F$ bezeichnet, so ist der zweite Summand absolut genommen

$$\leq G\int_{\mathfrak{A}}\prod_\varkappa\frac{\sin^2\pi n_\varkappa\xi_\varkappa}{n_\varkappa\sin^2\pi\xi_\varkappa}\,d\xi,$$

und wegen (14) und (15) ist dies für $n_\varkappa \to \infty$ gegen Null konvergent. Wegen der Stetigkeit der Funktion $F(\xi_1, \ldots, \xi_k)$ im Punkte $0, \ldots, 0$ ist unter Berücksichtigung von (14) der erste Summand in (16) für genügend kleines $\delta$ gleichartig in den $n_\varkappa$ beliebig wenig von

$$F(0, \ldots, 0) \int_{-\delta}^{\delta} \prod_\varkappa \frac{\sin^2 \pi n_\varkappa \xi_\varkappa}{n_\varkappa \sin^2 \pi \xi_\varkappa} d\xi$$

verschieden, und wegen (15) ist dies für $n_\varkappa \to \infty$ gegen $F(0, \ldots, 0)$ konvergent. Hieraus folgt unser Satz.

2. Wir betrachten nunmehr eine beliebige affine Transformation

(17) $$y_\lambda = \sum_\varkappa a_{\lambda\varkappa} x_\varkappa \qquad \lambda = 1, \ldots, k$$

mit positiver Determinante

$$D = |a_{\lambda\varkappa}|.$$

Wenn eine Funktion $f(x_1, \ldots, x_k)$ stetig ist und im Unendlichen einer Abschätzung (9) genügt, so gilt das auch von der Funktion

$$g(x_1, \ldots, x_k) = f(y_1, \ldots, y_k).$$

Zwischen den Größen

(18) $$\varphi(n_1, \ldots, n_k) = \int f(y_1, \ldots, y_k)\, e(2\pi \sum_\varkappa n_\varkappa y_\varkappa)\, dy$$

und

$$\psi(t_1, \ldots, t_k) = \int g(x_1, \ldots, x_k)\, e(2\pi \sum_\varkappa t_\varkappa x_\varkappa)\, dx$$

besteht eine leicht angebbare Beziehung. Wenn man (17) in (18) einsetzt, so entsteht

$$\varphi(n_1, \ldots, n_k) = D \cdot \psi(\sum_\varkappa a_{\varkappa 1} n_\varkappa, \ldots, \sum_\varkappa a_{\varkappa k} n_\varkappa).$$

Wenn etwa die Funktion $\varphi(t_1, \ldots, t_k)$ außerhalb eines endlichen Intervalles verschwindet, so ist demnach auf Grund von Satz 67

$$D \cdot \sum_n \psi(\sum_\varkappa a_{\varkappa 1} n_\varkappa, \ldots, \sum_\varkappa a_{\varkappa k} n_\varkappa) = \sum_m f(m_1, \ldots, m_k).$$

Wenn man noch die zu (17) inverse Transformation

$$x_\varkappa = \sum_\lambda A_{\varkappa\lambda} y_\lambda \qquad \varkappa = 1, 2, \ldots, k$$

einführt, so entsteht

(19) $$D \cdot \sum_n \psi(\sum_\varkappa a_{\varkappa 1} n_\varkappa, \ldots, \sum_\varkappa a_{\varkappa k} n_\varkappa) = \sum_m g(\sum_\varkappa A_{1\varkappa} m_\varkappa, \ldots, \sum_\varkappa A_{k\varkappa} m_\varkappa).$$

Dies ist eine Verallgemeinerung[120]) der Formel (3) aus § 10.

3. Die Poissonsche Summationsformel läßt zahlreiche Anwendungen zu, und ihre Bedeutung für die analytische Zahlentheorie ist ständig im Wachsen begriffen[120]). Eine klassische Anwendung ist die Herleitung von Relationen für die Thetafunktionen in mehreren Ver-

änderlichen, die wir aber nicht bringen wollen. Wir bringen nur noch eine, überraschende, Anwendung[121]) der Formel (19).

Wir setzen

$$g(x_1, \ldots, x_k) = \prod_\varkappa \left(\frac{\sin \pi x_\varkappa}{\pi x_\varkappa}\right)^2;$$

dann ist

$$\psi(t_1, \ldots, t_k) = \prod_\varkappa (1 - |t_\varkappa|),$$

falls alle $t_\varkappa$ dem Intervall

$$0 \leq |t_\varkappa| < 1 \qquad \varkappa = 1, 2, \ldots, k$$

angehören; für alle anderen $(t_1, \ldots, t_k)$ ist $\psi = 0$. Für die Spezialwerte $m_1 = \cdots = m_k = 0$ hat der Summand rechts in (19) den Wert 1. Alle anderen Summanden sind jedenfalls nichtnegativ.

Wegen

(20) $$g(0, \ldots, 0) = 1$$

hat die rechte Seite von (19) einen Wert $\geq 1$. Weiterhin ist

(21) $$\psi(0, \ldots, 0) = 1.$$

Wenn daher $0 < D < 1$, so muß der Ausdruck

$$\psi(\sum_\varkappa a_{\varkappa 1} n_\varkappa, \ldots, \sum_\varkappa a_{\varkappa k} n_\varkappa)$$

für ein System von ganzen Zahlen $(n_1, \ldots, n_k)$, die nicht sämtlich verschwinden, von Null verschieden sein; was damit gleichbedeutend ist, daß für diese $n_\varkappa$

$$|\sum_\varkappa a_{\varkappa\varrho} n_\varkappa| < 1 \qquad \varrho = 1, 2, \ldots, k.$$

Nun möge $D$ genau den Wert 1 haben. Wir bilden für $\frac{1}{2} < \lambda < 1$ die Zahlen

(22) $$\begin{aligned} a_{\varkappa 1}^{(\lambda)} &= \lambda a_{\varkappa 1} \\ a_{\varkappa\varrho}^{(\lambda)} &= a_{\varkappa\varrho} \qquad \varrho = 2, 3, \ldots, k. \end{aligned}$$

Die dazugehörige Determinante $D_\lambda$ liegt im Intervall $[\frac{1}{2}, 1]$. Daher gibt es nach eben Bewiesenem ganze Zahlen $n_\varkappa^{(\lambda)}$, die nicht sämtlich verschwinden, und Zahlen $\Theta_\varrho^{(\lambda)}$ im Intervall $(0, 1]$, so daß

(23) $$\sum_\varkappa a_{\varkappa\varrho}^{(\lambda)} n_\varkappa^{(\lambda)} = \Theta_\varrho^{(\lambda)} \qquad \varrho = 1, 2, \ldots, k.$$

Weil aber bei variablem $\lambda$ die Determinante $D_\lambda$ nach unten und sämtliche Koeffizienten von (23) nach oben beschränkt sind, so gibt es nach der Auflösungsformel für lineare Gleichungen eine von $\lambda$ unabhängige Schranke $K$, für welche

$$|n_\varkappa^{(\lambda)}| \leq K.$$

Da überdies die $n_\varkappa^{(\lambda)}$ ganze Zahlen sind, so muß nach dem Schubfächerprinzip für jede Folge von Werten $\lambda$, welche gegen 1 konvergieren, unter den Zahlensystemen $(n_1^{(\lambda)}, \ldots, n_k^{(\lambda)})$ unendlich oft ein gleiches vorkommen. Wir nennen es $(n_1, \ldots, n_k)$. Für dieses System gilt nun

$$
(24) \qquad \begin{aligned} &\Big|\sum_\varkappa a_{\varkappa 1} n_\varkappa\Big| \leqq 1 \\ &\Big|\sum_\varkappa a_{\varkappa\varrho} n_\varkappa\Big| < 1 \qquad \varrho = 1, 2, \ldots, k. \end{aligned}
$$

Wir haben also den folgenden Satz gewonnen.

*Zu jeder quadratischen Matrix von reellen Zahlen* $a_{\varkappa\varrho}$ *mit der Determinante* $+1$ *gibt es ein System von ganzen Zahlen* $(n_1, \ldots, n_k)$, *die nicht sämtlich verschwinden, für welches die Ungleichungen* (24) *bestehen.* Selbstverständlich kann man anstatt des Index $\varrho = 1$ irgendeinen Index $\varrho = 2, 3, \ldots, k$ im Relationssystem (24) auszeichnen.

Man nennt eine Matrix $|a_{\varkappa\varrho}|$ eine Ausnahmsmatrix, falls für jedes System von nicht gleichzeitig verschwindenden ganzen Zahlen $n_\varkappa$ für mindestens ein $\varrho = \varrho(n_\varkappa)$:

$$
\Big|\sum_\varkappa a_{\varkappa\varrho} n_\varkappa\Big| \geqq 1.
$$

Wir betrachten die Relation (19) für die Matrix $|a_{\varkappa\varrho}|$ selber und nicht für die Hilfsmatrix $|a_{\varkappa\varrho}^{(\lambda)}|$; dann ist $D = 1$ zu setzen. Unsere Matrix ist dann und nur dann eine Ausnahmsmatrix, wenn links in (19) nur das Glied (21) von Null verschieden ist. Hierfür ist notwendig und hinreichend, daß rechts in (19) nur der Summand (20) von Null verschieden ist. Und hierfür wiederum ist es notwendig und hinreichend, daß es zu jedem System ganzer Zahlen $n_\varkappa$, die nicht sämtlich verschwinden, ein $\varrho = \varrho(n_\varkappa)$ gibt, für welches

$$
\sum_\varkappa A_{\varkappa\varrho} n_\varkappa
$$

eine von Null verschiedene ganze Zahl ist.

# Anhang

## über Funktionen von reellen Veränderlichen.

Wir benötigen fortlaufend Begriffe und Sätze über Funktionen von reellen Veränderlichen, welche bisher noch nicht in die allgemeinen Lehrbücher über Infinitesimalrechnung Eingang gefunden haben. Wir wollen daher Verschiedenes hierüber zusammenstellen und dabei das Lehrbuch von C. Carathéodory, Vorlesungen über reelle Funktionen, 2. Aufl., 1927 zugrunde legen (im folgenden zitiert mit: „Carath").

## Meßbarkeit.

1. Gegeben sei im $k$-dimensionalen ($k = 1, 2, 3, \ldots$) kartesischen Raume $\mathfrak{R}_k$ eine Punktmenge $A$. Sie ist entweder meßbar oder nicht-meßbar (nach Lebesgue). Im ersten Falle kommt ihr ein wohlbestimmtes Maß $mA$ zu, für welches eine nicht-negative Zahl, mit Einschluß der Werte 0 und $+\infty$, in Frage kommt. Im Falle $mA = 0$ sprechen wir von einer Nullmenge. Anstatt: „in der Punktmenge $B$ mit Ausschluß einer Nullmenge" sagen wir auch: „fast überall (in $B$)". Für das Operieren mit Nullmengen ist wichtig, daß die Vereinigungsmenge von endlich oder abzählbar unendlich vielen Nullmengen wieder eine Nullmenge ist.

2. Wenn man eine affine Transformation

$$\bar{x}_\varkappa = a_{\varkappa 0} + \sum_{\lambda=1}^{k} a_{\varkappa\lambda} x_\lambda \qquad \varkappa = 1, 2, \ldots, k$$

ausführt, so geht jede meßbare Punktmenge in eine meßbare über und die Maßzahl multipliziert sich mit dem Absolutwert der Transformationsdeterminante. Also gehen Nullmengen in Nullmengen über (Carath., § 335, Satz 2).

3. Über einer meßbaren Punktmenge $A$ im Raume der $(x_1, \ldots, x_k)$ errichte man im Raume der $(x_1, \ldots, x_k; y_1)$ den Zylinder

$$-1 < y_1 < 1.$$

Er ist wiederum meßbar (mit dem Maß $2 \cdot mA$); vgl. Carath., § 375, Satz 1. Durch die Transformation $\bar{x}_\varkappa = x_\varkappa$; $\bar{y}_1 = N y_1$ und den Grenzübergang $N \to \infty$ (— die Grenzmenge meßbarer Punktmengen ist auch meßbar —) ergibt sich, daß auch der Zylinder $A_1$:

$$-\infty < y_1 < \infty$$

meßbar ist. Durch Schluß von $l$ auf $l+1$ ergibt sich, daß der über der Basis $A$ im Raume $(x_1, \ldots, x_k; y_1, \ldots, y_l)$ errichtete Zylinder $A_l$:

$$-\infty < y_\lambda < \infty \qquad \lambda = 1, 2, \ldots, l$$

gleichfalls meßbar ist. Wenn $A$ eine ($k$-dimensionale) Nullmenge war, ist auch $A_l$ eine $(k+l)$- dimensionale Nullmenge.

4. Auf einer meßbaren Punktmenge $E$ aus $\mathfrak{R}_k$ sei eine beliebige Funktion $f(x_1, \ldots, x_k)$ definiert. Als Funktionswerte lassen wir bis auf weiteres reelle Zahlen aus dem Intervall $-\infty \leqq f \leqq +\infty$ zu. Man unterscheidet zwischen meßbaren und nicht-meßbaren Funktionen. Für die Meßbarkeit von $f$ ist z. B. hinreichend, daß für jedes reelle $a$, diejenige Teilmenge $M_a$ von $E$, auf welcher

$$f(x_1, \ldots, x_k) > a,$$

meßbar ist. In Verbindung mit 3. und 2. ergibt sich leicht folgendes:

Wenn $f(x_1 \ldots, x_k)$ meßbar ist im $\mathfrak{R}_k$, so ist es auch meßbar als Funktion des $(x_1, \ldots, x_k; y_1, \ldots, y_l)$-Raumes. Im Sonderfall $l = k$ ist dann auf Grund von 2. auch die Funktion

$$f(y_1 - x_1, y_2 - x_2, \ldots, y_k - x_k)$$

meßbar im $\mathfrak{R}_{k+k}$.

5. Summe, Differenz und Produkt von meßbaren Funktionen und (nach der in 4. gegebenen Charakterisierung, auch) die Quadratwurzel aus einer nicht-negativen meßbaren Funktion sind wiederum meßbar. Hiervon machen wir einige Anwendungen.

Wenn $f$ und $g$ meßbar sind, so ist auch die Funktion

$$\sqrt{f^2 + g^2}$$

(im Spezialfalle $g = 0$ also die Funktion $|f|$) meßbar.

Wenn $f_1$ und $f_2$ meßbar sind im $\mathfrak{R}_k$, so ist

$$(1) \qquad f_1(x_1, \ldots, x_k) \cdot f_2(y_1 - x_1, \ldots, y_k - x_k)$$

meßbar im $\mathfrak{R}_{k+k}$.

Es sei $f(x)$ meßbar auf $E$. Für reelles $c$ definieren wir $f_c(x)$ folgendermaßen: in den Punkten $f(x) \leq c$ sei $f_c(x) = f(x)$, hingegen in den Punkten $f(x) > c$ sei $f_c(x) = c$. Dann ist $f_c(x)$ auch meßbar, etwa auf Grund der Beziehung

$$f_c = \frac{f+c}{2} - \left|\frac{f-c}{2}\right|.$$

Ähnliches gilt, wenn man in der Definition von $f_c$ das Zeichen „$>$" durch „$<$" ersetzt. Definiert man allgemeiner $f_{ab}$, $a < b$, in der Weise, daß $f_{ab} = f$ in den Punkten $a \leq f \leq b$ und daß $f_{ab} = a$ bzw. $= b$ in den Punkten $f < a$ bzw. $f > b$, so ist $f_{ab}$ wiederum meßbar.

6. Zwei Funktionen $f$ und $\varphi$ auf derselben Punktmenge heißen nach Carath. „äquivalent" wenn sie fast überall übereinstimmen. Summe, Produkt und Grenzfunktion äquivalenter Funktionen sind wiederum äquivalent. Äquivalente Funktionen sind gleichzeitig meßbar. Nach 3.–5. gilt folgendes: wenn die in $\mathfrak{R}_k$ definierten Funktionen $f_1$ und $f_2$ äquivalent sind zu den Funktionen $\varphi_1$ und $\varphi_2$, so ist die Funktion (1) äquivalent zur Funktion

$$\varphi_1(x_1, \ldots, x_k) \cdot \varphi_2(y_1 - x_1, \ldots, y_k - x_k).$$

**Summierbarkeit.**

7. Unter den auf $A$ meßbaren Funktionen spielen eine besondere Rolle die summierbaren Funktionen. Im Text haben wir den Terminus „summierbar" vermieden, und statt dessen den geläufigeren Namen „integrierbar" gebraucht. Hierbei ist aber folgendes zu beachten: wenn die Punktmenge $A$ beschränkt ist, so besagt „summierbar" genau dasselbe wie „integrierbar", wenn aber $A$ unbeschränkt ist, so besagt „summierbar" genau dasselbe wie „absolut integrierbar". Die bei uns im Text oft vorkommende nicht absolute Integrierbarkeit fällt daher nicht unter den Begriff „Summierbarkeit" bei Carath. Um den engen Anschluß an Carath. zu wahren, wollen wir im weiteren Verlauf dieses Anhangs den Terminus Summierbarkeit verwenden. — Es gelten folgende Sätze (Carath., § 414–445).

1) Jeder auf $E$ summierbaren Funktion $f$ entspricht eine endliche Zahl

$$\int_E f\,dx$$

(im Falle $k \geq 2$ ist hierin zu setzen $dx = dx_1 \ldots dx_k$), welche das Integral von $f$ über $E$ heißt. Wenn $f$ meßbar und beschränkt ist (z. B. $f = c$) und $E$ ein endliches Maß hat, so ist $f$ summierbar, und es ist beispielsweise

$$\int_E c\,dx = c\int_E dx = c \cdot mE.$$

2) Äquivalente Funktionen sind gleichzeitig summierbar und ergeben die gleichen Integralwerte. Unter den zu einer summierbaren Funktion äquivalenten gibt es stets solche, welche (in jedem Punkte von $E$) endlich sind.

3) Damit $f$ summierbar ist über $E$, ist notwendig und hinreichend, daß daselbst $f$ meßbar und $|f|$ summierbar ist; es ist

(2) $$\left|\int_E f\,dx\right| \leq \int_E |f|\,dx.$$

Ist $0 \leq f \leq \Phi$, und ist $f$ meßbar und $\Phi$ summierbar, so ist auch $f$ summierbar.

4) Wenn es zur summierbaren Funktion $f$ eine äquivalente gibt, deren Werte im Intervall $(g, G)$ gelegen sind, so gilt

(3) $$g \cdot mE \leq \int_E f\,dx \leq G \cdot mE$$

(Carath., § 406, Satz 3). Insbesondere ist für meßbares $f \geq 0$

(4) $$\int_E f\,dx \geq 0.$$

5) Wenn $f_1$ und $f_2$ endlich und summierbar sind, so ist für endliche Konstanten $\lambda_1$ und $\lambda_2$ auch $\lambda_1 f_1 + \lambda_2 f_2$ summierbar, und es gilt

$$\int_E (\lambda_1 f_1 + \lambda_2 f_2)\,dx = \lambda_1 \int_E f_1\,dx + \lambda_2 \int_E f_2\,dx.$$

Wenn man insbesondere $f_2 = f - f_1$ setzt, so ergibt sich in Verbindung mit (4): falls $f_1 \leq f$, und $f$ und $f_1$ summierbar sind, so ist

$$\int_E f_1\,dx \leq \int_E f\,dx.$$

Ähnlich, falls „$>$“ statt „$<$“. — Hieraus folgt: wenn $f$ und $\varphi$ summierbar sind, und $|f| \leq \varphi$, so ist

$$\left|\int_E f\,dx\right| \leq \int_E \varphi\,dx.$$

6) Wenn $f$ endlich und summierbar und $\varphi$ beschränkt ($|\varphi| \leq G$) und meßbar ist, so ist $f\varphi$ meßbar und aus obigem folgt

(5) $$\left|\int_E f\varphi\,dx\right| \leq G \int_E |f|\,dx.$$

Diese Relation ist eine Verallgemeinerung von (2) und (3).

7) Sind $f_1, f_2, f_3, \ldots$ meßbar, und ist

$$|f_n| \leq \varphi \qquad n = 1, 2, 3, \ldots,$$

wobei $\varphi$ summierbar ist, und ist die Folge $f_n(x)$ konvergent, so gilt

$$\lim_{n\to\infty} \int_E f_n\,dx = \int_E \lim_{n\to\infty} f_n\,dx.$$

Anstatt der Voraussetzung, daß die Folge $f_n$ überall konvergiert, genügt die Voraussetzung, daß sie fast überall konvergiert. Denn wenn man in den Nichtkonvergenz-Punkten alle $f_n$ durch Null ersetzt, so ist die neue Folge überall konvergent, und jetzt benutze man 6. und 7. 2).

8) Den Voraussetzungen 7) wird genügt, falls

$$f_n = g h_n,$$

wobei $g$ summierbar und die $h_n$ meßbar und gleichartig in den $n$ beschränkt und fast überall konvergent sind. Demnach ist in diesem Falle

$$\lim_{n\to\infty} \int_E g\,h_n\,dx = \int_E g \lim_{n\to\infty} h_n\,dx.$$

Wenn insbesondere $E$ ein endliches Maß hat (etwa beschränkt ist), so kann man $g = 1$ setzen und man erhält

$$\lim_{n\to\infty} \int_E h_n\,dx = \int_E \lim_{n\to\infty} h_n\,dx.$$

9) Sind die $f_n$ summierbar und monoton gegen $f$ wachsend, und ist das Integral von $f_n$ beschränkt, so ist auch $f$ summierbar, und es gilt

$$\lim_{n \to \infty} \int_E f_n\,dx = \int_E \lim f_n\,dx.$$

10) Die Funktion $f(\tau_1, \ldots, \tau_k)$ sei summierbar in $\mathfrak{R}_k$. Wenn man die Variablen $\tau_\varkappa$ irgendwie in zwei Gruppen aufteilt, die wir $x_1, \ldots, x_m$ und $y_1, \ldots, y_n$ nennen $(m + n = k)$, so gibt es eine Nullmenge $e$ des $\mathfrak{R}_n$, von solcher Art, daß das wiederholte Integral

$$\int_{\mathfrak{R}_n - e} dy \int_{\mathfrak{R}_m} f\,dx$$

existiert. Es hat den Wert

$$\int_{\mathfrak{R}_{m+n}} f\,d\tau. \tag{6}$$

Wenn man die Variablen $\tau_\varkappa$ irgendwie in Gruppen aufteilt:

$$z_\pi = (\tau_{\pi 1}, \tau_{\pi 2}, \ldots, \tau_{\pi k_\pi}) \qquad \pi = 1, 2, \ldots, p$$

$$k_\pi \geqq 1,\; k_1 + k_2 + \cdots + k_p = k,$$

so gibt es eine zu $f(\tau_1, \ldots, \tau_k)$ äquivalente Funktion $\varphi(\tau_1, \ldots, \tau_k)$, für welche das Integral

$$\int_{\mathfrak{R}_{k_1}} dz_1 \int_{\mathfrak{R}_{k_2}} dz_2 \ldots \int_{\mathfrak{R}_{k_p}} \varphi\,dz_p \tag{7}$$

vorhanden ist; (bei Carath., § 551 und § 554 wird nur der Fall

$$p = k;\; k_1 = k_2 = \cdots = k_p = 1$$

formuliert, der Beweis bleibt aber wörtlich für beliebige $k_\pi$ bestehen). Der Wert von (7) beträgt

$$\int_{\mathfrak{R}_k} \varphi\,d\tau,$$

was seinerseits wiederum mit $\int_{\mathfrak{R}_k} f\,d\tau$ übereinstimmt.

Die Funktion $f(\tau_1, \ldots, \tau_k)$ sei meßbar in $\mathfrak{R}_k$. Damit sie daselbst auch summierbar ist, ist folgendes hinreichend: es gibt 1. eine zu $f$ äquivalente Funktion $\psi$, 2. eine Majorante $\varphi$ von $\psi$, $(\varphi \geqq |\psi|)$, etwa die Funktion $\varphi = |\psi|$ selber, und 3. eine Variablengruppierung $z_\pi$, von der Art, daß das Integral (7) vorhanden ist. Diese wichtige Satzgruppe, welche auf Fubini zurückgeht, ist für das Operieren mit Integralen grundlegend, und wir haben im Text öfters auf sie verwiesen, insbesondere zum Beweis der Faltungsregeln. Beim Beweis der Faltungsregeln sind noch die Nummern 5 und 6 (dieses Anhangs) heranzuziehen.

### Differenzierbarkeit.

8. Es sei $f(x)$ in einem endlichen oder unendlichen linearen Intervall $[a, b]$ in der Form

$$f(x) = c + \int_a^x f_1(\xi)\,d\xi$$

darstellbar, wo $f_1(x)$ in $[a, b]$ meßbar ist. Die Funktion $f(x)$ ist stetig, und in fast allen Punkten von $[a, b]$ besitzt sie eine Ableitung im gewöhnlichen Sinne, welche mit $f_1(x)$ äquivalent ist. Im Text nennen wir eine solche Funktion $f(x)$ schlechthin *differenzierbar* und die Funktion $f_1(x)$ ihre *Ableitung*. Wenn unter den zu $f_1(x)$ äquivalenten Funktionen eine stetige vorhanden ist (es kann höchstens eine solche geben), so heißt $f(x)$ stetig differenzierbar und unter der Ableitung von $f(x)$ verstehen wir nur die stetige Funktion $f_1(x)$. Falls auch die letztere Funktion (im zuvor festgelegten Sinne) differenzierbar ist, so heißt $f(x)$ 2-mal differenzierbar. Es ist leicht zu ergänzen, wann wir $f(x)$ $r$-mal differenzierbar bzw. $r$-mal stetig differenzierbar nennen.

Sind $f(x)$ und $g(x)$ beide differenzierbar in $(a, b)$, so ist auch $f(x)\,g(x)$ daselbst differenzierbar, und die Ableitung der letzteren Funktion ist zu $fg' + f'g$ äquivalent. Es besteht auch die Formel für partielle Integration:

$$\int_a^b fg'\,dx = f(b)\,g(b) - f(a)\,g(a) - \int_a^b f'g\,dx.$$

9. Es sei $\varphi(x_1, \ldots, x_k)$ summierbar in $\mathfrak{R}_k$. Für ein beliebiges Intervall

$$\varDelta : a_\varkappa < x_\varkappa < \beta_\varkappa \qquad \varkappa = 1, 2, \ldots, k$$

betrachte man die Größe

$$F(\varDelta) = \int_a^\beta \varphi(x_1, \ldots, x_k)\,dx.$$

Die Funktion $F(\varDelta)$ ist eine totalstetige Intervallfunktion (Carath., Kapitel IX). Daher ist etwa für $h_1 = h_2 = \cdots = h_k = h$ der Ausdruck

$$\frac{1}{h_1 \ldots h_k} \int_0^h \varphi(x_1 + h_1, \ldots, x_k + h_k)\,dh$$

für fast alle $(x_1, \ldots, x_k)$ mit $h \to 0$ gegen $\varphi(x_1, \ldots, x_k)$ konvergent (Carath., § 446, Satz 3).

## Approximation im Mittel.

10. Es sei $f(x_1, \ldots, x_k)$ summierbar in $\mathfrak{R}_k$. Zu jedem $\varepsilon > 0$ kann man eine stetige Funktion $\varphi(x_1, \ldots, x_k)$ angeben, welche außerhalb eines endlichen Intervalls verschwindet, so daß

$$\int |f - \varphi|\,dx < \frac{\varepsilon}{2}.$$

Da man eine derartige stetige Funktion beliebig genau durch eine Funktion approximieren kann, welche in endlich vielen achsenparallelen Intervallen je einen konstanten Wert hat und sonst verschwindet („Treppenfunktion"), so gibt es zu jedem $\varepsilon > 0$ eine Treppenfunktion $\psi$, für welche

$$\int |f - \psi|\,dx < \varepsilon. \tag{8}$$

11. Es sei $f_n$, $n = 1, 2, \ldots$, summierbar in $\mathfrak{R}_k$. Aus

$$\lim_{\substack{m \to \infty \\ n \to \infty}} \int |f_m - f_n|\,dx = 0 \tag{9}$$

folgt die Existenz einer summierbaren Funktion $f$, für welche

$$\lim_{n \to \infty} \int |f - f_n|\,dx = 0. \tag{10}$$

Je zwei Funktionen $f$, die (10) genügen, sind untereinander äquivalent. Wenn (10) besteht, und die $f_n$ fast überall auf einer Punktmenge $E$ gegen $\varphi$ konvergieren, so sind $f$ und $\varphi$ in $E$ äquivalent.

Wenn auf $E$ die Funktionen $f_n(x)$ summierbar sind und für $n \to \infty$ fast überall gegen eine Funktion $f(x)$ konvergieren, die gleichfalls summierbar ist, so gilt

(11) $$\lim_{n\to\infty} \int_E |f - f_n|\, dx = 0.$$

11a. Zu den Sätzen in 10. und 11. wollen wir Beweise erbringen, welche möglichst weitgehend die in Carath. entwickelten Theorien ausnutzen.

Gegeben sei eine Folge von Funktionen $f_n(x)$, welche der Relation (9) genügen. Für irgendeine meßbare Punktmenge $E$ des $\mathfrak{R}_k$ betrachten wir die Größen

(12) $$J_n(E) = \int_E f_n\, dx.$$

Es ist

$$|J_m(E) - J_n(E)| \leq \int |f_m - f_n|\, dx,$$

und daher ist die Folge (12) für $n \to \infty$ konvergent. Wenn man den Grenzwert mit

$$J(E)$$

bezeichnet, so ergibt sich genauer, daß zu jedem $\varepsilon$ ein $n$ existiert, derart daß

(13) $$|J(E) - J_n(E)| \leq \frac{\varepsilon}{2} \quad \text{für alle Punktmengen } E.$$

Wir behaupten nun folgendes. Es gibt eine summierbare Funktion $f(x)$, so daß, in Analogie zu (12),

(14) $$J(E) = \int_E f\, dx.$$

Damit eine solche Funktion $f(x)$ existiert, ist notwendig und hinreichend, daß die Größe $J(E)$ die folgenden zwei Eigenschaften besitzt (vgl. Carath., Kap. IX):

$\alpha$) $J(E_1 + E_2) = J(E_1) + J(E_2)$,

$\beta$) zu jedem $\varepsilon > 0$ gibt es ein $\delta > 0$, so daß

$$|J(E)| \leq \varepsilon \quad \text{für} \quad mE \leq \delta.$$

Die Eigenschaft $\alpha$) ist sofort zu verifizieren, und die Eigenschaft $\beta$) ergibt sich daraus, daß diese Eigenschaft, wegen der Summierbarkeit von $f_n(x)$, der Größe $J_n(E)$ zukommt, und daß sie sich, wegen (13), von der Größe $J_n(E)$ auf die Größe $J(E)$ überträgt. — Von der so gewonnenen Funktion $f(x)$ wollen wir zeigen, daß sie (10) erfüllt. Aus (12) und (14) folgt

(15) $$\lim_{n\to\infty} \int_E f_n\, dt = \int_E f\, dt;$$

insbesondere erhält man, wenn man für $E$ irgendein Intervall

$$x_\varkappa \leq t_\varkappa \leq x_\varkappa + h_\varkappa \qquad \varkappa = 1, 2, \ldots, k$$

nimmt, und die Funktionen

(16) $$F_{nh} = \frac{1}{h_1 \cdots h_k} \int_0^h f_n(x_1 + \xi_1, \ldots, x_k + \xi_k)\, d\xi$$
$$F_h = \frac{1}{h_1 \cdots h_k} \int_0^h f(x_1 + \xi_1, \ldots, x_k + \xi_k)\, d\xi$$

einführt, die Relation

(17) $$\lim_{n\to\infty} F_{nh}(x_1, \ldots, x_k) = F_h(x_1, \ldots, x_k).$$

Durch Zuhilfenahme des Satzes von Fubini ergibt sich

$$\int |F_{mh} - F_{nh}|\, dx \leq \frac{1}{h_1 \cdots h_k} \int_0^h d\xi \int |f_m(x_1 + \xi_1, \ldots, x_k + \xi_k) - f_n|\, dx$$

$$\leq \int |f_m - f_n|\, dx,$$

und der Grenzübergang $m \to \infty$ zeigt nunmehr folgendes: zu jedem $\varepsilon$ gibt es ein $n$, so daß die Funktion

(18) $$G_h(x_1, \ldots, x_k) = |F_h - F_{nh}|$$

für alle Kombinationen der Größen $h_\varkappa > 0$ der Abschätzung

(19) $$\int G_h\, dx \leq \varepsilon$$

genügt. Wenn etwa $h_1 = \cdots = h_k = h$, so ist die nichtnegative Funktion $G_h$ mit $h \to 0$ für fast alle $x$ gegen die Funktion

$$G = |f - f_n|$$

konvergent, und die zu beweisende Abschätzung (10) wird gewonnen sein, wenn wir zeigen, daß die Relation (18) die Grenzrelation

(20) $$\int G\, dx \leq \varepsilon$$

zur Folge hat. Dies ist, auf Grund von 7, 8), sicherlich dann der Fall, falls sämtliche Funktionen $G_h$ außerhalb eines Intervalls

(21) $$-p \leq x_\varkappa \leq p$$

verschwinden und innerhalb dieses Intervalls der gemeinsamen Abschätzung

$$G_h \leq p$$

genügen. Im allgemeinen Falle ändern wir die Funktion $G_h$ dadurch zu einer Funktion $G_{hp}$ ab, daß wir sie außerhalb von (21) durch Nullwerte ersetzen und innerhalb von (21) überall dort, wo sie den Wert $p$ übersteigt, durch den Wert $p$ ersetzen. Von der Grenzfunktion

$$G_p = \lim_{h \to 0} G_{ph},$$

welche nunmehr der Relation (20) genügt, sieht man sofort, daß sie für $p \to \infty$ monoton gegen $G$ wächst. Nach 7, 9) ist daher

$$\lim_{p \to \infty} \int G_p\, dx = \int G\, dx \leq \varepsilon,$$

w. z. b. w.

Daß es nur eine Funktion $f$ geben kann, welche (10) befriedigt, ersieht man aus

$$\int |f - g|\, dx \leq \int |f - f_n|\, dx + \int |g - f_n|\, dx.$$

Wenn (10) besteht und die Funktionen $f_n$ fast überall auf $E$ gegen $\varphi$ konvergieren, so sind die Funktionen $f - f_n$ fast überall gegen $f - \varphi$ konvergent. Setzt man

$$G_h = |f - f_{\frac{1}{h}}|,$$

so ergibt der obige Hilfssatz über $G_h$, daß aus

(22) $$\int_E G_h\, dx \leq \varepsilon$$

folgt

(23) $$\int_E |f - \varphi|\, dx \leq \varepsilon.$$

Da wegen (10) die Größe $\varepsilon$ in (22) beliebig klein genommen werden kann, besteht (23) für $\varepsilon = 0$, also sind $f$ und $\varphi$ fast überall in $E$ einander gleich. In ähnlicher Weise zeigt man die letzte Behauptung in 11.

Beim Beweise von 10. führe man zuerst die Funktion $f_n(x)$ ein, welche außerhalb des Intervalls $-n \leq x_\varkappa \leq n$ verschwindet, wo $f(x) \geq n$ ist, den Wert $n$, wo $f(x) \leq -n$ ist, den Wert $-n$ hat, und sonst mit $f(x)$ übereinstimmt. Offenbar ist

$$|f(x) - f_n(x)| \leq |f|,$$

und andererseits ist für fast alle $x$

$$\lim_{n \to \infty} |f(x) - f_n(x)| = 0.$$

Auf Grund von 7, 7) gibt es daher zu jedem $\varepsilon$ ein $n$, so daß

(24) $$\int |f - f_n|\, dx \leq \frac{\varepsilon}{4}.$$

Nunmehr bilden wir gemäß (16) die Funktionen $F_{nh}$, und mit ihnen die Funktionen

$$G_h = |f_n - F_{nh}|. \qquad h \leq h_0$$

Die Funktionen $G_h$ verschwinden außerhalb eines von $h$ unabhängigen Intervalls und sind innerhalb dieses Intervalls gleichartig beschränkt, und außerdem ist für fast alle $x$

$$\lim_{h \to 0} G_h = 0.$$

Auf Grund von 7, 8) gibt es daher ein passendes $h$, so daß

(25) $$\int G_h\, dx \leq \frac{\varepsilon}{4}.$$

Aus (24) und (25) folgt für die stetige und außerhalb eines endlichen Intervalls verschwindende Funktion

$$\varphi = F_{nh}$$

die Beziehung

$$\int |f - \varphi|\, dx \leq \frac{\varepsilon}{2}.$$

## Komplexwertige Funktionen.

12. Gegeben sei in $E$ eine Funktion

$$f(x_1, \ldots, x_k) = f_1(x_1, \ldots, x_k) + i f_2(x_1, \ldots, x_k),$$

wobei $f_1$ und $f_2$ reellwertig sind. Wir nennen $f$ summierbar bzw. meßbar, wenn $f_1$ und $f_2$ summierbar bzw. meßbar sind. Aus

$$|f| \leq \sqrt{f_1^2 + f_2^2} \leq |f_1| + |f_2|$$

folgt, daß auch $|f|$ summierbar bzw. meßbar ist.

Es übertragen sich relativ leicht die Betrachtungen von 1. bis 7, 3). Nur die Relation

(26) $$\left|\int_E f\, dx\right| \leq \int_E |f|\, dx$$

ist nicht trivial. Trivial ist die Abschätzung

$$\left|\int_E f\,dx\right| = \left|\int_E f_1\,dx + i\int_E f_2\,dx\right| \leq \int_E |f_1|\,dx + \int_E |f_2|\,dx \leq 2\int_E |f|\,dx.$$

Zum Beweise der genaueren Relation (26) kann man annehmen, daß $E = \Re_k$; sonst ergänze man $f$ außerhalb von $E$ durch Nullwerte. Wenn $f$ in einem Intervall $A$ konstant ist und sonst verschwindet, so ist (26) offenbar richtig. Wenn weiterhin die Gültigkeit der Relation (26) für zwei Funktionen $f$ und $g$ bekannt ist, von denen jede überall dort verschwindet, wo die andere von Null verschieden ist, so findet man leicht, daß die Relation (26) auch für die Summe $f+g$ besteht. Daher gilt (26) für jede Treppenfunktion. Zu jedem $\varepsilon$ kann man eine Treppenfunktion

$$\psi = \psi_2 + i\psi_2$$

so bestimmen, daß

$$\int |f_1-\psi_1|\,dx \leq \varepsilon, \quad \int |f_2-\psi_2|\,dx \leq \varepsilon.$$

Aus

$$\left|\int (f-\psi)\,dx\right| \leq \int |f_1-\psi_1|\,dx + \int |f_2-\psi_2|\,dx$$

und

$$\left|\int (|f|-|\psi|)\,dx\right| \leq \int |f-\psi|\,dx$$

ergibt sich durch den Grenzübergang $\varepsilon \to 0$, daß (26) für jede komplexwertige Funktion $f$ besteht.

Von da ab überträgt sich alles Weitere unschwer auf komplexwertige Funktionen.

### Ergänzung von Funktionen.

13. Gegeben seien auf der $\alpha$-Achse zwei Punkte $\beta, \gamma$ und Zahlen $b_\varrho$, $c_\varrho$; $\varrho = 0, 1, \ldots, r-1$. Dann gibt es in $(\beta, \gamma)$ eine analytische Funktion, sogar ein Polynom $P(\alpha)$, für welches

$$P^{(\varrho)}(\beta) = b_\varrho,\quad P^{(\varrho)}(\gamma) = c_\varrho; \qquad \varrho = 0, 1, \ldots, r-1.$$

Vgl. etwa A. A. Markoff, Differenzenrechnung, Leipzig, 1896.

14. Gegeben seien eine $(r-1)$-mal stetig differenzierbare Funktion $\Gamma(\alpha)$ in einem Intervall $(\beta, \gamma)$ und Zahlen $\beta', \gamma'$, für welche $\beta' < \beta, \gamma < \gamma'$. Nach 13. gibt es in $(\beta', \beta)$ eine analytische Funktion $\Gamma_\beta(\alpha)$, welche für $\alpha = \beta'$ mitsamt den $r-1$ Ableitungen verschwindet und für $\alpha = \beta$ sich mitsamt den $r-1$ Ableitungen an die Funktion $\Gamma(\alpha)$ stetig anschließt. Ähnlich gibt es in $(\gamma, \gamma')$ eine analytische Funktion $\Gamma_\gamma(\alpha)$, welche ein analoges Verhalten für die Punkte $\gamma'$ und $\gamma$ aufweist. Wenn man zu den Funktionsstücken $\Gamma_\beta$, $\Gamma$ und $\Gamma_\gamma$ in den Intervallen $[-\infty, \beta']$ und $[\gamma', +\infty]$ die Funktionswerte Null hinzunimmt, so entsteht im Gesamtintervall $[-\infty, \infty]$ eine Funktion $G(\alpha)$, welche durchweg $(r-1)$-mal stetig differenzierbar ist. Wenn die Funktion $\Gamma(\alpha)$ in $(\alpha, \beta)$ sogar $r$-mal differenzierbar ist (im Sinne von 8.), so ist es auch die Funktion $G(\alpha)$ in $[-\infty, \infty]$.

15. Wenn die Funktion $\Gamma(\alpha)$ insbesondere den konstanten Wert $c$ hat, so kann man die Funktionen $\Gamma_\beta$ und $\Gamma_\gamma$ sogar monoton machen, etwa durch die Wahl

$$\Gamma_\beta = c\,e^{-\left(\frac{x-\beta'}{\beta-x}\right)^r}, \qquad \Gamma_\gamma = c\,e^{-\left(\frac{x-\gamma'}{x-\gamma}\right)^r}.$$

Man kann sogar in diesem Falle die Funktionen $\Gamma_\beta$ und $\Gamma_\gamma$ derart als monotone Funktionenstücke konstruieren, daß die resultierende Funktion $G(\alpha)$ Ableitungen beliebig hoher Ordnung besitzt; hierauf gehen wir nicht ein.

16. Wenn in zwei Halbgraden $[-\infty, \beta')$ und $(\gamma', +\infty]$ je eine $r$-mal differenzierbare Funktion $P(\alpha)$ und $Q(\alpha)$ gegeben sind, so kann man sie auf Grund von 13. zu einer in $[-\infty, \infty]$ $r$-mal differenzierbaren Funktion $H(\alpha)$ ergänzen. Man kann von der Funktion $H(\alpha)$ sogar verlangen, daß sie in $(\beta', \gamma')$ von Null verschieden ist, sofern nur $P(\beta') \neq 0$ und $Q(\gamma') \neq 0$. Denn man denke sich diese Ergänzung, etwa gemäß 13., durch ein Polynom $P(\alpha)$ bewirkt. $P(\alpha)$ kann von vornherein in $[\beta', \gamma']$ endlich viele Nullstellen haben. Wir wollen nunmehr $P(\alpha)$ derart in der Umgebung jeder ihrer Nullstellen abändern, daß die abgeänderte Funktion weiterhin $r$-mal differenzierbar ist und darüber hinaus keine Nullstellen mehr besitzt. Nehmen wir der Einfachheit wegen an, daß eine herausgegriffene Nullstelle den Wert $\alpha_0 = 0$ hat. In einer gewissen Umgebung, welche keine weitere Nullstelle von $P(\alpha)$ erhält, kann man schreiben

$$P(\alpha) = c\alpha^p(1 + f(\alpha) + ig(\alpha)) \qquad p > 0,$$

wobei $f(\alpha)$ und $g(\alpha)$ Polynome mit reellen Koeffizienten sind, und $f(\alpha)$ in einem Teilintervall

(27) $$|\alpha| \leq \alpha_1 \, (< {}^1/_2)$$

unserer Umgebung absolut genommen $< 1$ ist. Wir fügen zu $P(\alpha)$ diejenige Funktion hinzu, welche in (27) den Wert

$$ci(\alpha_1^2 - \alpha^2)^{r+1}$$

hat, und sonst verschwindet. Die ergänzte Funktion ist $r$-mal stetig differenzierbar, und abgesehen vom Faktor $c$ läßt sie sich in (27) schreiben:

$$\alpha^p(1 + f(\alpha)) + i[\alpha^p g(\alpha) + (\alpha_1^2 - \alpha^2)^{r+1}].$$

Da der Realteil nur für $\alpha = 0$ verschwindet, aber für $\alpha = 0$ der Imaginärteil $\neq 0$ ist, hat die Funktion keine Nullstellen in (27).

### Summation mehrfacher Integrale.

17. Wenn eine in $[0, \infty]$ definierte integrierbare Funktion $\varphi(\alpha)$ für $\alpha \to \infty$ einem Limes $\varphi$ zusteht, so konvergiert auch die Funktion

(28) $$\Phi(\alpha) = \frac{1}{\alpha} \int_0^\alpha \varphi(\beta) \, d\beta$$

für $\alpha \to \infty$ gegen $\varphi$. Man erkennt dies unschwer, wenn man in (28) die Substitution

$$\varphi(\alpha) = \varphi + \varepsilon(\alpha) \qquad \varepsilon(\alpha) \to 0$$

vornimmt.

18. Es sei in dem Oktanten

$$0 < \alpha_\varkappa < \infty \qquad \varkappa = 1, \ldots, k,$$

eine integrierbare Funktion

(29) $$\varphi(\alpha_1, \ldots, \alpha_k)$$

vorgegeben, welche für $\alpha_\varkappa \to \infty$ gegen einen Grenzwert $\varphi$ konvergiert. Die Funktion

(30) $$\Phi(\alpha_1, \ldots, \alpha_k) = \frac{1}{\alpha_1 \ldots \alpha_k} \int_0^\alpha \varphi(\beta_1, \ldots, \beta_k) \, d\beta$$

braucht dann [wenn $\varphi(\alpha_1, \ldots, \alpha_k)$ nicht im ganzen Oktanten beschränkt ist] für $\alpha_\varkappa \to \infty$ nicht zu konvergieren. Wenn sie aber konvergiert, so hat ihr Limes denselben Wert $\varphi$. Den Beweis hierfür habe ich in einer Note in der Mathematischen Zeitschrift, **35**, 122/6. 1932 erbracht. Allerdings wird in dieser Note statt des Integralmittelwerts (30) der Summenmittelwert

$$\Phi_{n_1 \ldots n_k} = \frac{1}{n_1 \ldots n_k} \sum_{\nu_\varkappa = 0}^{n_\varkappa - 1} \varphi(\nu_1, \ldots, \nu_k)$$

behandelt, die Betrachtungen übertragen sich jedoch sehr leicht auf den Ausdruck (30).

Es sei nunmehr eine Funktion $\psi(\gamma_1, \ldots, \gamma_k)$ im gesamten $\gamma_\varkappa$-Raum definiert und integrierbar, und das Integral

$$\varphi(\beta_1, \ldots, \beta_k) = \int_{-\beta}^{\beta} \psi(\gamma_1, \ldots, \gamma_k)\, d\gamma \tag{31}$$

habe für $\beta_\varkappa \to \infty$ einen Grenzwert. Wenn man (31) in (30) einsetzt, so entsteht

$$\int_{-\alpha}^{\alpha} \prod_\varkappa \left(1 - \left|\frac{\beta_\varkappa}{\alpha_\varkappa}\right|\right) \psi(\beta_1, \ldots, \beta_k)\, d\beta. \tag{32}$$

Wenn also (32) gleichfalls einem Grenzwert zustrebt, so stimmen die beiden Grenzwerte überein.

# Anmerkungen. Zitate.

1. Eine gründliche historisch-genetische Einleitung in die Theorie der trigonometrischen Integrale bietet in der Enzyklopädie der mathematischen Wissenschaften der Artikel II A 12 von H. Burkhardt, betitelt: Trigonometrische Reihen und Integrale (bis etwa 1850); insbesondere kommt das Kapitel V: „Das Fouriersche Integral" in Frage. Dieses grundlegende Quellenwerk werden wir im folgenden kurz mit

„Burkhardt"

unter Angabe von Seiten- bzw. Formelzahl zitieren; insbesondere werden wir bei bemerkenswerten speziellen Integralen wegen des Quellennachweises auf „Burkhardt" verweisen. Dem Enzyklopädieartikel ging eine sehr umfangreiche Materialsammlung desselben Verfassers im Jahresbericht der Deutschen Mathematiker-Vereinigung **X**, 1 u. 2. 1909 voraus, unter dem Titel: Entwicklungen nach oszillierenden Funktionen und Integration der Differentialgleichungen der mathematischen Physik, welche unter anderem auch das Auftreten der Fourierschen Integrale in der Physik voll berücksichtigt. Jedoch ist dieser Bericht noch nicht nach mathematischen Gesichtspunkten systematisch geordnet und daher wegen seines beträchtlichen Umfanges nicht leicht zu benutzen.

Das älteste (und in gewisser Hinsicht bisher einzige) Lehrbuch über Fouriersche Integrale ist O. Schlömilch, Analytische Studien, zweite Abteilung, Leipzig 1848.

Einen bemerkenswerten Beitrag zur Geschichte des Fourierschen Integrals, insbesondere zur Frage, inwiefern die Benennung des Fourierschen Integraltheorems nach J. J. Fourier berechtigt ist, gibt A. Pringsheim, Über das Fouriersche Integraltheorem, Jahresbericht der Deutschen Mathematiker-Vereinigung **16**, 2–16. 1907, und Über die Gültigkeitsgrenzen für die Fouriersche Integralformel, Math. Ann. **68**, 307–408. 1910. Die letzte Arbeit, die wir mit

„Pringsheim I"

zitieren werden, enthält als erste exakte Kriterien über die Gültigkeit der Fourierschen Integralformel und des Fourierschen Integraltheorems, welche noch in einem Nachtrag in Math. Ann. **71**, 289–298. 1912 — im folgenden zitiert mit

„Pringsheim II"

—, vervollständigt werden. Die Ergebnisse von Pringsheim und später hinzugekommene Verallgemeinerungen anderer Autoren sind vollständig reproduziert in dem Lehrbuch von L. Tonelli, Serie trigonometriche, Bologna 1928 — später zitiert mit

„Tonelli"

—, insbesondere S. 402–433. Außerdem nennen wir noch das Buch E. W. Hobson, Theory of Functions of a Real Variable, 2. Aufl., Bd. 2, 1926— später zitiert mit

„Hobson"

—, insbesondere Kapitel X, woselbst auch die Theorie der Plancherelschen Transformierten und die Summationstheorie weitgehend behandelt werden.

Das erste präzise Resultat über die Gültigkeit der Fourierschen Integralformel, und zwar bezüglich „Summierbarkeit" anstatt direkter Konvergenz wurde lange vor Pringsheim von A. Sommerfeld aufgestellt, in seiner Dissertation: Über die willkürlichen Funktionen in der mathematischen Physik, Königsberg 1891.

Eine sehr ausführliche Sammlung von bestimmten Fourierschen Integralen enthält das Buch: George A. Campbell and Ronald M. Foster, Fourier integrals for practical applications, New York, Bell Telephone Lab., 1931.

Weitere Zitate werden wir an geeigneten Orten anführen.

2. Vgl. Burkhardt, S. 1085/6. — Die komplexe Schreibweise stammt von A. Cauchy, Burkhardt, S. 1086.

3. Dieser Satz ist unter dem Namen Riemann-Lebesguesches Lemma bekannt. Er ist für nach Riemann integrierbare Funktionen von B. Riemann, Über die Darstellbarkeit einer willkürlichen Funktion durch eine trigonometrische Reihe, Werke, 2. Aufl., 1892, S. 253–255 und für allgemeine Funktion von H. Lebesgue, Leçons sur les séries trigonométriques, Paris 1906, S. 61 bewiesen worden.

4. Die Integrale (4) sind „der einzige Fall, welchen man durch direktes Auswerten des unbestimmten Integrals und Einsetzung der Grenzen erledigen kann", vgl. Burkhardt, S. 1098.

5. Pringsheim I.

6. Der Name „Transformierte" geht letzten Endes auf Cauchy zurück, Burkhardt, S. 1098; Cauchy spricht von der „reziproken" Funktion.

7. H. Lebesgue, Bulletin de la Société mathématique de France, **38**, 184 bis 200. 1910.

8. Wenn eine Funktion auf einem endlichen oder unendlichen Intervall von beschränkter Variation ist, so kann man sie daselbst als Differenz zweier beschränkter monotoner Funktionen darstellen. Gewöhnlich pflegt man dies in der Theorie der reellen Funktionen nur im Fall eines endlichen Intervalles zu behandeln, doch ist der Fall des unendlichen Intervalls sehr leicht daraus zu gewinnen, vgl. z. B. Tonelli, S. 411, Fußnote.

9. Der Satz stammt von G. Darboux, Mémoire sur l'approximation des fonctions de très grands nombres, Journ. de Math. 3ième Série, **4**, 5–56. 1878. — Vgl. etwa die Darstellung bei Tonelli, S. 226–228. — Wegen allgemeiner Sätze vgl. etwa A. Haar, Über asymptotische Entwicklung von Funktionen, Math. Ann. **96**, 69–107. 1927, außerdem die unter [20]) zitierten Arbeiten von du Bois-Reymond und Hardy.

10. Vgl. etwa Ch.-J. de la Vallée Poussin, Cours d'analyse, Sixième édition, Tome II, 1928, S. 30.

11. Die Formel (3) stammt von J. Fr. Pfaff und L. Mascheroni, vgl. Burkhardt, S. 1123. — Über die verschiedenen Methoden zur Auswertung dieser Formel vgl. A. Berry, Messenger of Mathematics, Series 2, **37**, 61/2. 1907 und E. L. Nanson, daselbst S. 113/4.

12. Die Formel (5) kommt zuerst bei G. Bidone und J. J. Fourier vor, die Formel (8) bei Fourier, vgl. Burkhardt, S. 963.

Über den diskontinuierlichen Faktor vgl. [64]).

13. Die Formeln (13) und (14) stammen ursprünglich von Ph. Kelland und J. Dienger, vgl. Burkhardt, S. 1121.

14. G. H. Hardy, Proceedings of the London Mathematical Society, Series (1), **23**, 16–40 u. 55–91. 1901/2; **35**, 81–107. 1902/03; Series (2), **7**, 181–208. 1908/09.

15. Die Formeln (3) und noch allgemeinere sind von Cauchy.

16. Die Formeln (4) und (5) sind von L. P. Gilbert, Mémoires couronnées de l'Académie R. des Sciences de Bruxelles, XXXI, 1–52. 1861.

17. Wegen Literatur vgl. in der Enzyklopädie der mathematischen Wissenschaften den Artikel II C 11 von E. Hilb und O. Szaß, S. 1239/43 und Hobson, Kapitel VII.

18. Wegen der Benennung nach L. Fejér, vgl. [42]).

19. H. Lebesgue, l. c. [3]), S. 12/14. — Daselbst, S. 95–96, wird auch unser Satz 4 bewiesen, und zwar für eine Funktion die außerhalb eines endlichen Intervalls verschwindet.

20. Diese grundlegende Formel rührt von P. G. Lejeune-Dirichlet her und ist nach ihm benannt, vgl. Burkhardt, S. 1036/8. — P. du Bois-Reymond und G. H. Hardy haben das Dirichletsche Integral für den Fall untersucht, daß die Funktion $f(x)$ sich für $x = 0$ in bestimmter Weise singulär verhält. Man vgl. hierzu G. H. Hardy, Quarterly Journal of Mathematics **44**, 1–40. 1912/13, 242–263.

21. Pringsheim I.

22. Veröffentlicht in Pringsheim II.

23. Die Wienersche Formel in der allgemeinen Fassung unseres Satzes 9 dürfte neu sein. Von Wiener stammt nur die Formel (13) — vgl. N. Wiener, Math. Zeitschrift **24**, 575–616. 1926 — und die entsprechende Formel mit dem Kern

$$\frac{\sin^4 n x}{n^3 x^4} \text{ statt } \frac{\sin^2 n x}{n x^2},$$

vgl. N. Wiener, Journal of Mathematics and Physics **5**, 99–121. 1926, insbesondere § 1. Unser Beweis des Satzes 9 ist eine Verallgemeinerung eines Beweises von Wiener für die Formel (13) in N. Wiener, Journal of the London Mathematical Society **2**, 118–123. 1927. Der letzteren Note ging eine Note von S. Bochner and G. H. Hardy, daselbst, **1**, 240–244. 1926, voraus, in welcher zum ersten Male die Wienersche Formel als solche ausgesprochen wurde. Bei Wiener kam sie nur implizite vor.

Eine Verallgemeinerung der Formel (13) in anderer Richtung gab M. Jacob, daselbst, 3, 182–187. 1928.

24. Eine Benennung der Formel ausschließlich nach S. D. Poisson ist kaum zu rechtfertigen, vgl. Burkhardt, S. 1339/42.

25. Zu den Sätzen 10 und 10a vgl. etwa J. R. Wilton, Journ. of the London Mathematical Society 5, 276–280. 1930.

26. Von Cauchy; Burkhardt, S. 1341.

27. Vgl. O. Schlömilch, Beiträge zur Theorie der bestimmten Integrale, Jena 1843, S. 20. Ähnliche Formeln schon bei Pfaff, vgl. Burkhardt, S. 939.

28. Von Poisson, vgl. Burkhardt, S. 1341, Formel (1713).

29. Von Poisson, vgl. Burkhardt, S. 1130/31. Wegen einer Auswertung, vgl. etwa Schlömilch, l. c., [27]), §§ 6ff.

30. Die Formel (23) ist von C. J. Malmsten, vgl. Burkhardt, S. 942, Formel (451).

31. Pringsheim I. — Unsere Bedingungen 1) und 2) sind die allernotwendigsten. Es gibt sehr schöne allgemeine Kriterien von Pringsheim, H. W. Yuong, H. Hahn u. a., derentwegen wir auf die Darstellung bei Tonelli verweisen, wo auch weitere Literatur zitiert wird.

32. Vgl. l. c.[6]).

33. Die Formeln (12) gab P. S. de Laplace, vgl. Burkhardt, S. 1100/01.

34. Vgl. Burkhardt, S. 1115.

35. Wegen eines Beweises von (5) und des Grenzüberganges $k \to 0$ vgl. etwa G. F. Meyer, Vorlesungen über die Theorie der bestimmten Integrale, Leipzig 1871, S. 164–188.

36. Formel (6) stammt von Cauchy; Burkhardt, S. 1110/11.

37. Vgl. Burkhardt, S. 1119/20.

38. Dieser Beweis stammt im Prinzip von Fourier, vgl. Burkhardt, S. 1117.

39. Vgl. die zusammenfassende Arbeit von G. H. Hardy and E. C. Titchmarsh, Quarterly Journal of Mathematics, Oxford Series, 1, 196–231. 1930.

40. Statt „Faltung" sagt man auch „Komposition". Wegen der Geschichte des Begriffes vgl. G. Doetsch, Überblick über Gegenstand und Methode der Funktionalanalysis, Jahresbericht der Deutschen Mathematiker-Vereinigung 36, 1–30. 1927, insbesondere ab S. 19.

41. Verallgemeinerung dieses Satzes bei S. Pollard, Proceedings of the London Mathematical Society, Series (2), 25, 451–468. 1926; M. Jacob, Mathematische Annalen 97, 663–674. 1927 und A. Zygmund, daselbst 99, 562–589. 1928.

42. Vgl. Sommerfeld, l. c.[1]). Der weitere Spezialfall $\varphi(\alpha) = 1 - |\alpha|$ für $|\alpha| < 1$ und $= 0$ für $|\alpha| > 1$, stammt im wesentlichen von L. Fejér, Mathematische Annalen 58, 51–69. 1904, der diese Summationsmethode auf Fouriersche Reihen anwandte. Die Summation nach einer allgemeinen Funktion $\varphi(\alpha)$ stammt von G. H. Hardy, Transactions of the Cambridge Philosophical Society XXI, 431. 1912. Hardys Funktionen $\varphi(\alpha)$ sind spezieller als die unsrigen, aber dafür ist das Resultat nicht nur auf Fnktionen $f(x)$ anwendbar, die für $x \to \pm \infty$ absolut integrierbar sind. Wegen der Cesàro-Summierbarkeit für beliebige Exponenten vgl. man außer der Darstellung bei Hobson die Arbeiten: M. Jacob, Bulletin international de l'Académie Polonaise de Cracovie, Série A: sciences mathématiques, S. 40–74, 1926, und Mathematische Zeitschrift 29, 20–33. 1928; S. Pollard, Proceedings of the Cambridge Philosophical Society, XXIII, 373–382. 1927.

43. Formel (24) stammt von Cauchy, vgl. Meyer, l. c.[35]), S. 205–208.

44. Von E. Catalan, Burkhardt, S. 1105.

45. Die Formel (29) und eine Verallgemeinerung sind von Dirichlet gefunden worden, vgl. Burkhardt, S. 1114.

46. Die Formeln (30,) (31) und (32) stammen von Cauchy, Burkhardt, S. 850 bis 851.

47. Vgl. Meyer, l. c.[35]), S. 310–313.

48. Die Formel (14) stammt von O. Schlömilch und A. de Morgan, vgl. Burkhardt, S. 1145–1147. — Unser Beweis ist im Prinzip derjenige von G. H. Hardy, Proceedings of the London Mathematical Society, Series (1), **35**, 81–103. 1902/03, insbesondere S. 96. — Ein funktionentheoretischer Beweis bei L. Kronecker, Vorlesungen Band 1, Bestimmte Integrale, 1894, S. 199–214.

49. Vgl. z. B. G. H. Hardy, Transactions of the Cambridge Philosophical Society, **21**, 39–86. 1912.

50. Von Laplace; Burkhardt, S. 1126–1127.

51. Von Cauchy; Burkhardt, S. 1128, Formel (951).

52. Nach A. M. Legendre; Burkhardt, S. 1142–1143.

53. Nach O. Schlömilch; Burkhardt, S. 1154.

54. Wegen der Formeln (13) und (14) vgl. Meyer, l. c.[35]), S. 286–289 und S. 319–324.

55. Von E. C. J. von Lommel; Watson, S. 48. Das Inversionsintegral ist in einer allgemeinen Integralformel von H. Weber und P. Schafheitlin enthalten; Watson, S. 389–415.

55a. Von H. Weber; Watson, S. 405.

56. Von L. Gegenbauer; Watson, S. 50, Formel (3).

57. Von N. J. Sonine und Gegenbauer; Watson, S. 415, Formel (1).

58. Von E. G. Gallop; Watson, S. 422.

59. Vgl. Watson, S. 150, Formel (1).

60. Die Formel (13) ist in einer allgemeinen Formel von S. Ramanujan enthalten, Watson, S. 449. Von Ramanujan stammen noch zahlreiche andere (nicht notwendig auf Besselsche Funktionen bezügliche) Fouriersche Integrale und Inversionen solcher Integrale, die auf verschiedene Abhandlungen seiner gesammelten Werke (Collected Papers of S. Ramanujan, Cambridge 1927) verteilt sind. Einigen werden wir noch in § 35 begegnen.

61. Von F. G. Mehler und Sonine; Watson, S. 169–170.

62. Von A. B. Basset; Watson, S. 172.

63. Die Formeln (19) und (20) gehen auf O. Heaviside zurück; Watson, S. 388.

64. Den Ursprung dieses Satzes bildet Dirichlets Verwendung des diskontinuierlichen Faktors, vgl. § 4, 4, zur Auswertung gewisser bestimmter Integrale, vgl. Burkhardt, S. 1321–1322. Von Dirichlet stammt die Formel (7) in unserem Satz, die allgemeine Formel stammt von Schlömilch, l. c.[1]), S. 160–181.

65. Man vgl. hierüber etwa O. Perron, Die Lehre von den Kettenbrüchen, II. Aufl., 1929, S. 362–367.

66. Vgl. P. Lévy, Calcul des Probabilités, 1925, S. 163–172.

67. Daselbst, S. 192–195.

68. Dies ist ein wichtiger Satz der Wahrscheinlichkeitstheorie von P. Lévy, daselbst, S. 197 ff., und zuvor in Comptes rendus de l'académie des sciences de

Paris **175**, 854–856. 1922. Vgl. auch M. Jacob, daselbst **188**, 541–543, 754–757. 1929. Andere Beweise des Satzes bei G. Pólya, Mathematische Zeitschrift **18**, 96–108. 1923 und bei F. P. Cantinelli, Rendiconti del Circolo matematico di Palermo **52**, 416. 1928.

69. Die Definition des Begriffs der positiv-definiten Funktionen und die nähere Betrachtung solcher Funktionen, nicht aber unser Satz 23 im vollen Umfang, stammen von M. Mathias, Mathematische Zeitschrift **16**, 101–125. 1923. — Voraufgegangen war eine Note von F. Bernstein, Mathematische Annalen **85**, 155 bis 159. 1922.

70. Polya, l. c.[68]).

71. Mathias, l. c.[69]). Der Spezialfall $\varrho = 4$ wurde zuvor von F. Bernstein, Mathematische Annalen **79**, 265–268. 1918 auf anderem Wege behandelt.

72. Lévy, l. c.[66]), S. 252–277.

73. Vgl. H. Bohr, Acta Mathematica **45**, 29–127. 1925.

74. Dieser Beweis im wesentlichen nach N. Wiener, Proceedings of the London Mathematical Society, Series (2), **27**, 483–496. 1928.

75. Zu den Betrachtungen dieses Kapitels und der entsprechenden Teile des nächsten Kapitels bin ich durch die Abhandlung von N. Wiener, The Operational Calculus, Mathematische Annalen **95**, 557–585. 1926, angeregt worden.

76. Wegen des allgemeinen Falles vgl. meine Note: Beitrag zur absoluten Konvergenz fastperiodischer Fourierreihen, Jahresbericht der Deutschen Mathematiker-Vereinigung **39**, 52–54. 1930.

77. G. H. Hardy und E. C. Titchmarsh, Proceedings of the London Mathematical Society, Series (2), **23**, 1–26. 1925 und eine Berichtigung daselbst **24**, XXXI bis XXXIII. 1925 (Records for February 1925). Außerdem von denselben Verfassern, daselbst **30**, 95–106. 1930, und E. Hopf, Journal of the London Mathematical Society **4**, 23–27. 1929.

78. Verallgemeinerte Fouriersche Integrale sind systematisch wohl zum ersten Male von H. Hahn untersucht worden; man vgl. dessen Arbeiten in Acta Mathematica **49**, 301–353. 1926, und Sitzungsberichte der Akademie der Wissenschaften in Wien, Mathematisch-Naturwissenschaftliche Klasse, Abteilung II, **134**, 449 bis 470. 1925. Etwas später, aber methodisch unabhängig von Hahn sind verallgemeinerte Fouriersche Integrale von N. Wiener untersucht worden, l. c.[23]). — Die beiden genannten Autoren haben die Verallgemeinerung etwa bis zum Umfange unserer Klasse $\mathfrak{F}_2$ durchgeführt, die Verallgemeinerung auf höhere Funktionenklassen gab ich in Mathematische Annalen **97**, 635–662. 1927. — Eine Erweiterung des Fourierschen Integrals zum Zwecke der Erweiterung des Satzes von Plancherel, vgl. § 40 und § 41, wurde von I. C. Burkill, Proceedings of the London Mathematical Society, Series (2), **25**, 513–529, 1926, erörtert.

79. Über Verallgemeinerungen des Eindeutigkeitssatzes in Anschluß an die verallgemeinerten Fourier-Integrale bei Hahn, Wiener und Burkill vgl. M. Jacob, Mathematische Annalen **100**, 278–294. 1928.

80. Lebesgue, l. c.[3]), S. 15–16.

81. Wegen eigentlicher Sätze über Konvergenz in einzelnen Punkten vgl. [31]), insbesondere H. Hahn, l. c.[78]).

82. H. Bohr, l. c.[73]).

83. Dieses Ergebnis stammt von Erh. Schmidt, Mathematische Annalen **70**, 499–524. 1911. Eine Verallgemeinerung der Schmidtschen Methode für den

Fall, daß die $a_{\varrho\sigma}$ Polynome in $x$ sind, untersuchte G. Hoheisel, Mathematische Zeitschrift **14**, 35–99. 1922.

84. E. Picard, Annales de l'Ecole Normale Supérieure, 3ième Série, **28**, 313 bis 324. 1911.

85. Wegen Literatur zu diesem und dem folgenden Paragraphen vgl. Doetsch, l. c.[40]).

86. Wegen allgemeinerer Kriterien für die Gültigkeit der Umkehrformel und deren Summation und wegen der nachfolgenden Beispiele vgl. insbesondere G. H. Hardy, Messenger of Mathematics **47**, 178–189. 1918. Das bemerkenswerte Beispiel 2) stammt von G. Ramanujan, daselbst, **46**, 10–18, 1915, insbesondere Formel (2).

Den Fall, daß beide Umkehrformeln Stieltjessche Integrale sind, behandelte I. C. Burkill, Proceedings of the Cambridge Philosophical Society **23**, 356–360. 1926.

87. T. v. Stachó, Mathematische und Naturwissenschaftliche Berichte aus Ungarn, **33**, 20–32. 1926.

88. G. Doetsch, Sitzungsberichte der Preußischen Akademie der Wissenschaften, Phys.-mathem. Klasse, 1930, X.

89. Vgl. G. Pólya, Journal für die reine und angewandte Mathematik. **158**, 6–18. 1927, und E. C. Titchmarsh, Procedings of the London Mathematical Society, Series (2), **25**, 283–302. 1925.

90. Doetsch, l. c.[40]) und Haar, l. c.[9]).

91. Zu diesem Paragraphen in allen seinen Einzelheiten vgl. man Doetsch, l. c.[40]) und außerdem G. H. Hardy, Messenger of Mathematics, **49**, 85–91. 1920; **50**, 165–171. 1921.

92. Wegen der Formel (3) s. G. N. Watson, The Theory of Bessel Functions, Cambridge 1922, S. 386.

93. Vgl. E. T. Whittaker and G. N. Watson, A Course of modern Analysis, 3. Aufl., 1920, S. 289.

94. von F. Bernstein, vgl. l. c.[91]).

95. Vgl. noch G. Doetsch, Mathematische Zeitschrift **32**, 587–599. 1930.

96. Der Satz stammt von Hj. Mellin (der sie aber nur unter recht engen Voraussetzungen bewiesen hat) und von H. Hamburger und M. Fujiwara. Vgl. Doetsch, l. c.[40]) und Haar, l. c.[9]).

97. Die älteste systematische Studie betreffend konjugierte trigonometrische Integrale war wohl O. Beau, Untersuchungen auf dem Gebiete der trigonometrischen Reihen und trigonometrischen Integrale, Leipzig 1883. Von neueren Arbeiten vgl. E. C. Titchmarsh, Proceedings of the London Mathematical Society, Series (2), **24**, 109–130. 1924 und Journal of the London Mathematical Society **5**, 89–91. 1930.

98. A. Weinstein, Rendiconti delle R. Accademia Nazionale dei Lincei, Classe di Scienze fisiche, matematiche e naturale, Bd. V, Serie 6a, 1. Sem. 1927 und Comptes Rendus des Séances de l'Académie des Sciences de Paris, **184**, 479–499. 1927, und Abhandlungen aus dem Mathematischen Seminar der Hamburgischen Universität, **6**, 263–264. 1928. — Zur Auflösung selber vgl. noch G. Hoheisel, Jahresbericht der Deutschen Mathematiker-Vereinigung, **39**, 54–58. 1930.

99. Diese Sätze stammen von E. Fischer, F. Riesz, I. Radon und die Ausdehnung auf unendliche Intervalle von Pia Nalli. Wegen einer zusammenfassenden Darstellung vgl. Hobson, S. 246–249.

100. Der Inhalt der Sätze 51 bis 55 stammt von M. Plancherel, Rendiconti del Circolo Matematico di Palermo, **30**, 289–339. 1910 und Proceedings of the London Mathematical Society, Series (2), **24**, 62–70. 1925. Die ursprüngliche Plancherelsche Theorie ist sehr allgemein, für den Spezialfall der Fourierschen und Hankelschen Integrale wurden die Betrachtungen spezialisiert durch E. C. Titchmarsh, Proceedings of the Cambridge Philosophical Society, **11**, 463–473. 1923 (und eine Berichtigung in **12**, 1924) und Journal of the London Mathematical Society, **1**, 195–196. 1927. — Den Fall des Fourierschen Integrals behandelte neuerdings F. Riesz in Acta litterarum ac scientiarum (Scientiarum matematicarum), Szeged, **3**, 235–241. 1927.

101. Kriterien für die Konvergenz des Integrals im üblichen Sinne gaben M. Plancherel, E. C. Titchmarsh u. a.; vgl. [31]) und Hobson S. 748–751.

102. Vgl. G. H. Hardy and E. C. Titchmarsh, l. c.[77]).

103. I. C. Burkill untersuchte den Fall, daß man im Integral (15′) das Differential $f(x)\,dx$ durch das allgemeinere $d\varphi(x)$ ersetzt, vgl. l. c.[86]). Ähnlich auch im Falle der Hankelschen Integrale. Vgl. hierzu S. Izumi, The Tohoku Mathematical Journal, **29**, 266–277. 1928.

104. E. C. Titchmarsh, Proceedings of the London Mathematical Society, Series (2), **23**, 279–281. 1925 und Journal of the London Mathematical Society, **2**, 148–150. 1927; A. C. Berry, Annals of Mathematics, Series 2, **32**, 227–238 und 830–838. 1931. — Vgl. auch Hobson, S. 742–747.

105. Wegen Verallgemeinerungen vgl. G. H. Hardy and E. C. Titchmarsh, Journal of the London Mathematical Society **6**, 44–48. 1930.

106. Vgl. [100]) und I. C. Burkill, l. c. [103]). Für die Literatur über den Gegenstand vor Plancherel vgl. Watson, l. c.[92]). Wegen Verallgemeinerungen des Fourierschen Integraltheorems auf andere als Hankelsche Kerne vgl. M. H. Stone, Mathematische Zeitschrift, **28**, 654–676. 1928.

107. Vgl. Watson, l. c.[92]), S. 406, Formel (8).

108. Dieser Beweis nach E. Czuber, Monatshefte für Mathematik und Physik, **2**, 119–124. 1891.

109. Für $k = 2, 3$ von Poisson und Cauchy, Burkhardt, S. 1165–1173. Auch für beliebiges $k$ ist der Satz nicht neu.

110. Nach Poisson und Cauchy, Burkhardt, S. 1164.

111. Vgl. Watson, l. c.[92]), Kap. 13·47.

112. Vgl. [17]).

113. Vgl. Ch. H. Müntz, Mathematische Annalen, **90**, 279–291. 1923 und Sitzungsberichte der Berliner Mathematischen Gesellschaft 1925, S. 81–93.

114. W. Thomson Lord Kelvin, Papers on Electrostatics and Magnetism, Second Edition, 1884, S. 112–125.

115. Vgl. A. C. Berry, l. c. [104]).

116. Unsere Definition monotoner Funktionen von mehreren Veränderlichen dürfte im wesentlichen auf diejenige von G. H. Hardy, Quarterly Journal of Mathematics, **37**, 56–60. 1905/06, hinauslaufen. Wegen der Literatur über den Gegenstand und wegen des Analogons zu unserem Satz 65 im Falle mehrfacher Fourierscher Reihen vgl. H. Hahn, Theorie der reellen Funktionen, Bd. I, Berlin 1921, S. 539–547, Hobson, S. 702–711, und Tonelli, Kapitel IX.

117. Die Poissonsche Summationsformel in mehreren Veränderlichen, wurde zuerst von Ch. H. Müntz, l. c.[113]), dann von L. I. Mordell, vgl. [120]), untersucht.

Wegen des vorliegenden Kriteriums und Verallgemeinerungen vgl. meine Note in Mathematische Annalen, **106**, 56–63. 1932.

118. Wegen dieser Formeln einschließlich der Formel (13) vgl. etwa Tonelli, S. 487.

119. Dies ist ein Satz über Fourier-Reihen in mehreren Veränderlichen. Vgl. Tonelli, S. 486–500.

120. Beträchtlich weitergehende Verallgemeinerungen als (19) spielen neuerdings eine wichtige Rolle in der analytischen Zahlentheorie. Wegen Literatur vgl. L. I. Mordell, Proceedings of the London Mathematical Society, Series 2, **32**, 501–556. 1931.

121. C. L. Siegel, Mathematische Annalen, **87**, 36–38. 1922.

# Verzeichnis der Abkürzungen und Begriffsnamen.

Wir stellen verschiedene im Text vereinbarte Abkürzungen kurz zusammen.

**Intervalle.** Zur Bezeichnung eines linearen *Intervalls* (vgl. S. 3) und eines zur Imaginärachse parallelen *Streifens* der komplexen Ebene (S. 145) benutzen wir runde Klammern, wenn ein Eckpunkt mitgezählt wird, sonst eckige Klammern. Also bezeichnet $(\lambda, \mu]$ etwa das Intervall $\lambda \leqq x < \mu$. Über *Intervalle in mehreren Veränderlichen* vgl. S. 183. — Eine Aussage gilt für $x \to \infty$ (bzw. $x \to -\infty$), falls sie in einem gewissen Intervall $[a, \infty]$ (bzw. $[-\infty, b]$) zutrifft, vgl. S. 5.

**Zahlen und Funktionen.** Unter einer *Zahl* bzw. einer *Funktion* ist in der Regel eine *komplexe Zahl* bzw. eine *komplexwertige Funktion* zu verstehen. Die sehr oft vorkommende Funktion $e^{i\xi}$ wird zur Abkürzung mit $e(\xi)$ bezeichnet, vgl. S. 1.

**Integrierbarkeit.** Wenn in einem einfachen oder mehrfachen Integral bei einem Integralzeichen *die untere* (oder *obere*) *Grenze fehlt*, so ist für sie der Wert $+\infty$ (oder $-\infty$) einzusetzen, vgl. S. 2 und 184. Eine Funktion in einer oder mehreren Veränderlichen heißt über einem endlichen Intervall *integrierbar*, falls sie daselbst nach Lebesgue integrierbar ist, vgl. S. 2 und 183 und Anhang 7. Wegen *absoluter, bedingter, gleichmäßiger Integrierbarkeit* und wegen *Cauchyscher Hauptwerte* von uneigentlichen Integralen vgl. S. 5, 8, 9, 11, 12, 15, 16, 184.

Wegen des Begriffs: „eine Funktion ist $r$-mal in $\mathfrak{F}_0$ oder $\mathfrak{F}_k$ integrierbar" vgl. S. 92 und 120.

**Differenzierbarkeit.** Eine Funktion einer Variablen heißt *differenzierbar*, wenn sie das unbestimmte Integral einer integrierbaren Funktion ist; sie braucht also nicht notwendigerweise in jedem einzelnen Punkte differenzierbar zu sein, vgl. S. 3 und Anhang 8.

Wegen des Begriffs: „eine Funktion ist $r$-mal in $\mathfrak{F}_0$, $\mathfrak{F}_k$, $\mathfrak{F}$ differenzierbar" vgl. S. 83, 120 und 142.

**Abkürzende Zeichen.**

## Sonstige Begriffsnamen.

# DIFFERENTIALGLEICHUNGEN
## LÖSUNGSMETHODEN UND LÖSUNGEN

**By E. KAMKE**

*Third Edition*

"The purpose of this book, and its contents, were thus described in the first edition: 'It should contain, in the form of a reference work, ***everything possible*** **that can be of use when one has a given differential equation to solve, or when one wishes to investigate that solution thoroughly.'** "—*Preface*

This volume gives a complete account of ordinary differential equations.

**PART A: General Methods of Solution and the Properties of the Solutions.** [Treatment ranges from existence theorems and LaPlace and Mellin transforms to numerical, graphical and machine methods.]

**PART B: Boundary and Characteristic Value Problems.**

**PART C: Dictionary of some 1600 Equations in Lexicographical Order,** with solution, techniques for solving, and references.

Printing history of Kamke's *Differentialgleichungen*: First edition, **1940.** Second edition, **1942.** Third edition, **1944.**

**1944** **692 pages** **6 x 9 inches**

Originally published at $15.00

**$7.00**

FORMULAS AND THEOREMS FOR THE

# SPECIAL FUNCTIONS OF MATHEMATICAL PHYSICS

**By W. MAGNUS**

Gathered into a compact, handy and well-arranged reference work are thousands of results on the many important functions needed by the physicist, engineer and applied mathematician.

The work is a translation of the fifty-second volume **(1943)** in the famous series *Die Grundlehren der Mathematischen Wissenschaften.*

The contents of the paragraph on Laguerre polynomials (Chap. 5, §4), one of the shorter paragraphs, illustrates, as well as any, the kind of material covered:

Definitions of the Laguerre polynomials, special cases, differential equation satisfied, recursion formulas, type of roots, representation by hypergeometric series, representation by generating function, relationships between Laguerre and Hermite polynomials, summation formulas, addition formulas, orthogonality relationships, relationships with Sonine polynomials and references to further material in Chapter VI, §4.

PARTIAL CONTENTS (Chapter Headings only): **I.** Gamma Function. **II.** Hypergeometric Function. **III.** The Cylinder Functions (Bessel, Struve, Lommel, Mathieu, etc.). **IV.** Spherical Harmonics. **V.** Orthogonal Polynomials. **VI.** The Confluent Hypergeometric Function and the Special Cases thereof. **VII.** Theta Functions, Elliptic Functions and Integrals. **VIII.** Integral Transforms (Fourier, LaPlace, Hankel, and Mellin Transforms). **IX.** Transformations of Coordinates.

**1943-1948** 182 pages 6 x 9 inches

German edition was published at $5.25

**$3.50**

CHELSEA PUBLISHING COMPANY, 231 W. 29th STREET, NEW YORK